노동계급은 없다

노동계급은 없다

2013년 8월 20일 1판 1쇄 찍음
2013년 8월 28일 1판 1쇄 펴냄

지은이   레그 테리오
옮긴이   박광호
펴낸이   손택수
편집   이호석, 하선정, 임아진
디자인   김현주
관리 · 영업 김태일, 이용희

펴낸곳   (주)실천문학
등록   10-1221호(1995.10.26.)
주소   우121-839, 서울시 마포구 서교동 478-3 동궁빌딩 501호
전화   322-2161~5
팩스   322-2166
홈페이지   www.silcheon.com

ⓒ 레그 테리오, 2013

ISBN 978-89-392-0703-5 03300

이 도서의 국립중앙도서관 출판시도서목록(CIP)은 e-CIP홈페이지(http://www.nl.go.kr/ecip)와
국가자료공동목록시스템(http://www.nl.go.kr/ kolisnet)에서 이용하실 수 있습니다.
(CIP제어번호:CIP2013015232)

부속인간의 삶을 그린 노동 르포르타주

노동자는 왜 떠나야만 했는가?

노동계급은 없다

레그 테리오 지음
박광호 옮김

실천문학사

차례

2002년 10월에, 상하이에서 출발한 중국 배 한 척이 금문 해협에 나타났다.

이 선박은 금문 해협을 통과해 오클랜드에 배를 대고 컨테이너 크레인을 내렸다.

그러자, 중국 노동자들이 떼를 지어 해안으로 가더니 크레인을 설치하기 시작했다.

원래 이 작업은 샌프란시스코 만의 교량 건설 및 철강 노조가 담당했었다.

그들은 중국 노동자들이 자신들의 관할 구역을 침범하여 일을 빼앗아 갔다고 항의했다.

하지만 허사였다. 중국 노동자들이 미국에서 버는 하루 품삯은 고작 4달러였기 때문이다.

여는
글

20세기 미국의 여느 노동계급이 그랬듯, 우리 어머니와 아버지 역시 자식들은 본인보다 더 나은 삶을 살기를 바랐다. 특히 1930년대 대공황을 겪은 이들이라면 더욱 그렇게 생각했다. 교육에서는 부모님의 꿈이 이루어졌다. 우리 남매가 학교에 들어간 것이다. 부모님은 학교에 제대로 다니지 못했다.

물론 부모님의 이런 바람은 어떤 면에서는 옳았다. 통계 자료를 봐도 학력이 높을수록 소득도 높았다. 하지만 부모님이 놓친 부분도 있었다. 예를 들자면, 소득이 높아진다고 해서 반드시 일상의 문제가 줄어들거나 삶이 더 행복해지는 것은 아니었다. 게다가 자녀의 학력을 높여 사무직에 종사하는 중산층으로 편입시키는 일은 육체노동자로서 자신의 삶과 그 가치를 노골적으로 폄하하는 일이었다. 요컨대 어머니는 중산층의 태도를 혐오하면서도 내가 성공하고 출세하기를 원했다.

아니나 다를까 당시에 나는 대학에 들어갔다. 전공은 공학이었고, 어머니는 그 과를 졸업하면 좋은 기회도 생기고 돈벌이도 좋을 거라고 막연하게 생각했다. 하지만 유감스럽게도 나는 전혀 준비가 되어 있지 않았다. 우리 가족은 일을 찾아 이곳저곳을 떠돌아다니며 과실을 따는 품꾼이었다.

때로 나는 3주에 한 번꼴로 학교를 옮겨야 했다. 나는 긴 나눗셈을 완벽히 할 수 없었다. 전 학교에서 나눗셈을 갓 시작했을 때, 새로 옮긴 학교에서는 나눗셈을 끝내고 분수에 들어갔기 때문이다. 이 때문인지 대학에 들어가서도 물리학, 수학, 화학에서 낙제했다. 그것도 한 학기에 전부. 나중에 대학으로 다시 돌아갔을 때는 영문학을 택했다. 나는 책 읽기가 좋았다.

어른이 되자, 세상은 더 이상 어렸을 때 알던 곳이 아니었다. 육체노동자의 세상과 사무직 노동자의 세계는 달랐다. 나는 서로 다른 두 개의 세상을 고민하고 비교해볼 수밖에 없었다. 나는 버클리에 있는 대학교를 그만두고 과실 노동자의 삶으로 돌아가자고 결론을 내렸다. 그 후에는 부두노동자가 되어 샌프란시스코 부둣가에서 일하며 30여 년을 보냈다.

나는 육체노동자의 세계로 돌아가고자 한 결심을 결코 후회한 적이 없다. 하지만 세월이 흐르고 현재 우리의 세상은, 즉 직접 몸으로 일하는 육체노동자의 세상은 분명히 더욱더 좁아지고 있다. 공장이 자동화되고, 해외로 이전되면서 우리의 일거리는 줄어들었다. 미국의 많은 지역은 일자리가 거의 없는 지경에 이르렀다. 공터가 돼버린 공장에 일거리는 다시 돌아오지 않을지도 모른다.

이렇게 줄어든 일자리, 그리고 그 노동을 통해 얻은 삶과 윤리가 내가 이 책을 쓰게 된 계기이다. 만약 누군가 현재 상황을 비극이라고 말한다면, 나는 그 말에 동의한다. 그런 비극은 일어나서는 안 되었다. 그렇지만 않았다면 미국 육체노동자의 운명은 달라졌을 수도 있다.

아주 고되긴 했지만 부두 일을 정말 좋아하게 되어서,
결정을 못 내리는 사이 여름의 절반이 훌쩍 흘러갔다.
부두노동자가 될지, 떠돌이 과실 품꾼으로 돌아갈지 하나를 선택해야 했다.
아니, 사실은 선택이라고 할 수 없었다.
이미 나는 부둣가에서 새로운 고향을 찾았기 때문이었다.

01

내 발길은 부둣가로

1959년 6월 1일은 내가 샌프란시스코 항의 부두노동자로 첫발을 뗀 날이다. 나는 아내와 아들 셋을 둔 30대 중반이었고, 적지 않은 나이였다. 첫날 일터로 향할 때까지만 해도 그때까지 해온 다른 일들과 마찬가지로 부두 일도 잠깐 하다가 그만둘 생각이었다. 그런데 이렇게 오래 일하게 될 줄은 몰랐다. 나는 거의 34년을 부두노동자로 살다가 은퇴했다.

우리 가족은 과실을 따는 날품팔이꾼이었고, 나는 자유롭고 개성이 뚜렷한 떠돌이 농업 노동자 집단에서 태어났다. 우리 일가는 거의 100년간 서부에서 농작물 일거리들을 찾아 떠돌았는데, 우리가 수확해 포장한 과실과 야채는 철도 냉장 차량에 실려 전국의 시장으로 운반됐다. 과실 수확 작업은 본래 떠돌이 일꾼의 일거리였지만 1920년쯤에는 수많은 가정의 생계를 책임지는 직업이 되었다. 이들은 처음에는 기차로, 그다음은 자동차로 지역을 옮겨 다니며 일했다.

내가 성인이 될 무렵에는 품꾼들의 이동 반경이 한층 넓어졌다. 예컨대 애리조나, 심지어 텍사스의 리오그란데 강 하류까지도 갔다. 리오그란데 유역은 초봄에 미국에서 가장 먼저 멜론이 수확되는 곳이었다. 한편 애리조나의 주도 피닉스와 유마 카운티, 캘리포니아 남부의 임페리얼밸리의 경우는 여름에 칸탈루프, 겨울에 양상추를 재배하는 중심단지였다. 나도 다른 과실 품꾼들과 마찬가지로, 이 지역들은 물론 다른 지역에서도 칸탈루프와 양상추를 수확했다. 때로는 별 이유 없이 자유롭게 다른 지역으로 가서 다른 일을 하기도 했다.

우리 가족도 초기 과실 품꾼이 대부분 그랬듯이 북서부 워싱턴 출신이었다. 과실 품꾼들은 세계산업노동자연맹의 무정부주의 신조를 지지했고, 그 안에서는 외부인, 특히 고용주를 불신하는 분위기가 널리 퍼져 있었다. 이는 남부에서도 마찬가지였다.

품꾼들은 일거리를 찾으면 자연스럽게 다른 품꾼들에게 알려주었고, 서부에 있는 대부분의 작업장과 그곳의 품삯, 노동조건, 노동윤리에 큰 영향력을 가지고 있었다. 하지만 농장을 경영하고 관리하는 사람들은 노동환경을 통제할 수 있는 권한을 쉽게 내주려 하지 않았다. 대부분의 농장주와 운송업자는 과실을 재배하면서 판단·결정 권한까지 침범하려 드는 수확·포장 품꾼들에게 매우 분개하기도 했다.

그러나 대체로 과실 품꾼들은 참고 양보하는 쪽을 택했고, 시간이 흐르자 운송업자들도 우리와 우리의 노동을 존중해주기 시작했다. 우리는 최고 임금을 요구할 때인 농작물 대량 출하 시기에는 기꺼이 장시간 동안 일했고, 간혹 변덕이 나서 그만두고 싶어지면 작업을 방해하지 않고 제 발로 다른 일거리를 찾아 떠났다. 하지만 운송업자들이 우리를 존중했던 가장 큰 이유는 우리가 일을 잘했기 때문이었다. 상자에 잘 포장된 멜론과 크기에 따라 조심스럽게 분류해 종이에 싼 토마토는 좋은 가격에 팔려나갔다.

동부로 대량 출하되는 첫 번째 상품은 북서부산 사과였다. 가을 사과를 상자에 담는 작업을 끝내면, 대규모로 확장 중인 캘리포니아 남부의 오렌지 밭에서 일하며 겨울을 났다. 우리 가족도 남쪽으로 처음 내려왔을 때, 캘리포니아에 자리를 잡았다. 캘리포니아에 있는 건 오렌지뿐만이 아니었다. 수확을 앞둔 다른 작물들도 많았고, 몇 종류의 과실은 거의 1년 내내 그대로 땅에 떨어지고 있을 정도였다. 작업 경험이 많은 일꾼에게는 돈벌이가 좋은 지역이었다.

캘리포니아로 이주하고 나서도 우리 가족은 가을만 되면 북서부 지역으로 돌아갔다. 부모님은 북서부에서 사과 담는 일을 했다. 하지만 이는 일거리를 찾기 위해서라기보다 지난날을 회고하며 고향을 방문하는 순례와 같았다. 캘리포니아는 덥고 건조했지만 살림살이는 더 수월했다. 그리고 내가 일곱 살 때, 우리 가족은 마지막으로 워싱턴 주를 방문한 뒤 순례에 막을 내렸다.

시간이 흘러 떠돌이 과실 품꾼들의 생활양식도 역사의 뒤안길로 사라졌다. 서부의 농과대학들이 유전공학 종자 개발로 토마토, 칸탈루프 등의 과육을 단단하게 변형하여, 과실을 상자에 던져서 담아도 아무런 문제가 없어졌다. 또 시장으로 가는 운송 차량이 덜컹거려도 손상되지 않았다. 요컨대 농업이 산업화되면서(들판에 공장이 세워지면서) 과실 품꾼도 사라진 것이다. 더불어 포장 작업에 필요했던 숙련 기술과 일거리들, 그리고 포장 작업장도 사라졌다. 이제는 밭에서 과실을 수확하는 즉시 상자에 담아 선로 옆 냉장 차량에 실을 수 있게 되었으므로, 과실을 읍내로 옮겨 작업할 필요도 없었다.

일부 과실 품꾼들은 새로운 수확 작업에서도 일거리를 구했지만, 고용주와 운송업자는 이마저도 이주노동자들을 선호했다. 주로 멕시코 사람이었던 이주노동자들은 더 적은 임금을 받고 일했다. 또 실제로 자주 그랬듯이, 만일 자발적인 조직화를 시도해 임금 인상과 더 나은 노동 조건을 요구할 경우에는 붙잡혀서 본국으로 송환될 수 있었다. 물론 빈자리는 더 고분고분한 사람들로 채워졌다.

멜론의 일종인 칸탈루프는 과실 품꾼들이 작업한 마지막 작물이다. 멜론은 무른 편이라 취급이 조심스럽고 요령이 필요했기 때문이다. 덕분에 과실 품꾼들은 다른 작물 수확에서 일거리를 잃은 후에도 멜론 일만큼은 그나마 오래 할 수 있었다. 나는 해마다 여름이 오길 기다렸다. 여름이 오면 멜론 수확을 하며 과실 품꾼 생활을 다시 하고 싶었다. 하지만 역시 그것만으로는 겨울에 생계를 꾸리기가 곤란했다.

결국 칸탈루프 수확이 끝난 어느 늦여름, 우리 가족은 샌프란시스코에 자리를 잡고 겨울 일거리를 찾기 시작했다. 여기에는 샌프란시스코 만이 있었다. 제2차 세계대전이 끝날 무렵 제대를 하고, 이곳 버클리에서 네 학기를 보낸 내게는 익숙한 장소였다. 결국 나는 이곳에 정착했다. 그렇지만 샌프란시스코 만에 끌렸던 더 큰 이유는, 여기에 육체노동자들이 일하는 산업 시설이 있었기 때문이었다.

나는 뼛속까지 육체노동자였고, 이 무렵에는 어디에나 일거리가 널려 있었다. 나는 늘 그래왔듯이, 아무 일이나 하다가 여름에 멜론 수확이 시작되면 그만두고 멜론을 따러 갈 생각이었다. 실제로 나는 겨울마다 매번 다른 일을 찾아서 했다. 공장에 나가기도 했고, 샌프란시스코 시장에서 일하기도 했으며, 우체국에서 우편물 자루를 화물차로 나르는 일도 했다. 하지만 멜론이 익기 시작하는 늦봄이 되면, 하고 있던 일이 무엇이든 즉시 멈추고 과실을 따러 남부로 갔다. 가끔은 가족을 데려갈 때도 있었지만, 대개는 혼자였다. 물론 공장 생활이 싫지만은 않았다. 나는 같이 일하는 거의 모든 동료들을 진심으로 좋아했지만, 움직이지도 못하고 늘 똑같이 되풀이되는 생활만큼은 견디기 힘들었다. 떠돌이 과실 품꾼처럼 자유와 선택이 있는 일을 계속하고 싶었다.

그렇게 몇 해 동안 겨울마다 여기저기 일터를 전전하면서 만족스러운 직장 구하기를 거의 포기하고 있을 때였다. 때마침 10년 넘게 폐쇄됐던 샌프란시스코 부둣가가 열렸고, 새 인력을 모집하는 공고가 떴다. 그렇게 나는 부두노동자가 되었다.

사실 떠돌이 과실 품꾼을 그만둔다면 부두 일을 염두에 두고 있던 차였다. 서부 노동자들에게 태평양 연안의 부두노동자는 경이롭고 영웅적인 업적과 지위를 쟁취한 존재들이었다. 1930년대 중반에 그들이 벌였던 강력하고 끈질긴 파업을 보라. 게다가 이들은 상당한 임금을 받으며 최상의 노동조건에서 일하고 있었다. 모든 산업 분야의 노동환경과 견주어도 최고라고 할 만했다.

게다가 이들은 항만 인력 회사와 해운업자에게 고용된 처지이면서도, 동료를 버리는 일이 없었다. 이들에게는 일종의 행동 강령과 노동자 윤리가 있었는데, 이는 떠돌이 과실 품꾼들의 것과도 비슷했다. 양측의 이 같은 관습은 20세기 초 태평양 북서부 세계산업노동자연맹의 파업에서 그 연원을 찾아볼 수 있다.

자신들만의 영웅이 있던 과실 품꾼들조차도 부두노동자들만큼은 특별하게 여겼다. 부두노동자들은 '한 사람이 위해를 당하면 모두가 위해를 당한 것'이라는 신조를 고수하며, 파업 불참을 가장 괘씸한 범죄 행위라고 여기는 이들이었다. 이들에게는 일부에서는 악명이 높지만 훌륭한 저명인사인 해리 브리지스가 수장을 맡고 있는 국제항만창고노동조합(International Longshoremen and Warehouse Union, 이하 ILWU)이라는 부두노동자 노조가 있었는데, 이 조직은 1930년대 중반에 선박과 해안에서 일하는 노동자들이 민주적인 힘을 합쳐 건설한 조직이었다.

ILWU의 건설 계기는 1934년 봄 샌프란시스코에서 벌어진 '와일드캣 스트라이크'였다. 이 파업은 일꾼을 직접 뽑을 권한이 있던 조장들의 편파적인 고용 방식, 이른바 '줄 세우기'에 반기를 들며 시작됐다.

당시 이른 월요일 아침이면 배가 정박해 있는 부두로 일꾼들이 하나둘 모여들었고, 조장들은 일자리에 굶주린 일꾼들을 훑어보고는 당일에 부릴 일꾼을 뽑았다. 그리고 뽑아주었다는 명목으로 임금 일부를 가로채는 '상납'이 일종의 관행으로 있었다.

자발적으로 시작된 조업 중단이 서부 해안 이곳저곳으로 빠르게 번져나갔고, 서부의 주요 항만의 기능은 완전히 멈춰버렸다. 이에 대응하기 위해 선박 소유주들은 주의 방위군을 동원해 노동자들에게 최루가스를 쏘고, 곤봉을 휘두르고, 총을 쐈다. 캘리포니아 남부의 산 페드로 만에서 북서부의 항구 도시 시애틀 지역까지 일부 노동자들이 불구가 되거나 목숨을 잃었다. 샌프란시스코의 한 거리에서는 두 명이 죽었고, 부둣가에서는 회사 용역 깡패들과 경찰들이 무차별적으로 곤봉을 휘둘렀다.

사태가 심각해지자 전미트럭운전사조합과 다른 노동자들이 부두노동자의 투쟁에 합류했다. 와일드캣 스트라이크가 총파업으로 확대

노조 지도부의 의사에 반대하여 일부 조합원이 벌이는 파업.(역자 주)

되어 샌프란시스코 전체가 마비되었다. 하지만 나흘간 이어진 총파업의 모든 권한을 소유한 파업 위원회에서 식량을 배분하고 도시 치안을 잘 유지한 덕에 굶는 사람도, 범죄도 발생하지 않았다.

당국은 아연실색했고, 루스벨트 정권하의 워싱턴 뉴딜 위원회는 긴급히 중재 기구를 만들었다. 그 결과 부두노동자는 자신들의 작업 과정 및 환경을 통제할 권한을 얻었다. 노조 직영의 직업소개소를 만들고, 그 관리원을 자신들 가운데서 투표로 뽑았다. 일거리를 편파적으로 배분하고, 돈을 받아먹는 부패한 관행들이 사라졌다.

이후에도 ILWU에 대한 선박 소유주들과 미국 정부의 공격은 수년간 계속되었다. 하지만 ILWU는 살아남았고 오히려 더 성장했다. 내가 가입할 당시 ILWU는 서부 세 개 주의 부두노동자뿐만 아니라 캐나다와 알래스카의 부두노동자까지도 대변하고 있었다. 심지어 내륙 지방인 모하비 사막 한가운데까지 확장되고 있는 창고와 공장에도 ILWU 조합원들이 있었다. 샌디에이고에서 베링 해까지 가는 어선과 연락선을 운항하는 이들 중에도 조합원이 있었다.

ILWU는 하와이 제도 전역에서도 승리를 거두었다. 이곳에서 사탕수수를 자르는 일꾼과 파인애플 통조림 공장의 노동자, 부두노동자들이 쓰라린 파업 끝에 조직화에 성공했고, 세계 농업 노동자 가운데 가장 높은 임금을 받게 되었다. 심지어 ILWU는 이곳에서 관광산업 종사자까지도 조직화했다. 식당에서 그릇을 치우는 직원, 객실 청소부, 요리사, 여성 종업원 등 모두가 노조 배지를 달고 있었다. 이처럼 ILWU에 소속된 남녀 노동자들은 매우 값진 결과를 성취해냈다. 육체노동자이자 일반 조합원으로서, 스스로 힘쓰고 지도력을 발휘해낸 결과였다.

솔직히 ILWU에 소속되지 않은 우리로서는 ILWU 조합원들을 다소 경외하는 마음을 품고 있었다. 그럼에도 6월 첫날 부두 일을 시작했을 때 내 마음 한편에는, 부두 일을 그만두고 떠돌이 과실 품꾼으로 돌아갈지도 모르겠다는 생각이 남아 있었다. 하지만 오래지 않아 나는 부두 노동자들이 이제껏 내가 알고 있던 어떤 노동자 집단과도 다르다는 걸 깨달았다. 일반 조합원 대부분을 포함해 거의 모든 이들이 정치 활동에 열심이었고, 노동조합 활동은 물론 노조 바깥의 정치 활동에도 깊이 관여했다.

매해 가을에는 노조 선거가 있었는데, 노조위원장직을 비롯해 하위직 관리까지 모든 노조 간부 및 담당자를 선출하는 선거에는 여러 후보가 나왔다. 마찬가지로 시, 주, 전국 단위의 정치 활동에도 관심이 대단해서 의회 입후보자들이 너나없이 우리 노조 회의에 찾아와 표를 호소할 정도였다.

내가 노조에 가입했을 무렵, 샌프란시스코 지부에는 소수지만 강경한 목소리를 내는 분파가 있었다. 이 분파는 엄격한 스탈린주의의 전통 좌익 신념을 고수하는 경직된 공산주의자 또는 그 동조자들로, 1930년대 샌프란시스코에서 있었던 대규모 급진 운동에서 살아남은 자들이었다. 이들은 여전히 노조에 큰 영향력을 행사하고 있었다.

　나도 좌파이기는 했지만, 이들보다는 조지 오웰과 알베르 카뮈 같은 이들에게 동질감을 느꼈다. 다시 말해 소련의 집권 세력이나 샌프란시스코 10지부에서 소련을 지지하는 이들과는 정치적으로 정반대인 이들에게 친밀감을 느낀 셈이다.

　실로 이 분파는 다른 좌파 집단의 반대 의사를 조금도 용인하지 않았다. 오래전부터 샌프란시스코 부두노동자로 일했던 친구 몇 명은 노조 회의에서 이들에게 호된 공격을 받기도 했다. 그다지 중요하지 않은 안건, 즉 러시아의 대외 정책을 지지하기로 한 결의안에 반대했기 때문이었다.

　그때 나는 임시직 부두노동자였다. 정치적인 안건을 논의할 때면 늘 산송장처럼 침묵하거나 신중하게 대답해야 했다. 과실 품꾼 시절의 자유롭게 생각하고 제한 없이 이야기를 나누는 환경에 익숙했던 내게는 답답하기 그지없던 일이었다. 반면 보통 부두노동자들은 개인적인 정치 견해를 밝히는 데 개의치 않았다. 함께 일하는 손위 동료는 내가 하역 장비 다루는 일을 익히자 곧바로 나를 받아주었다. 그 일은 과실 품꾼의 작업과 비슷한 점이 많았다. 며칠마다 다른 부두로 옮겨 다른 선박의 화물을 하역하는 일이었다.

　우리는 10년 만에 새로 들어온 신참이었던 터라 신병 훈련소에 있을 때와 흡사한 기간을 보냈다. 고참 동료들은 우리를 거칠게 대했지만 젊은 신참이 들어와 분위기가 바뀌자 내심 기뻐하는 것 같았다. 그들은 우리에게 해야 할 일을 알려주고, 부두의 작업 관행과 요령을 가르쳐주었으며, 우리가 실수할 때는 고개를 저으며 혀를 찼다.

우리는 고참들의 놀림과 우스개도 견뎌야 했다. 농담은 시도 때도 없이 계속됐고, 신참을 표적 삼고 나서야 끝이 났다. 부두 일을 시작한 지 일주일이 안 됐을 때, 한번은 강철 갑판에서 화물을 고정하다가 문제가 생겼다. 갑판에 화물을 고정하는 쇠줄이 너무 짧아 철제 핀을 맞은 편 구멍에 끼울 수 없었다. 나는 사람의 힘으로 쇠줄을 늘일 수 없다는 것을 분명히 알면서도 기를 썼다. 하지만 아무리 힘을 써도 허사였다. 그때 한 권양기 기사가 나를 지켜보다가 내 어깨 너머에서 말했다.

"내 장담하지. 자네, 아마 그 구멍에 털이 있다면 쉽게 찾을걸. 으흐흐!"

그는 우리에게 이런 식의 농담을 자주 했다. 그로부터 수년이 흘러서도 누가 어떤 권양기 기사에 대해 말하면서 '으흐흐' 하고 그 웃음을 흉내 내면, 그게 누구인지는 확인할 필요도 없었다.

아주 고되긴 했지만 부두 일을 정말 좋아하게 되어서, 결정을 못 내리는 사이 여름의 절반이 훌쩍 흘러갔다. 부두노동자가 될지, 떠돌이 과실 품꾼으로 돌아갈지 하나를 선택해야 했다. 아니, 사실은 선택이라고 할 수 없었다. 이미 나는 부둣가에서 새로운 고향을 찾았기 때문이었다. 나는 부두노동자였고, 몇 년 후에도 과실 품꾼 일을 하기는 했지만 이는 세 아들에게 내가 한때 몸담았던 일과 삶을 알려주기 위해서였다.

부두에서 일한 첫날에는 온몸에 힘이 풀리고 정신이 멍해질 지경이었다. 내가 맡은 일은 선박 짐칸 밑창에서 커피 자루를 나르는 작업이었다. 커피 한 자루의 무게가 70킬로그램 정도였고, 하역 밧줄로 한 번에 열두 자루를 날랐다. 여섯 명이 둘씩 한 조를 이루어 교대로 일했는데, 매번 부두에서 빈 고리가 도착할 때마다 즉시 커피 자루를 고리에 걸 수 있도록 준비해야 했다. 우리 조 차례가 자주 돌아오는 것처럼 느껴졌다.

하루 일을 마친 후, 나는 녹초가 된 몸을 이끌고 사다리를 타고 창구 밖으로 나왔다. 차를 몰고 돌아온 뒤에는 집 안으로 들어가지도 못하고 20분 동안 차 안에 앉아 있었다. 아이들이 부축해준 뒤에야 진이 빠진 몸으로 겨우 계단을 딛고 집에 들어가 따뜻한 물에 몸을 담글 수 있었다. 분명히 부두 일은 달라도 한참 달랐다. 과실 작업을 하면서 쓰던 근육과는 다른 근육과 근력을 사용해야 했다.

의심할 여지가 없는 순수한 희열 중 하나는

노동 후의 휴식이다.

임마누엘 칸트

"원래 우리 계획은, 술집에서 보안관을 만나 돈을 받고 술을 마실 생각이었어.
그런데 우리가 알던 그 보안관이 아닌 거야. 그 보안관은 기차역에 있다고 하더라고.
그러고는 우리한테 5달러짜리 금화를 한 닢씩 주는 거야. 내가 말했지. '이게 뭡니까?'
빌이랑 나는 적어도 200달러는 받아서 둘이 나눌 거라고 생각했어.
보안관은 이렇게 말했어. '그거야. 너희 몫은 그게 다라고.
자, 저기 화물 열차 보이지? 5분이면 출발해. 너희 둘, 저 열차에 타는 게 좋을 거야.
아니면 둘 다 양을 훔친 죄목으로 체포할 테니까' 라고."

02

진짜로 양을 훔친 건 누구였나?

내 아버지는 1898년 워싱턴 중서부의 작은 마을에서 태어났다. 그 시절, 서부의 유복하지 않은 가정에서는 사내아이들을 거칠게 키우곤 했다. 아버지는 일찍부터 나쁜 짓을 하기 시작해서, 10대 중반이 되었을 때는 범죄라고 할 만한 심각한 문제들을 일으키고 집을 뛰쳐나가곤 했다. 아버지는 다른 동네에 사는 아버지의 삼촌에게 자주 맡겨졌는데, 그는 벌이가 그래도 괜찮은 편이었던 것 같다.

당시에는 보통 중학교까지 다녔는데 아버지는 그러지 못했다. 아버지는 더 이상 어린애가 아니었고 일을 해야 했다. 아버지는 그런 방식으로 살았다.

어머니는 아버지와 같은 해에 위스콘신 주의 한 농가에서 태어났다. 어머니의 교육 수준도 아버지와 크게 다를 바 없었다. 그나마 겨울에는 꾸준히 학교에 가고, 농장 일이 최우선인 봄가을에는 틈이 나면 가는 정도였다. 하지만 일단 학교에 가면 열심히 하셨던 게 분명하다. 어머니는 아버지보다 글씨체도 좋고, 편지도 제대로 쓰실 줄 알았기 때문이다. 반면 아버지가 아주 가끔 보내는 편지에는 대문자와 구두점이 거의 없었다.

당시 소년인 아버지가 구할 수 있는 일거리들은 착취가 심하고 임금도 제대로 주지 않으며, 대체로 오래할 만한 일도 아니었다. 도제 제도가 아직 남아 있던 시절이고, 서부 소도시에는 공장이나 산업 시설이 없었다. 북서부의 주요 산업은 농업과 벌목, 제재 같은 임업이었고, 워싱턴 동부에서는 밀 탈곡이 주된 일이었다. 그리고 가을에는 캐스케이드 산맥 구릉지에서 빠르게 증가 중인 사과밭 일이 중심이었다.

나는 아버지가 어떤 문제로 처음 고향을 떠났는지 모른다. 심지어 아버지가 정확히 몇 살 때였는지도 모른다. 아버지가 말해준 적도 없고, 나도 물어본 적이 없다. 그런 이야기는 아버지와 내가 함께 나눌 만한 화제가 아니었다. 사실, 아버지는 나를 앉혀두고 이야기를 한 적이 없다. 내가 아버지의 어린 시절에 대해 아는 것이라곤, 어렸을 때 구석에서 어른들의 대화에 조용히 귀를 기울이며 주워들은 이야기뿐이다. 나중에 어른이 됐을 때는 술집 의자에 가만히 앉아 아버지가 친구들과 나누는 옛 시절, 20세기 초 북서부에서 보낸 옛이야기를 들으며 아버지의 지난 날을 짐작했다. 아버지는 열다섯 번째 생일을 맞았을 때 이미 집을 나왔다고 했다.

"그 양들 기억나?"

아버지와 젊은 시절부터 친구였던 빌 하이네 아저씨가 물었다. 제2차 세계대전이 끝나고 처음 맞이한 9월 말의 여름, 내가 갓 제대했을 무렵이었다. 그날 아버지, 아저씨, 나 이렇게 셋은 캘리포니아 샌와킨밸리의 한 작은 마을의 어두침침한 술집에 앉아 있었다.

당시 우리는 칸탈루프 작업을 마무리하는 중이었다. 창고에서 진행하는 포장 작업은 대략 사흘 분량만 남아 있었고, 새해가 오기 전에 수확도 끝날 터였다. 그날 마지막 밭에서 수확을 맡은 일꾼들이 칸탈루프를 따고 있는 중이었고, 우리 포장 담당 일꾼들은 마지막 칸탈루프가 창고로 들어오기까지 한 시간 반가량 손이 비어 있었다. 마침 오후 시간이었는데 술집 아니면 갈 데가 없었다.

"무슨 양 말하는 거야?"

아버지가 물었다.

"우리가 훔친 양들 말이야. 얘키모 시 부근의 작은 마을에서 그 보안관한테 팔려고 훔쳤잖아."

빌 아저씨의 말에, 아버지가 어깨를 으쓱하더니 웃으며 대답했다.

"마리당 1달러에 팔려고 했던 그 양 말이군?"

빌 아저씨가 활짝 웃더니 나를 보며 말했다.

"그땐 그랬지. 워싱턴 북부였는데, 연말엔가 눈 내리기 바로 직전에 산에서 사람들이 양을 몰고 내려왔어. 양 떼가 아주 많았지, 많았어. 양들이 강을 따라 난 좁은 길에 한 줄로 늘어서는데 거의 몇 킬로미터는 됐어. 남자 혼자 앞장섰고 또 다른 한 명이 개를 데리고 1킬로미터 뒤에서 뒤쪽을 맡았지. 그런데 길이 좁아서 양을 한 줄로 몰아야 했어. 기껏해야 두 줄로 갈 수 있을 정도로 좁았지. 또 강을 따라 난 길이라 꼬불꼬불했고. 그 길에 버려진 낡은 건물이 있었어. 뭐랄까, 짐을 나르다가 쉬기도 하는 오두막 같은 게 강기슭에 있었지. 양이 지나가는 길이 그 오두막 앞을 지나 우측으로 꺾여 있었단 말이야. 네 아빠랑 나는 앞사람이 모퉁이를 지나가고 뒷사람이 보일 때까지 오두막에서 숨어 있었어. 그 간격이 1, 2분 정도 됐을 텐데, 그때 뛰쳐나가서 양을 잡아 오는 거지. 오두막으로 끌고 와서 땅광으로 밀어 넣었어. 양들이 하루 종일 그 길을 지나갔으니까, 양 떼가 올 때마다 네댓 마리는 잡았지. 안 그래, 더그?"

아버지는 고개를 끄덕이고는 말했다.

"신기해. 어떻게 들키지도 않고 그걸 훔쳐서 도망갔는지 말이야. 우리가 양을 잡아챌 때마다 빌어먹을, 얼마나 '매애' 하고 울어대던지. 양치기들이 왜 우릴 알아채지 못했는지 아직도 모르겠단 말이야. 산 아래에 가서 양을 세볼 때 몇 마리를 잃어버렸던 걸 분명히 알았을 거야. 그런데 한 명도 찾아보려고 돌아오지 않았지."

"그래, 맞아, 더그."

빌 아저씨는 생각에 잠긴 듯 다시 대답했다.

"그런데 아마 왔을지도 몰라. 우리가 이미 떠난 후에."

아버지는 살면서 여러 이름으로 불렸다. 빌 아저씨는 아버지를 '더그'라고 불렀는데, 어머니와 몇몇 분만 그렇게 불렀고, 다른 사람들은 모두 '돈'이라고 불렀다. 게다가 한 번 마주친 적이 있는 아주머니는 아버지를 '토니'라고 불렀다.

"토니 아저씨, 잘 계시니?"

아주머니가 물었다.

"토니 아저씨가 누군데요?"

"네 아버지 아니면 또 누가 있니?"

"아, 잘 계세요."

나는 아버지에게 그런 이름이 있었는지 생각하며 대답했다.

"엘센트로 시에서 양상추 작업을 하고 계세요."

"이런, 그렇구나. 거기 계시는군. 내가 가서 양상추 작업을 도와 드려야겠구나."

아주머니는 이렇게 덧붙이고는 돌아서서 갔다.

"아무럼요. 아버지한테 안부 전해주세요."

몇 년이 지나 여권을 신청할 때, 나는 토니라는 이름이 어디서 유래했는지 알았다. 토니는 아버지의 성을 줄여서 부른 것이었다. 내가 태어났을 때 아버지의 성은 앤서니였고, 나 역시 그렇게 불렸다. 어느 여름에는 이름 문제로 시간을 빼서 마을 술집을 여기저기 돌아다니느라 애를 쓴 적도 있다. 내가 앤서니라는 걸 증명할 진술서들을 국무부에 제출해야 했는데, 이를 진술해줄 고령의 떠돌이 과실 품꾼들이 모조리 술집에 있었기 때문이다.

빌 아저씨와 아버지는 잠시 말이 없었다. 나는 양 이야기를 더 듣고 싶었다. 하지만 조르지 않고 기다리는 게 좋다는 걸 알고 있었다. 만약 두 분이 이야기하고 싶다면 편하게 대화를 나눌 테니까. 하지만 결국 참지 못하고 물었다.

"보안관 얘기는 언제 나와요?"

"보안관이 구치소에서 우릴 빼내서는 마구 부려먹었지."

빌 아저씨가 대답했다.

"뭐 때문에 구치소에 있었는데요?"

아버지한테 묻자, 아버지는 잠깐 생각하다가 말했다.

"별 이유는 없었어."

빌 아저씨가 말했다.

"그저 우리 같은 애송이들을 노리고 있었던 것뿐이지. 그게 우리가 구치소에 갇혔던 이유야."

"양 한 마리에 1달러! 우리가 사흘 동안 몇 마리나 훔쳤지, 빌?"

아버지가 즐거운 듯 말했다.

"땅광을 세 번 채웠지."

"정말로 난 그놈들이 누군지 정말 모르겠더라고. 매일 밤 와서 양을 가져갔다는 녀석들 말이야."

"지역 토박이들이야."

"보안관은 그 언덕 뒤에 자기 목장을 가지고 있었잖아. 양을 가져간 놈들은 보안관네 사람들이었어. 우리는 떠돌이였고, 뭔가 잘못되면 우리만 덤터기를 쓰는 처지였지. 5달러."

"그래, 5달러짜리 금화. 일인당 한 닢."

빌 아저씨가 맞장구쳤다. 아버지가 나를 보며 말했다.

"사흘째 되는 날에 일이 끝나서 어두워진 뒤 시내에서 보안관을 만났지. 원래 우리 계획은, 술집에서 보안관을 만나 돈을 받고 술을 마실 생각이었어. 그런데 우리가 알던 그 보안관이 아닌 거야. 그 보안관은 기차역에 있다고 하더라고. 그러고는 우리한테 5달러짜리 금화를 한 닢씩 주는 거야. 내가 말했지. '이게 뭡니까?' 빌이랑 나는 적어도 200달러는 받아서 둘이 나눌 거라고 생각했어. 보안관은 이렇게 말했어. '그거야. 너희 몫은 그게 다라고. 자, 저기 화물 열차 보이지? 5분이면 출발해. 너희 둘, 저 열차에 타는 게 좋을 거야. 아니면 둘 다 양을 훔친 죄목으로 체포할 테니까'라고."

아버지가 내게 뭔가를 직접 이야기할 때는 교훈을 주고자 할 때뿐이었다. 아버지는 맥주잔을 들고서 침묵에 잠겼다. 이번 교훈은 '경찰을 믿지 말라'였겠지만, 그건 이미 잘 알고 있었다. 잠시 후 빌 아저씨가 말했다.

"네 아버지가 그 보안관을 때려눕히려 했지. 상상이 가니? 보안관을 때려눕힌다니? 그래서 결국 더그를 기차에 태웠어."

우리가 앉은 자리에서는 창밖으로 과일 포장 작업장이 보였다. 밭에서 차 세 대가 칸탈루프를 싣고 작업장으로 들어올 예정이었다. 두 번째 차가 칸탈루프를 쏟는 통 앞에 멈추자 우리는 남은 맥주를 마저 비우고 일하러 갔다.

당시 포장 일꾼들은 한 줄로 정렬된, '낙타 등'이라고 불리는 작업대에서 일했다. 먼저 분류 작업을 마친 칸탈루프가 사람들의 오른쪽 통으로 배분되면, 일꾼들은 선반에서 빈 상자를 꺼내 작업대에 올려놓고 칸탈루프를 집어넣기 시작했다. 그 나무 상자에는 칸탈루프를 대략 스물세 개에서 가장 작은 것은 마흔네 개까지 담을 수 있었다. 그렇게 상자를 채워 컨베이어 벨트에 올려놓으면 포장 기계로 옮겨졌다. 칸탈루프는 크기를 정확히 분류해 담아야 했고, 담을 때는 옆 칸탈루프와 틈새 없이 맞닿게 해야 하며, 또 한쪽으로 힘이 쏠리지 않도록 잘 맞추어 쌓아야 했다. 너무 헐겁게 담으면 시장으로 가는 냉장 차량에서 덜컹거리다 터질 수도 있었다. 반면 너무 빽빽하게 넣으면 포장 기계를 통과하다가 뭉개질 수도 있었다.

모든 작업의 품삯은 일한 분량에 따라 지급됐다. 내가 포장 일을 시작했을 때는 상자당 10센트를 받았다. 그래서 잘 담는 것은 물론 속도도 중요했다. 칸탈루프 수확이 한창일 때는 아침 7시에 시작해서 자정이 지날 때까지 작업하기도 했다. 포장 일꾼을 비롯해 분류하는 사람, 트럭 운전수, 짐꾼까지 작업장에서 일하는 모두가 길고 힘든 작업을 잘 견뎠는데, 수확이 절정에 달할 때는 당일 수확한 과실을 다 포장할 때까지 밤 늦도록 일했다.

포장 일꾼은 품삯이 좋았다. 나는 공장 노동자의 평균 임금이 2달러 혹은 그보다 적었을 때에도 시간당 6달러 내지 8달러를 벌었고, 시간당 1달러 이하로는 받은 적이 없었다. 다른 과실(사과, 배, 토마토, 오렌지)의 포장 작업에서는 남녀가 비슷한 성비로 일했지만, 칸탈루프는 한 상자의 무게가 40킬로그램 정도 나갔기에 모든 일꾼이 남자였다. 다만 칸탈루프와 상자를 확인하는 사람은 예외였는데 보통 작업장 주임의 부인이 그 일을 맡았다.

이 작업장에서 나는 아버지가 작업을 관리하는 주임을 맡을 때마다 바로 뒤에서 함께 일했는데, 결코 아버지보다 빨리 칸탈루프를 담을 수 없었다. 아버지는 정말 빨랐다. 같이 시작해도 늘 아버지가 먼저 끝났다. 아버지가 한 상자를 끝낼 때 나는 여전히 담고 있었다. 아버지는 이런 나를 보면 고개를 젓고는, 더 빨리하라고 말하며 이렇게 덧붙였다.

"겨울에는 칸탈루프를 재배하지 않는다."

어머니 뒤에서 일한 적도 있었다. 그때는 토마토였는데, 토마토

진짜로 양을 훔친 건 누구였나?

는 얇은 종이로 하나씩 싸야 뉴욕 같은 동부로 수송할 때 손상되지 않았다. 내가 토마토를 상자에 담아 벨트에 올려 보내면 어머니는 세 번에 한 번꼴로 일을 멈추고 내 상자를 바라보며 말했다.

"마지막 상자 토마토는 좀 가지런하지 않구나."

토마토 담는 일은 여름 내내 칸탈루프 작업을 한 뒤에 오는 일종의 휴가였다. 작업장도 깨끗했고 토마토 한 상자는 겨우 15킬로그램이었다. 게다가 대부분의 캘리포니아산 가을 토마토는 시원한 바닷바람이 불어오는 해안에서 자랐다. 샌와킨밸리의 경우 8월이면 기온이 43도까지, 때로는 그 이상으로 올라가 작업장이 숨 막힐 정도였던 것에 비해 토마토 작업 환경은 훨씬 나았다. 하지만 토마토 일은 칸탈루프만큼 벌이가 좋지 못했다. 품값이 한 상자당 12센트에 불과했고 능숙한 일꾼도 한 시간에 대략 스물네 상자밖에 담지 못했다.

그래도 공장에서 일하는 것보다는 나았고, 또 다른 이점도 있었다. 그 지역에 사는 귀여운 소녀들이 있었기 때문이다. 소녀들은 토마토 분류 작업을 했는데, 떠돌이 과실 품꾼에게는 쌀쌀맞았다.

노동은 생명이요, 사상이요, 광명이다.

빅토르 위고

노동자에 대한 폭력이나 폭력의 위협은 항상 존재했다.
심지어 노조의 가입을 미국인의 권리로 규정한 뉴딜 정책이 실시된 후에도
상황은 달라지지 않았다. 폭력의 위협이 줄어들었을 때에도,
때때로 노동자들은 단순한 모임 하나를 여는 일에도 묘책을 세워야 했다.
… 처음 부두 노조 회의에 참석했을 때 그야말로 깜짝 놀랄 수밖에 없었다.
노동조합이 주류 사회의 한 부분으로서 제대로 기능하는 모습을 처음 본 것이다.

03

이의 있습니다!

미국 노동조합의 역사는 이미 상세히 기록되어 있다. 마찬가지로, 노동자가 노조를 단지 '유지'하기 위해 극복해야 했던 난관과 반대들도 잘 기록되어 있다. 19세기 말 이래, 노동자에 대한 폭력이나 폭력의 위협은 항상 존재했다. 심지어 노조의 가입을 미국인의 권리로 규정한 뉴딜 정책이 실시된 후에도 상황은 달라지지 않았다. 폭력의 위협이 줄어들었을 때에도, 때때로 노동자들은 단순한 모임 하나를 여는 일에도 묘책을 세워야 했다.

소년 시절, 떠돌이 과실 품꾼들이 모여 있던 것이 기억난다. 장소는 샌프란시스코 북부, 배를 생산하는 지역에 있는 다리 밑 강둑이었다.

모임 장소로 그곳을 택한 이유는 이 강의 만조를 표시한 지점까지는 연방 정부의 관할 지역이 아니어서 그들의 영향력이 미치지 않기 때문이었다. 당시 이 지역 당국자는 과실 작업장에서 일하는 품꾼들이 마을 집회를 여는 걸 허락하지 않았다.

1930년대 초에 들어서 과실 품꾼들도 노조를 중심으로 조직화됐지만, 다들 서부 전역에 흩어져 있어서 좀처럼 총회를 열지 못하고 있었다. 선출된 노조 간부들로서는 지역 모임에 참석하는 이들에게 기대를 할 수밖에 없었다. 게다가 간부들은 조합의 거의 모든 일에 애를 먹고 있었고, 심지어 기초 관리에서도 어려움을 겪었다. 예컨대 그 다리 밑에 모였을 때도 과실 품꾼들은 견해차로 양분됐다. 절반은 아침에 작업장으로 돌아가서 파업하길 원했고, 나머지 절반은 다른 일을 찾아 떠나길 원했다. 한 품꾼은 간략히 이렇게 말했다.

"내 말은, 망할 농장주들한테 그 빌어먹을 배를 직접 담아보라고 하자는 거요. 난 남쪽으로 가겠소."

그는 이 말을 마치고 일어나서 모임에 참석한 사람들의 절반과 함께 떠나버렸다. 이런 태도는 떠돌이 과실 품꾼들 사이에 늘 팽배해 있었다. 심지어 자생적인 강력한 지도부가 등장하여 동종 산업의 단체 협약을 안정적으로 유지하도록 온 역량을 쏟고 있을 때에도 이런 태도는 달라지지 않았다.

참고로 이 무렵 상황을 설명하면, 단체 협약을 맺는 일이 성공하면서 양상추 한 상자 작업에 캘리포니아의 샐리나스에서든 피닉스에서든 같은 품삯을 받을 수 있었다. 그리고 해고 시 고참을 신참보다 우대하는 선임권도 널리 자리를 잡아가고 있는 중이었다. 또한 모든 포장 작업장이 의무적으로 주의 실업 기금을 납부하게 되면서 겨울철에 일거리를 구할 수 없을 때에도 모두가 최소한의 생계는 유지할 수 있게 되었다.

부두 일을 시작하기 전, 나는 떠돌이 과실 품꾼 노조 외에 또 다른 두 노조의 조합원이었다. 하나는 전미트럭운전사조합 산하의 작은 지부였고 나머지 하나는 전기공노조 지부였다. 전기공노조는 공산당이 전국적으로 영향력을 행사하며 지휘하고 있었는데, 일상적인 사업은 그런대로 잘 운영했지만 지도부와 고용주 사이가 너무 적대적이라 심지어 공동의 이해, 상호 이익이 걸린 사안에서도 협력하지 못했다.

한편 2년 동안 속해 있었던 전미트럭운전사노조의 경우는 노조 지부가 한 번도 조합 회의를 열지 않았고, 노조 교섭위원을 한 번도 보지 못했는데도 월 회비는 봉급에서 자동으로 빠져나갔다. 이 같은 경험이 있었던 나로서는 처음 부두 노조 회의에 참석했을 때 그야말로 깜짝 놀랄 수밖에 없었다. 노동조합이 주류 사회의 한 부분으로서 제대로 기능하는 모습을 처음 본 것이다.

부두 노조 회의는 매월 열렸고, 조합원의 참석은 의무였다. 모임이 끝나면 노조 수첩에 참석 확인 도장을 찍어줬고, 불참했을 경우에는 매월 말 회비가 나갈 때 벌금을 물어야 해서 일반 조합원들의 참석률도 항상 높았다.

내가 이 노조에 가입했을 당시 유명한 샌프란시스코 부두노동자 중에는 해리 브리지스 외에 에릭 호퍼라는 사람도 있었다. 그는 국제적으로 명성이 높은 조합원으로, 노동하는 철학자로 불렸다. 당시 나는 그를 만난 적도 있고 『맹신자들』을 시작으로 그의 책을 모두 읽었지만 서로 알고 지내는 사이는 아니었다. 한편 해리 브리지스와는 일면식도 없었는데, 여하튼 이 두 사람 모두가 그날 밤 회의에 참석할 예정이라는 얘기를 들었다.

회의는 7시 정각에 시작됐다. 나는 일찍 와서 좋은 자리에 앉았다. 연단 앞 열이었고, 모임의 진행과 상황 전반을 지켜볼 수 있는 자리였다. 그해 10지부를 맡은 지부장은 노년에, 아일랜드 출신이었는데, 단상에서 개회를 선언하고 경위에게 정족수를 확인해달라고 했다. 경위는 일반 조합원을 위해 준비된 마이크를 이용해 현재는 정족수 미달이지만, 회의장에 있는 조합원의 두 배에 달하는 인원이 주차장에서 서성거리고 있으니 그들만 안으로 들어오면 정족수를 충분히 넘을 거라고 답했다. 그러자 지부장이 경위에게 사람들을 불러오라고 지시했다.

지부장 뒤에는 회계까지 담당하는 비서가 회의록을 작성하기 위해 앉아 있었다. 회계 뒤 일렬로 놓인 좌석에는 교섭위원 둘, 업무 배치 수석 담당자, 노조 이사, 그리고 비싼 정장을 입은 한 남자가 있었다. 정장을 입은 남자는 샌프란시스코 만 하원 의원으로 가을에 재선을 앞두고 있었는데, 조합원들이 계속 들어오자 지부장은 부두노동자들에게 간단한 인사말을 건네겠느냐고 의원에게 물어보았다. 하원 의원은 지부장에게 악수로 감사를 표한 후에 마이크 쪽으로 몸을 기울였다.

그가 꺼낸 이야기는 그가 지지하고 있는 노동 관련 지출 법안들에 대한 것이었다. 이 법안들은 의회에 상정되어 있었으며, 그는 자신과 자신의 동료들이 무산시키고자 하는 다른 법안들에 대해서도 언급했다. 그는 회의장이 가득 찰 무렵 연설을 마쳤고, 귀 기울여준 모든 이들에게 감사하다고 말한 뒤 지부장과 다시 한 번 악수하고 자리를 떠났다.

지부장은 개회 선언에 앞서 하원 의원이 서둘러 떠난 이유를 설명했다. 그는 오늘 밤에 참석해야 하는 다른 노조 회의가 세 개나 있으며, 그 후에는 심야 기차를 타고 워싱턴으로 급히 돌아가야 한다는 것이었다. 또 지부장은 그가 모든 노조를 전적으로 지지하고 있다는 사실도 덧붙여 밝혔다.

드디어 지부장이 개회를 선언하면서, 자리에서 일어나 국기에 대한 경례를 할 것을 요청했다. 하지만 제일 앞 몇 줄에 있던 작은 무리는 완강한 태도로 계속 자리에 앉아 있었다. 국기에 대한 경례가 끝나고 사람들이 앉기 시작하자, 그들은 갑자기 일어나 단 앞으로 내려가더니 세 개의 마이크 앞에 줄을 섰다. 그때는 냉전이 최고조에 달한 1950년대 말이었고, 나는 상황이 어떻게 돌아가고 있는지 전혀 알지 못하고 있었다.

지부장은 모두에게 다시 한 번 일어나 잠시 묵념을 할 것을 요청했다. 이번에는 다들 자리에서 일어났다. 비서가 세 사람의 이름을 호명했다. 그중 두 사람은 은퇴한 조합원으로, 지난 회의를 마지막으로 참석한 뒤 세상을 떠난 이들이었다.

이어서 안건 낭독까지 끝나자, 청중석 앞 열에 있던 남자가 마이크 앞에서 큰 소리를 내며 목청을 가다듬었다. 그 소리가 스피커를 타고 회의장 전체에 울려 퍼졌다. 그가 말했다.

"지부장 동지, 의사 진행 발언 있습니다."

"무엇이지요?"

지부장이 표연히 물었다.

"오늘 밤 논의해야 할 회칙 개정 안건이 하나 있습니다. 우리나라의 대외 정책에 반대하기 위한 제스처로 국기에 대한 경례를 중단하자는 안건 말입니다. 오늘이 바로 그 가부를 결정하는 날입니다. 오늘 밤에는 회칙에 따라 반드시 표결에 부쳐야 하는데, 안건 낭독에서는 언급되지 않았군요. 언제 어디서 이 안건을 다루려는 겁니까, 지부장 동지?"

"앞서 오래된 안건부터 먼저 다룬 다음 새 안건을 다루기로 결정한 바가 있습니다. 국기에 대한 경례를 다루는 회칙 개정은 오래된 안건부터 논의하고, 새로운 안건을 다루기 전에……."

"의견 있습니다, 지부장 동지."

마이크 앞에 선 남자가 말을 끊으며 이야기했다.

"지금은 순서상 발의 시간이 아닙니다. 아직 지난번 회의록도 안

읽지 않았습니까."

"지부장 동지, 실례지만 내 의견은 다릅니다. 지부장 본인께서 그 안건의 독회를 내놓지 않았습니까. 따라서 그 안건 발의는 순서에 있어야 합니다. 지부장께서 문제가 된다고 판단하지 않는 한 말입니다."

지부장은 잠시 침묵하며 숙고했다. 조합원 일부가 자리에서 일어나 다시 밖으로 나가고 있었고, 다른 이들도 나가기 시작했다. 사람이 좀 더 빠질 것처럼 보였다.

회의 시작 전에는 분명히 해리 브리지스가 단에서 일반 조합원들과 이야기를 하고 있는 것을 봤지만, 지금은 어디에도 없었다. 에릭 호퍼는 회의장 거의 정중앙에 홀로 앉아, 모아둔 전단을 살펴보는 중이었다. 개회 중에는 부두노동자들만이 회의장으로 들어올 수 있어서, 회의 시작 전 회의장 밖에서는 여러 사람들이 전단을 나누어 주곤 했다.

마침내 지부장이 말문을 열었다.

"의견이 뭡니까?"

"회칙 개정안을 맨 먼저 다뤄야 할 오래된 안건들 안에 포함시키자는 겁니다. 동의합니까?"

그는 자신 있게 주위를 둘러보며 요청했다. 그러자 발언을 하려고 마이크 앞에 줄을 서서 기다리던 이들이 흔쾌히 말했다.

"옳소!"

그러자 이번에는 청중 사이에서 '반대요!'라고 크게 외치는 소리가 드문드문 터져 나왔다. 사람들이 더 빠져나간 회의장은 이제 절반이 비어 있었다. 지부장이 말했다.

"그 발의에 반대하지 않습니다. 그 안건을 지금 토론하지요. 많은 분들이 발언을 기다리는 것 같으니 발언 시간을 한 사람당 3분으로 제한 하겠습니다. 이제 그 안건을 발의한 조합원들과 함께 다시 시작하지요. 첫 번째 발언자는 브라운 동지입니다, 브라운 동지?"

브라운은 회의장에 남아 있는 부두노동자들을 향해 섰다. 그는 짧지만 열정적으로 미국의 대외 정책이 주전론이며 이는 세계 평화에 위협이 된다고 규탄했다. 그리고 본질적으로 파시스트 경찰국가와 다를 바 없는 미국에 대한 반대 의사를 공식적으로 선포하자고 요청했다. 그 방법으로 이제부터 국기에 대한 경례를 거부하자는 것이었다.

그가 발언을 마치고 자리에 앉자 지부장은 가운데 마이크에서 대기하고 있던 첫 번째 사람을 향해 고개를 끄덕였다. 그도 기본적으로 브라운과 같은 발언을 하며 새로운 수정 조항을 통과시킬 것을 촉구했다. 비서가 지역 신문사에 이 조치에 관한 내용을 서신으로 보낼 수 있을 것이라고도 덧붙였다. 세 번째 발언자도 같은 발언을 하는 것을 보고, 나는 밖으로 나가 분위기를 살펴보기로 했다. 회의장의 반이 비었으니 다른 움직임들은 전부 밖에서 일어나고 있는 게 분명했다.

주차장에는 수많은 부두노동자들이 작은 무리를 지어 여기저기 흩어져 있었다. 차 트렁크들이 열려 있기도 했고, 위스키가 담긴 플라스

틱 술잔이 아무렇지도 않게 돌고 있었다. 여기저기 웃고 떠드는 소리가 들렸다. 잠시 담뱃불을 붙이는데 해리 브리지스가 보였다. 그는 한 무리에 섞여서, 고개를 뒤로 젖히고 술을 벌컥벌컥 들이켜고 있었다. 나는 서성거리다가 오후에 함께 일했던 나와 같은 신출내기 한 사람을 우연히 만났다. 우리는 잠시 얘기를 나누다가 많은 사람들이 회의장으로 돌아가는 분위기임을 알고 거기에 합류했다.

나는 다시 연단 앞 좌석에 앉았다. 마이크 앞에 남은 발언자는 한 명이었다. 그 뒤에는 큰 키에 마르고 머리가 흰 남자가 다소 초조해 보이는 모습으로 서 있었다. 마지막 사람이 발언을 마치자 지부장은 천장을 바라보다가 다시 시계를 보았다. 그러고는 말했다.

"이제 토론은 여기서 접는 것이 좋겠습니다. 그런데 지금까지는 수정안 찬성 발언만을 들었습니다. 혹시 반대 발언할 분 있습니까?"

그러자 흰 머리의 남자가 손을 들었다.

"네, 애셔 동지. 발언하세요."

"여러분!"

애셔가 마이크를 손에 쥐고 청중 쪽을 바라보면서 말했다.

"여러분께 강력히 촉구합니다. 수정안을 부결해주십시오. 저 역시 미국의 대외 정책에 반대합니다. 하지만 수정안은 미국의 대외 정책에 눈곱만큼의 영향도 미치지 못할 겁니다. 아마 우리는 바보처럼 보일 겁니다. 수정안을 부결해주십시오. 생각해보세요. 사람들은 모두 우리가 반미주의자라고 말할 겁니다."

그는 마이크를 뒤쪽에 있던 키가 작고 머리가 벗겨지기 시작한 남자에게 건넸다. 지부장이 시계를 다시 흘깃 보면서 말했다.

"네, 쇼티 동지. 발언하세요."

쇼티가 물었다.

"현재 안건이 뭐지요?"

"읽어주세요."

지부장이 비서에게 말하자, 비서는 현 안건을 낭독했다. 그러자 쇼티가 말했다.

"저는 다른 수정안을 제시하고 싶군요."

"무엇이죠?"

"지금 이건 아주 중요한 사안이 아닙니까? 그러니 현 안건을, 새로운 간부를 뽑는 내년 가을로 옮길 것을 제안합니다. 모든 조합원이 투표할 수 있도록 말이죠."

그때 브라운이 벌떡 일어나더니, 뛰어와 쇼티의 손에서 마이크를 낚아채곤 지부장에게 소리쳤다.

"이럴 순 없습니다!"

지부장이 물었다.

"왜죠?"

"왜냐면……."

브라운은 식식거리며 말했다.

"왜냐면…… 그 의견은 현 안건과 밀접한 관련이 없기 때문입니다. 에, 회칙 개정안은…… 말하자면……."

"투표 절차에 관한 의견이 발의안과 관련이 없다는 말인가요?"

"음…… 예."

지부장이 브라운에게 신중히 말을 꺼냈다.

"쇼티의 의견이 적절하다고 결정합니다. 만약 싫다면 투표할 때 거부하십시오."

지부장은 전체 회중을 보았다.

"여러분, 오늘 통과시켜야 할 사업들이 아주 많습니다. 그래서……."

그때 브라운이 소리쳤다.

"의장직 활동의 적법성에 이의를 제기합니다!"

지부장은 짜증이 나도 결코 겉으로 드러내지 않는 사람이었다. 그의 말투는 가끔 지루하게 들렸는데, 책을 읽는 것처럼 단조로웠다.

"의장직에 이의가 제기되었습니다. 이런 상황에서는 회칙에 따라 부의장이 의장의 권한을 맡게 됩니다. 하지만 부의장은 연안안전위원회 회의로 로스앤젤레스에 가 있습니다. 부의장이 없으니 비서가 진행합니다."

비서는 작성하던 문장을 다 쓰고 일어나 지부장에게서 의사봉을 건네받았다. 비서가 말했다.

"의장직에 이의가 제기되었습니다. 절차는 다음과 같습니다. 이의를 제기한 사람과 지부장은 각각 5분간 자신의 주장을 진술합니다. 다른 사람은 발언할 수 없습니다. 이의를 제기한 사람이 먼저 발언합니다. 그다음 지부장의 변론이 끝나면 조합원은 의장직 유지에 대해 찬반 표결을 합니다. 브라운 동지, 발언하십시오."

브라운은 노조 회칙의 신성함을 맹렬히 변론하면서 수정 조항이 추가되어야 한다고 역설했다. 요지는 이랬다. 수정안은 연이은 노조 회의에서 독회를 세 번 실시해야 한다. 세 번째 독회가 끝나면 수정안은 표결에 부쳐야 한다. 회칙상 다른 절차는 용납되지 않는다. 또 이렇게 덧붙였다. 무엇도 회칙에 우선하지 않으며, 그것은 지부장도 마찬가지다. 그는 모두에게 회칙을 준수하고 의장직에 대한 반대를 지지해달라고 강력히 호소했다.

지부장은 표결을 다음 선거로 연기하자는 제안을 수락한 것에 대해 변론했다. 근거는 현재 회의에 참석한 조합원이 20퍼센트에 못 미치는 것으로 보이며, 사안의 중대성을 고려하면, 구성원 전체가 의사 결정에 참여해야 한다는 것이었다. 물론 표결은 비밀투표라고 했다. 또한 아무도 회칙에 우선하지 않지만, 논란이 있는 사안에서는 지부장이 회칙을 설명하고 해석할 수 있다고 정연하게 말한 뒤 자리에 앉았다.

이번에는 비서가 거수로 표결에 부쳤고, 경위가 그 수를 셌다. 의장직은 대략 90퍼센트의 찬성으로 유지됐다. 비서가 의사봉을 지부장에게 돌려주었다.

"여러분, 의장직을 지지해주셔서 감사합니다. 이제는 그 발의 표결을 내년 가을 선거에서 할 것인지를 두고 투표하겠습니다. 하지만 그에 앞서, 오늘 밤 통과시켜야 할 사업들이 아주 많다는 걸 알려드리고 싶습니다. 샌프란시스코 만 지역에 문제가 좀 있는데, 이사회에서 더 많은 사람들을 권양기반으로 승급시키자는 발안이 있었습니다. 그리고 우리 ILWU의 해리 브리지스 위원장이 몇 마디 하려 합니다."

지부장이 좌우를 둘러보았다.

"해리는 어디 있소?"

지부장이 비서에게 물었다. 비서는 어깨를 으쓱하고는 고개를 가로저었다. 지부장은 다시 회의를 진행했다.

"자, 아무튼 이 안건을 내년 가을 선거에서 다루자는 제안에 대한 토론은 여기서 마칠까요?"

브라운이 이끄는 집단이 여전히 반대했지만, 지부장은 이를 조합원 표결에 부치고 압도적인 표 차로 토론을 끝냈다. 마침내 지부장은 수정안 연기를 투표에 부쳤다.

"먼저 회칙 수정안 표결을 연기하자는 발의를 두고 투표하겠습니다. 수정안 연기 발의가 가결되면 국기에 대한 경례 안건은 내년 가을에 다루게 됩니다. 연기 발의에 찬성하는 분 모두 손을 들어주십시오. 경위와 도우미 분들이 거수를 셀 겁니다."

신참인 내 입에서는 '휴'라는 말 한마디가 간신히 나왔다. 사안 하나를 처리하는 데 이토록 절차가 많고 복잡하다는 것을 처음 알았다. 하지만 노조가 느려도 제대로 돌아가고 있다는 사실에 감탄했다. 수정안 연기 안건은 압도적인 찬성으로 통과됐다. 브라운과 그의 동료, 그리고 회의장에 드문드문 앉아 있던 몇몇만이 반대했을 뿐이다. 그리고 다음 해 가을, 국기에 대한 경례를 폐지하자는 수정안은 대략 90퍼센트의 표수로 부결됐다. 그때 한 고참은 내게 이렇게 말했다.

"망할, 자리에서 일어나는 것도 싫고, 국기에 대한 경례도 마찬가지야. 무슨 초등학교도 아니고. 그래도 부결시키자는 쪽에 표를 던지긴 했어. 알 게 뭐람, 뭐가 그리 중요한 일이라고?"

참고로 앞서 지부장이 언급한 샌프란시스코 만 문제는 부두에서 일하는 비조합원들과 관련된 문제였다. 이 문제가 일어난 장소는 오클랜드 시 어귀에 오랫동안 사용하지 않은 부두로, 아직 배가 부두에 정박하지 않았는데 일용직이 고용되어서 문제가 생겼다. 극동 지역으로 언제 떠날지 모르는 물건을 화물 운반대에 정리하기 위해 누군가 삯꾼을 불러온 것이다.

노조 간부들은 이 사안을 조합원들에게 알리고 몇 단계로 구성된 행동 방침을 승인해줄 것을 요청했다. 첫째, 부두 앞에 피켓 라인을 설치해 모든 트럭 화물이 들어오지 못하도록 막는다. 둘째, 사용자 집단 가운데 어느 하나라도 노동계약을 위반할 경우 법적 조치를 취한다. 셋째, 어떤 선박이라도 그 화물을 싣지 못할 것임을 증기선 회사들에 알린다. 또한 그 해안 위아래에 있는 다른 항구들에도 우리의 조치를 통지하고, 그 선박이 나타날 경우에 거부할 것을 요청한다. 이 권고안에 첫 번째 반응이 나타났다. 분노한 일반 조합원이 마이크를 붙잡고 말했다.

"부두노동은 아무나 할 수 있는 작업이 아니오! 사람들을 모아 내일 아침 부두로 가서 망할 놈들의 다리몽둥이를 부러뜨립시다!"

환호성이 터져 나왔다. 게다가 토론 후 간부의 권고안도 공식 투표 대신 갈채와 환호로 통과되었다. 한편 화물창반에서 권양기반으로 승급시키는 인원을 늘리는 문제는 이보다 복잡한 사안이어서 찬반 모두 열띤 반응을 보였다.

샌프란시스코 항구의 부두노동자는 보통 다섯 개의 반 중 하나에 배치된다. 예컨대 화물창반은 배 위의 갑판이나 화물창에서 일반 화물의 하역을 담당한다. 부두반은 선창에서 일반 화물을 분류해 운반대에 쌓는데 보통 뱃기구를 다루는 일, 사다리 오르내리기처럼 배 위의 작업이 탐탁지 않은 나이 든 남자들이 한다.

한편 지게차반, 권양기반, 크레인반은 소위 숙련 기술이 필요한 작업이고, 연공서열에 따라 들어갈 수 있다. 권양기나 기중기 담당 인력이 부족한 날에는 업무 배치 담당자가 화물창반에 권양기, 지게차, 크레인 운전자가 필요하다고 알리는데, 이런 날에는 항상 쟁탈전이 벌어진다. 커피, 면화, 드럼통, 바나나 하역에서 해방되고 싶은 이들이 앞다투어 나서는 것이다. 반면, 드문 일이긴 하지만 권양기나 기중기 작업이 한가할 때에는 운전사가 화물창 작업에 지원할 수도 있다. 들어 올리고 나르는 작업은 여전히 전통 방식으로, 즉 기계가 아닌 사람이 직접 짊어지고 옮기는 방식이 중심이었다. 그렇지만 권양기나 기중기, 크레인 기사들이 화물창 작업을 따려고 미친 듯 우르르 몰려가는 모습은 보기 힘들다.

이렇게 다섯 개 반이 모두 차고 나면, 남은 사람은 면제반으로 배치된다. 때로 이 반은 환자반, 절름발이반, 게으름반으로 불리기도 한다. 부상당한 사람은 면제반에서 수월한 일거리를 구할 수 있고(어떤 경우에는 가벼운 일을 종신직으로도 얻는다) 충분히 회복하면 다시 일반 부두 일로 돌아간다.

노조 이사회는 권양기반으로 사람을 보내자는 권고안을 보내왔다. 이사회는 35명의 간부로 구성되며, 다른 노조 간부와 마찬가지로 매년 선거로 선출된다. 요컨대 이사회는 노조의 정책을 결정하는 회의로서, 이사회가 보낸 모든 권고안은 일반 조합원의 승인을 거쳐야 한다. 권고안 대부분은 보통 구두 투표로 통과되지만, 작업 과정과 인력 배치에 관한 발의에는 구체적인 질문이 나오고 열띤 토론이 벌어지게 마련이다. 이 발의안의 정확한 내용은 이랬다.

"화물창반에서 총 60명을 권양기반으로 보낸다. 40명은 주간, 20명은 야간."

지게차 기사들은 발의안에 지게차반이 언급되지 않은 것이 심상치 않다고 생각했다. 다음에는 지게차반 순서가 될 것이 분명했다. 지부장이 발의안 낭독을 마치기 전부터 사람들은 마이크 앞에 서 있었다. 첫 번째 발언자는 오랫동안 권양기를 운전한 크랭크였다. 그는 반대 의사를 확실히 밝혔다.

"이사회 때문에 우리 반이 넘치게 생겼습니다. 나는 지난주에 나 홀밖에 일하지 못했어요. 이사회는 화물창반 사람들이 장악했습니다. 이들은 모두 서로에게 표를 던지고 있다고요. 이제는 자기네 사람들을 권양기반으로 보내려 하고 있습니다. 이래서는 아무도 밥벌이를 하지 못할 겁니다."

크랭크가 발언을 끝내고 앉자 야유와 고함이 쏟아졌다.

"그래, 하나 더 해먹어라, 크랭크!"

누군가 소리쳤다. 크랭크는 화물창반에서는 악명 높은 인사였다. 그는 화물 일꾼들이 선박 창고에 화물 하나를 다 싣기도 전에, 부두에서 또 하나를 가져오는 것으로 유명했다.

다음 발언자 모튼슨은 권고안에 찬성하는 사람이었다. 그는 지난 3년간 죽거나 은퇴한 사람들이 있었는데도, 누구 한 명도 숙련반에 가지 않았다는 점을 지적했다. 권고안은 당연히 통과돼야 했다. 하지만 다음 발언자가 모튼슨을 맹공격했다. 그는 자기소개도 없이 말했다.

"모튼슨, 권고안이 통과되면 당신이 맨 먼저 반을 옮길 거죠? 게

다가 당신은 이사회 이사가 아니오?"

야유, 고성, 웃음소리가 이어졌다. 화가 난 모튼슨은 얼굴이 벌겋게 상기되어 다시 마이크 앞으로 갔다.

"동지는 이미 발언 기회를 사용했어요."

모튼슨이 사람들에게 다시 말을 하려고 하자 지부장이 제지했다. 모튼슨이 소리쳤다.

"내 명예와 순수성이 공격받았습니다!"

"좋습니다. 하지만 짧게 하세요. 늦어지고 있으니 모두 발언 시간을 지켜야 합니다."

모튼슨은 청중을 향해 맹렬히 말했다.

"네, 난 이사회 이사입니다. 그리고 승진할 것도 맞습니다. 그런데 그게 뭐 어떻다는 겁니까? 잠깐 들어보십시오. 지난 3년 동안 10지부에서 50명 넘는 인원이 은퇴했습니다. 그들 중 대부분은 숙련반이었고 말입니다. 그리고 크랭크? 크랭크가 지난주에 고작 나흘 일했다고요? 망할, 난 자원해서 권양기반에서 나흘 일했소. 하루는 일요일 잔업 근무였단 말입니다. 크랭크가 나흘밖에 일하지 못한 건 자기가 나자빠져 있었기 때문입니다."

10지부에서는 일하다 지쳐서 주저앉으면 일을 배분받는 대신 규정에 따라 하루 쉬도록 되어 있었다. 지부장은 크랭크에게 반론이 있는지 물어보았다. 하지만 크랭크는 자리에서 일어나지 않았다. 이 문제와 관련해 양측에 선 발언자 몇몇이 열띤 발언을 했다. 다음에는 어디 있다가 나타났는지 쇼티가 마이크 앞으로 다시 나왔다. 쇼티는 이번에도 똑같이 물었다.

"안건이 뭐지요?"

지부장은 비서에게 안건을 읽도록 청했다. 안건을 들은 쇼티가 말했다.

"수정안을 제시합니다."

"무엇인가요?"

"권고안에서 제시된 인원 절반을 권양기반으로 보내고, 나머지 반은 은퇴 등으로 공석이 생기는 반으로 보내는 겁니다."

회의장 곳곳에서 쇼티의 수정안에 대한 재청이 들어왔다. 재빨리 한 남자가 마이크 앞으로 나와 표결을 요청했다. 지부장이 말했다.

"표결 요청이 들어왔습니다. 토론을 마치는 데 찬성하는 사람은 '네'라고 말하십시오."

만원이 된 회의장에 '네' 하는 함성이 울렸다.

"좋습니다. 이번엔 반대하는 사람?"

'아니요'라는 함성도 회의장을 가득 채우긴 했지만 찬성하는 목소리보다 작았다.

"토론을 마치는 발의가 통과되었습니다. 이제는 주요 안건을 표결에 부치겠습니다. 먼저 쇼티의 수정안입니다. 만약 통과되면 주요 안건도 함께 통과되는 겁니다. 수정안에 찬성하는 사람은 '네'라고 말해주세요."

순간, 이런 생각이 강하게 들었다. 지부장이 누구든 간에 쇼티 같은 사람, 또는 쇼티 같은 재능이 있는 몇 사람이 주변에 있다면 일을 처리하는 데 도움이 될 거라는 생각이었다. '네' 하는 함성이 들렸고, '아니요' 또한 거의 비슷했다. 지부장은 구두 투표 결과가 불확실함을 밝히고 기립 방식으로 재투표를 실시했다. 결국 이 수정안은 대략 60퍼센트의 찬성을 받아 통과됐다.

해리 브리지스는 보통 부두노동자라고 하면 전형적으로 떠올리는 우람한 체격이 아니었다. 약간 작고 마른 체구에 키는 중간이었으며, 몸무게는 70킬로그램에도 못 미쳤다. 아주 어렸을 때 호주에서 미국으로 이주했지만, 여전히 호주 억양이 남아 있었다.

해리 브리지스가 처음 두각을 드러낸 것은 1930년대 중반 어떤 파업에서였다. 그때부터 선박 소유주와 연방 정부는 그를 공격해왔고, 호주로 강제 추방하고자 거의 20년간 애를 써왔다. 예컨대 법무부는 이민 부서를 통해 해리 브리지스를 고소했는데, 시민권 신청서를 거짓으로 작성했다는 이유를 들었다. 또한 브리지스는 부인했지만, 그가 공산당원이라고 했다. 하지만 회원증 같은 구체적인 관련 자료를 제시하지 못한 탓에, 브리지스는 시민권을 유지하고 그대로 미국에 머물며 서부 해안, 하와이 등 여러 지역에 산하 지부를 둔 ILWU의 수장에 올라 지도

자 자리를 계속 유지할 수 있었다.

ILWU 대표인 그에 대한 일반 조합원의 태도는 다양했다. 드러내 놓고 찬사를 보내기도 하고, 정치적인 냉소를 보이기도 했으며, 어떤 경우에는 강한 증오를 보이기도 했다. 하지만 핵심적인 사안에 맞닥뜨렸을 때는 조합원 모두가 그를 지지했다. 남녀 가릴 것 없이 모두가 '자신'이 아닌 '우리'를 지지한 셈이다.

예컨대 1940년대 말 연방 정부가 노동부를 통해서, 또한 산별노조회의의 협조를 받아 ILWU 조합원을 대상으로 대표 재신임 투표를 실시한 적이 있었다. 결론부터 말하자면 완전히 역효과를 낸 선거였다. 산별노조회의는 전체 회의에서 ILWU를 쫓아낸 적이 있었는데, 이번 선거를 실시해 ILWU를 다시 통합하려는 각본을 짰다. 투표는 간단했다. 산별노조회의의 보호와 원조를 받는 새로운 노조를 바라는가? 아니면 그대로 ILWU에 남겠는가를 '네', '아니요'로 답하면 되었다.

노동부는 서부 해안의 모든 지부에 투표소를 설치하고 인력을 배치한 뒤 ILWU의 조합원들이 투표에 참가하기를 기다렸다. 그리고 당국자들은 투표 결과가 아닌, 자신들이 공들였던 작업의 결과에 깜짝 놀랐다. ILWU 지도부가 선거 참여 거부를 발표했고, 정말로 아무도 투표하지 않았다. 실제로 샌디에이고에서 시애틀까지 단 한 표도 나오지 않았다.

그 후 연방 정부는 해리 브리지스와 ILWU를 파괴하려는 노력을 그만두었고, 선박 소유주들도 부두노동자들과 합의, 협상을 맺는 방향으로 선회했다. 하지만 정부 당국자와 선박 소유주를 불신하고 거부하는 태도는 해리 브리지스뿐만 아니라 일반 조합원의 다수에게도 여전히 남아 있었다. 물론 정부와 사법부에도 예의 바르고 점잖은 사람들이 있긴 했을 것이다. 하지만 그 조직들은 미국 노동자들을 열악한 조건으로 내몰고자 했기에, 아예 상대하지 않는 게 나았다. 해리 브리지스가 말문을 열었다.

"오늘은 새로운 조합원들이 참석했습니다. 환영으로 맞이해주세요. 그리고 새로운 조합원들에게 알려드리고 싶군요. 우리 중에는 계급 의식이 없는 사람들도 있습니다. 그들의 말을 듣지 마십시오. 모든 것을 망치고 싶어 안달이 난 사람들입니다. 눈을 똑바로 뜨고 조심해서 행동하십시오. 그러면 괜찮을 겁니다. 꼭 명심하세요."

해리 브리지스는 주의를 주면서, 미국의 반노동 세력이 노동자에게 끼치려는 온갖 해악에 대해 설명했다. 그리고 법정, 정부, 언론을 장악하고 있는 돈 많은 사장들에게 맞서 스스로를 방어하려면 끊임없이 경계하고 각성하고 연합하는 길밖에는 없다고 말했다.

이어서 해리 브리지스는 국내외의 중요하고 다양한 주제에 대해서도 언급했다. 그리고 네바다 남부에서 실행된 엄청난 규모의 지하 핵 폭발 실험을 거론하며 미국 정부를 규탄했다. 그 실험 탓에 라스베이거스로 가는 내내 땅이 진동했다는 것을 개인적으로 증언할 수도 있다고 말했다. 브리지스가 지부장에게 마이크를 돌려주자, 한 조합원이 앞쪽으로 내려와 발언대 마이크를 붙잡았다. 그가 소리쳤다.

"해리! 수정안을 어떻게 생각하십니까?"

브리지스가 마이크 쪽으로 몸을 기울이면서 물었다.

"무슨 수정안 말이오?"

"국기에 대한 경례와 관련된 수정안 말입니다."

"국기에 대한 경례요?"

브리지스가 어리둥절해하며 물었다. 그는 피곤한 논쟁이 벌어졌던 그 시간 동안 회의장 밖에 나가 있던 게 분명했다.

"국기에 대한 경례라니요? 그게 나랑 무슨 상관입니까? 수정안이 왜 필요하지요? 국기에 대한 경례, 하기 싫으면 하지 마세요. 아무렴 어떻습니까."

해리 브리지스는 연단에서 내려왔다. 또 다른 남자가 청중 마이크를 잡았다.

"휴회를 제안합니다."

그러자 누군가 외쳤다.

"반대합니다! 휴회할 수 없어요. 우리는⋯⋯."

지부장은 그 발언을 끊고 말했다.

"휴회 발의는 언제든 할 수 있습니다. 휴회에 찬성하는 사람은 '찬성'이라고 말해주세요."

'찬성'이라는 함성이 들리는 가운데, 모두는 회의 출석 확인 도장

이의 있습니다!

을 받으려고 작업 배치 창구로 정신없이 뛰어나갔다. 회의는 흥미로웠다. 해리 브리지스는 네바다의 지하 핵실험에 반대했지만 소련이 자국에서 실시해온 핵실험은 언급하지 않았다. 또한 프랑스가 남태평양 타히티 인근 섬에서 준비하고 있는 핵실험도 이야기하지 않았다.

나는 회의장 아래층에 있는 에릭 호퍼를 죽 지켜보고 있었다. 그는 회의 후반에 메모를 하고 있었고, 특히 브리지스가 발언할 때는 주의를 기울이며 뭔가를 적는 것 같았다. 그리고 출석 확인 도장을 받으려고 서둘러 나가면서 전단 뭉치와 함께 그 메모도 버리고 갔다. 나는 군중을 뚫고 아래층으로 내려가 호퍼가 앉았던 자리에서 전단과 메모를 주웠다. 그가 쓰던 건 십자말풀이였다.

그날 밤, 나는 오래된 사업 안건이 무엇인지는 끝내 듣지 못했다.

당신이 옳았다면 화낼 이유가 없고
당신이 틀렸다면 화낼 자격이 없다.

마하트마 간디

경영진 입장에서 노동자가 앉아서 노는 모습은 절대 참을 수도 없고
받아들일 수도 없는 일이었다. 노동자는 고용되어 임금을 받는 사람이기 때문이다.
하지만 이들은 실직자가 앉아서 쉬는 모습에는 어떤 반응도 보이지 않는다.
자기들이 해고해서 실직한 것인데도 말이다. 결론적으로 사용자의 '기계화와 현대화'
계획의 주목적은 작업 과정을 줄이는 것이 아니었다. 노동자를 없애는 것이었다.

04

우리는 좀 더 일하고 싶다

내가 부두 일을 처음 시작했을 때는 배에 싣는 모든 화물을 사람 손으로 날랐다. 모든 부두노동자는 갈고리와 두꺼운 장갑을 휴대했는데, 이 갈고리는 아주 유용했다. 이중에 대형 화물용 갈고리가 있었는데, 이 갈고리는 면화 작업에만 적합했다. 영화 〈워터프론트〉에서도 말론 브란도의 동료들이 그 갈고리를 사용하는 장면이 나온다. 대형 갈고리는 일단 크기부터 면화 작업에 적합했다. 손잡이가 양쪽으로 길어서 곤포에 내리꽂은 후 발을 디디고 전신을 사용해 짐을 옮기는 식이었다. 때로 면화 곤포는 굴리는 게 아니라 들어 올려야 했는데, 이때 대형 갈고리가 없으면 조금도 움직일 수 없었다. 곤포를 단단히 죌 때도 마찬가지였다.

하지만 면화 작업이 아니라면 큰 갈고리는 휴대하기가 불편했다. 작은 갈고리처럼 바지 뒷주머니에 꽂고 다니지도 못해서 손에 쥐고 있을 수밖에 없었다. 도대체 누가 점심을 먹으러 가는데 갈고리를 허리띠에 대충 찔러놔서 배를 콕콕 찌르도록 두겠는가?

〈워터프론트〉에서는 모든 부두노동자가 갈고리를 들고 있다. 작업을 할 때든 아니든 큰 갈고리를 어깨에 매달아 뾰족한 끝이 아래를 향하게 해서 가지고 다닌다. 아마 갈고리를 끼고 잠도 잤던 것 같다. 하지만 나는 영화에서처럼 갈고리를 가지고 다니는 사람을 한 번도 본 적이 없다. 게다가 어떻게 그걸 그렇게 가지고 다닐 수 있는지 상상하기도 어렵다. 만일 움직일 때에도 몸에서 갈고리가 떨어지지 않는다면 어딘가를 찔린 것이 분명하다. 그게 어깨였다면 깊숙이 박혀 상처가 났을 것이다. 한번은 로스앤젤레스에서 일할 때 뉴욕 출신과 짝이 된 적이 있다. 나는 그에게 뉴욕 부두노동자들은 정말 그렇게 갈고리를 가지고 다니는지 물었다.

"난 그런 적 없어요. 내가 아는 이들도 모두 마찬가지고요."

그도 〈워터프론트〉를 본 터라 우리는 그 영화에 대해 이런저런 추측을 해보았다. 일단 우리는 영화에서 묘사된 부두노동자의 모습 대부분이 터무니없다고 생각했다. 감독이 누구든, 영화에서는 부두노동자가 실제로 그런 것처럼 쉽게 꾸며낼 수 있었을 것이다.

갈고리에 대한 또 다른 이야기가 있는데, 현실성이 거의 없어 보였다. 그 이야기란 그 영화가 나올 당시 뉴욕 출신 동료와 함께 일했던 나이 든 부두노동자의 증언이었다. 그에 의하면, 수년 전에는 부두노동자들에게 바지 뒷주머니에 갈고리를 넣는 걸 금지했다고 한다. 싸움이라도 나면 무기를 감춘 혐의로 경찰에게 체포되었기 때문이라는 것이다.

우리는 말도 안 된다고 생각했다. 뉴욕 출신 동료도 그렇고, 나도 갈고리로 싸우는 광경을 본 적이 없었다. 갈고리는 강력한 무기처럼 보이지만, 실제로 휘두르기에는 좋지 않다. 게다가 휘두르다가 못 맞췄을 경우에는, 상대방에게 훨씬 더 위험한 무기를 마음대로 사용할 수 있게 하는 빌미를 줄 것이다.

부두노동자가 사람에게 갈고리를 사용했다는 이야기를 딱 한 번 듣기는 했다. 내가 부두 일을 시작하기 수년 전에 벌어졌던 현장 감독과 일꾼들과의 분쟁에서였다. 사건의 요지는 이랬다. 화물창으로 내려간 현장 감독이 화물 적재 방법을 두고 일꾼들과 다투었고, 논쟁이 격해지자 현장 감독은 해고를 선언했다. 그리고 현장 감독이 화물창을 나가려고 사다리에 오르는 순간, 한 일꾼이 갈고리로 현장 감독의 엉덩이를 찌른 것이다. 이는 지독한 행동이긴 했지만, 해결할 수 없는 사건은 아니었던 모양이다. 내가 부두 일을 시작할 때 두 사람은 모두 여전히 부두에서 일하고 있었으니까.

나 역시 각종 갈고리들을 사용했다. 면화용 큰 갈고리 외에도 일반 화물용으로 작은 갈고리가 있었다. 마대용 갈고리도 있었는데, 안이

굽은 갈퀏발이 다섯 개 달린 것으로 커피를 나를 때 꼭 필요했다. 또 그야말로 인기 만점인 일본 갈고리도 있었다. 나무로 만든 자루가 가벼웠고, 길이는 약 30센티미터였다. 꽤 긴 것도 있었는데, 한쪽 끝에는 작은 갈고리, 다른 끝에는 작은 자루가 달려 있었고 손에 쥐면 착 감기는 느낌이었다. 게다가 더 길게 쭉 뻗을 수 있었고, 거의 모든 화물 작업에 쓸 수 있어서 실용적이기까지 했다.

그래서 일본 선박의 화물창 출입문을 열 때면 매번 아귀다툼이 벌어졌다. 일본 부두노동자가 놓고 간 갈고리가 있는지 제일 먼저 확인하려고 앞다퉈 내려갔기 때문이었다. 우리는 갈고리를 돈을 주고 사야 했던 반면, 일본은 매일 공짜로 지급받는 게 분명했다. 적잖은 이들이 배에 갈고리를 두고 갔기 때문이다. 우리는 그 선물을 고맙게 받았다. 화물창을 열었을 때 일본 갈고리를 발견한 날이면 하역해야 하는 일본 화물이 아무리 힘든 것이어도 상관없었다. 나는 아직도 내 오래된 갈고리들을 모두 가지고 있다. 그래도 가장 아끼는 것은 일본 갈고리들이다.

작업용 장갑은 자동화 과정에 따라 변천을 겪었다. 지금도 현장에는 중장비와 기름투성이 기구가 많고, 손으로 당기는 쇠줄도 있다. 하지만 오늘날 대부분의 부두 작업은 기계 장비를 이용한다. 크레인, 지게차, 특수 화물차를 운전할 때 크고 무거운 장갑은 불편하기만 하다. 이럴 때는 가볍고 부드러우며 매끄러운 가죽 장갑이 제격이다.

모든 작업용 장갑은 노새 가죽으로 만들었다. 노새 가죽이 말가

죽보다 더 질긴 건지는 모르겠지만, 거친 작업에 쓰는 최상급 장갑은 노새 가죽이라고들 했다. 장갑이 노새 가죽으로 만들어졌다는 증거는 그 장갑에 새겨져 있었다. 오른손 장갑 뒤에는 노새 머리 불도장이 찍혀 있었고, 그 밑에 '잭' 상표가 있었다. 왼손 장갑에는 '제니' 그림이 있었다. 원래 이 둘은 서로 경쟁하던 두 개의 다른 상표였다. 또 다른 상표로는 '모드와 클로드'가 있었다. 하지만 상표명을 제외하고는 장갑들은 똑같았다. 노새들의 생김새가 좀 달랐을 수도 있겠지만.

부두 일을 할 때의 평범한 옷차림은 검은색 작업용 바지에 히코리 줄무늬 셔츠, 납작한 흰색 모자였다. 모자를 가장 먼저 썼는데, 안전모 착용 규정이 있었기 때문이다.

히코리 셔츠는 아직도 팔고 있지만 판매하는 가게가 점점 줄어서 때로 구하기가 쉽지 않다. 어떤 부두노동자들은 히코리 셔츠를 입다 말았는데, 특히 젊은 흑인 노동자들이 그랬다. 나는 히코리 셔츠를 좋아했다. 질겨서 쉽게 찢어지지 않는 데다 소매도 길고 가슴에 주머니도 두 개나 있었다. 게다가 빨고 또 빨다 시간이 흐르면 더 부드러워져서, 가을에 구입한 히코리 셔츠는 이듬해 더운 여름에 일할 때 안성맞춤이었다. 히코리 셔츠 브랜드 중 '빅 벤'은 왼쪽 가슴 주머니 바로 위에 고릴라 모양의 자수가 있었는데, 다들 이 작업복이 고릴라처럼 튼튼하고 강할 것이라고 생각했다.

우리는 때로 앨러미다 카운티에 있는 해군 기지에서 일했고, 출

우리는 좀 더 일하고 싶다

입문을 통과할 때는 사진이 있는 출입증을 보여줘야 했다. 그리고 동료들 중에 세상에서 가장 못생긴 남자로 통하는 덩치 큰 흑인 '제이제이'라는 친구가 있었다. 내가 빅 벤을 입고 출근할 때면 젊은 흑인 동료들은 고릴라를 가리키며 이렇게 말하곤 했다.

"어이, 왜 제이제이의 출입증이 그려진 옷을 입고 있어요?"

우리가 다루는 화물은 모양도 크기도 가지가지였고, 전 세계에서 모여든 것들이었다. 한번은 재정비를 위해 일본에서 되돌아온 헬리콥터의 회전 날개를 내린 적이 있었다. 그 회전 날개는 몽골 외곽에서 온 말털 곤포 위에 놓여서 운송되었다. 나는 그 말 털을 딱 한 번 내렸는데, 지금도 잊을 수 없는 장면이 있다. 말 털에서 득실거리는 벼룩이었다. 게다가 동양에서부터 긴 항해를 하느라 아주 굶주려 있었다.

또 작업하기에 가장 나쁜 짐으로는 단연 뼈를 들 수 있다. 한번은 아르헨티나산 깡마른 소뼈를 날랐는데, 바구니에 담아 대형 무개 화물열차에 쏟으면 어딘가로 운송됐다. 뼈는 바싹 말라서 무겁지는 않았지만 바구니로 던질 때 엄청난 먼지 구름이 풀썩 솟았다. 얼굴에 뭘 둘러써도 눈코에 먼지가 들어가는 걸 막을 수 없었다.

모든 부두 일은 노동 시간에 따라 차례로 배분됐기에 아침에 제일 먼저 선택할 권리를 얻은 사람이 가장 빨리 끝나는 일을 고를 수 있었다. 물론 사람들은 뼈 하역 작업은 고르지 않았다. 이건 경제 사정으로 1년 내내 일하길 원하는 사람들에게 마지막으로 배분되는 일이었다.

그 외에도 기피 화물은 또 있었다. 가공하지 않은 수소 가죽이었다. 포개진 가죽 사이에는 거름이 묻어 있고 구더기가 그 거름을 먹고 있는 경우도 있어서 정말 지저분했고 처리가 곤란했다. 우리가 그 더럽고 끈적끈적한 가죽을 대한민국과 일본으로 실어 보내면, 야구 장갑과 구두 가죽으로 가공되어 돌아왔다. 이 가죽을 두 번 날라본 적이 있었는데, 두 번째는 더 열심히 일할 수 있었다.

하역 작업의 자동화로 1960년대 말에는 수출입용 화물 컨테이너도 변화를 겪었다. 맨 처음에는 그저 큰 벽장 정도였던 크기가 점점 커지더니, 6미터짜리 금속 컨테이너가 표준이 됐다. 그러다가 1970년대 중반에는 거의 모든 화물 컨테이너가 12미터나 그 이상의 크기였다. 이렇게 대형 컨테이너를 사용하기 시작하면서 태평양 너머로 보낸 컨테이너가 돌아오지 않는 경우도 있었다. 이 때문에 선박 회사 측에서 직원을 보내 컨테이너가 돌아오지 않는 이유를 찾도록 했다. 그 직원들이 동남아시아에 가보니 많은 컨테이너가 강물에 떠다니며 집으로 사용되고 있었고, 그 안에서 가족들이 생활하고 있었다. 실로 컨테이너는 비를 피하기에 아주 좋았고 창문 내기도 그다지 어렵지 않았다. 또한 높은 지지대 위에 올려놓으면 방충에도 비교적 괜찮았다. 흰개미의 공격까지도 피할 수 있었다.

이처럼 부둣가에 점차 화물 컨테이너가 늘어나기 시작했다. 각 방면에서 컨테이너 사용이 장려되었고 정부도 이를 권했다. 일단 컨테

우리는 좀 더 일하고 싶다

이너는 선박에 실리면 법적으로 배의 일부로 간주됐다. 또 배에서 내린 후에도 봉인을 뜯고 문을 열기 전까지는 선박의 일부였으므로 비교적 자유로운 사용이 가능했다.

심지어 수천 킬로미터 떨어진 내륙으로 수송해도 여전히 법적으로 배에 속해 있던 덕에, 항구 도시로 성장한 오클라호마와 같은 지역에는 많은 컨테이너에 여러 수취인들에게 보낼 상품이 위탁되어 있었다. 이 물품들은 자동차 한 대 분량의 화물보다 적다는 의미로 'LCLs'(Less than Carload Lots)라고 불렀다.

이런 컨테이너들은 수취인이 물건을 확실히 받을 수 있도록, 일단 화물을 빼내 분류 및 통합한 후 다시 배에 실었다. 이 작업이 자동화 때문에 줄어든 우리의 일자리를 대체할 수도 있었다. 하지만 노동조합에 적대적인 노동법이 있는 오클라호마와 남부의 몇몇 도시들은 서부 해안의 부두 노동 임금의 3분의 1 정도를 임금으로 제시했다. 결국 우리는 이 작업을 맡지 않았다.

곤포 외에도, 우리 손을 떠나 컨테이너로 운반되기 시작한 화물에는 날가죽도 있었다. 모르긴 몰라도 대개의 부두노동자들은 날가죽이 작업장에서 사라져도 섭섭해하지 않았을 것이다. 하지만 시간이 흘러 점점 더 많은 화물이 컨테이너로 운반되면서, 우리는 상당히 많은 일거리가 사라지는 것을 지켜봐야 했다. 물론 아직도 I형 철제 대들보, 작업용 긴 파이프, 자동차, 여타 화물은 우리가 직접 운반했다.

그러나 우리가 작업했던 화물 태반의 기본 운송 단위는 컨테이너로 바뀌었다. 선박에 화물을 넣는 방식, 즉 부둣가에서 거의 수백 년 동안 유지돼온 작업 방식과 숙련 기술이 10년이 조금 넘는 기간 동안 완전히 사라진 것이다. 이제 부둣가는 결코 예전의 모습을 되찾지 못할 것이며, 이 문제를 어떻게 처리해야 할지가 우리의 과제가 되었다.

선박 관련 이익 단체들은 소위 '기계화와 현대화'라는 계획 아래 우리가 담당했던 부분을 최대한으로 줄이려고 아우성이었다. 협상은 합의점을 찾지 못하고 오랫동안 지지부진했다. 결국 1970년대 초, 사용자 집단과 ILWU 지도부가 합의안을 내놓았지만 서부 해안의 ILWU 조합원들은 즉각 이를 거부했다.

이 협약의 핵심적인 합의 내용은 작업을 하는 조의 인원을 여덟 명에서 네 명으로 줄이는 대신 해고된 조합원에게는 36시간의 임금에 달하는 금액을 보장한다는 것이었다. 이 협약에서 선박 회사들이 노리는 목적은 자연적인 감원 처리 방식으로 노동자를 줄이는 것이었다. 즉 퇴직이나 사망으로 빈자리가 생겨도 그 자리는 채워지지 않는다.

이에 대해 부두노동자들은 이렇게 외쳤다.

"그들은 우리의 일자리를 매수하려 하고 있습니다. 하지만 우리의 일자리는 사고파는 게 아닙니다!"

우리의 일자리는 다음 세대의 일자리를 의미했다. 물론 그들의 아들들, 그다음 딸들의 일자리까지도. 하지만 협약을 반대하는 목소리는 갈수록 시들해졌다. 경영자 측과 노조 간부 모두가 꾸준히 설득 활동을 벌인 것이다. 게다가 상당한 임금 인상과 조기 퇴직자에 대한 지원책도 한몫했다. 끝내 협약은 비밀투표에서 가까스로 통과됐다. 반대자들은 회사 인수를 주장했는데, 이것이 옳았다. 그 후 10여 년 동안 샌프란시스코의 부두노동자는 5,000명에서 1,500명도 안 되는 수로 줄었다. 게다가 일거리도 많지 않아, 남은 1,500명의 약 절반 정도가 집에서 보장 급여를 타는 상황이었다.

설상가상으로, 일거리가 있는 부두노동자는 한층 고되게 일하고 있었다. 이전 인원의 절반이 컨테이너 밖 화물 작업을(이 화물 작업은 여전히 일이 많았다), 즉 한 사람이 두 사람 몫을 감당해야 했기 때문이다. 그때, 이러한 현장의 문제를 노조 지도부보다 여러모로 잘 이해하고 있던 화물 작업 노동자들이 운송 작업 속도를 올리기 위해 독자적인 해결책을 제시했다.

사실 돌이켜보면, 이들이 내놓은 방안은 새로울 것 없이 늘 사용돼왔던 방식이었다. 200년 전에는 사람이 밧줄을 당겨 화물을 옮겼다. 그다음에는 증기 권양기를 개발해 사용했다. 처음 지게차가 나왔을 때는 화물창에서 짐을 적재하는 데 사용했다(사실 두 대 중 한 대는 부두에서, 한 대는 배에서 사용했다). 이때 부두노동자들은 모여서 짧게 의논한 후에 동전을 던져 누가 운전할지, 누가 앉아서 쉴지를 뽑았다. 작업 효율은 엄청나게 증가했고 노동자들은 그 효과를 함께 나눴다. 이는 근본적으로 작업 시간을 단축하는 것과 연관이 있었다.

하지만 경영진 입장에서 노동자가 앉아서 노는 모습은 절대 참을 수도 없고 받아들일 수도 없는 일이었다. 노동자는 고용되어 임금을 받는 사람이기 때문이다. 하지만 이들은 실직자가 앉아서 쉬는 모습에는 어떤 반응도 보이지 않는다. 자기들이 해고해서 실직한 것인데도 말이다. 결론적으로 사용자의 '기계화와 현대화' 계획의 주목적은 작업 과정을 줄이는 것이 아니었다. 노동자를 없애는 것이었다.

상황이 이렇게 돌아갈 즈음, 나는 이 모든 것에 대응하기 위해 나섰다. 그래서 노조에서 정치적으로 활발하게 활동했고 노조 간부직에도 출마하기 시작했다. 이후 나는 처음으로 노조 이사회 이사로 선출됐으며, 시간이 많이 흐른 뒤에는 노조 부대표에 당선되었다. 또한 ILWU 전당대회에 참석하는 샌프란시스코 지부 대표로 뽑히기도 했다. 하지만 이렇게 간부직을 맡고 있는 동안에도 계속 부두 일을 했다. 대표, 비서, 교섭위원을 제외하면 누구도 노조에서 지급하는 활동비만으로는 생계를 꾸릴 수 없었다. 또한 노조 사무실 상근직도 2년이 지나면 일터로 돌아가야 했다. 이는 노조 간부를 노동자와 노동과 밀접하게 유지하도록 만드는 방법이었고, 의심할 나위 없이 성공적인 수단이었다.

노조 간부에게 중요한 것을 가르치려면 실제로 노동을 해보게 하는 것만큼 좋은 방법은 없다. 만일 서부 해안의 어떤 지부에서 노조 일을 맡아 그 직무를 성공적으로 수행하고 싶다면, 함께 일하는 사람들의 이야기를 듣고 주의를 기울이는 것이 가장 현명하다.

　　나 역시도 '기계화와 현대화' 협약에 대한 여러 의견을 들었는데, 그중에 가장 탁월한 분석 하나를 만났다. 어느 날 아침 일거리를 얻으려고 줄을 섰다가, 옆에 있던 한 동료에게 들은 분석이었다. 그의 이름은 링크였고, 흑인에다 나이는 나보다 조금 많은 남부 출신이었다. 그는 이곳저곳 떠돌며 일하다가 샌프란시스코 부둣가에 자리를 잡았다. 우리는 함께 일거리를 구했고, 가끔 작업 시간대가 겹치기도 했다. 링크는 이렇게 말했다.

　　"알잖아, 회사는 불규칙적으로 하루는 쉬고 하루는 일하는 걸 못하게 하려고 우리와 필사적으로 싸웠어. 그런데 이제는 절반은 일하게 하고 나머지는 집에서 엉덩이를 깔고 쉬도록 만들어버렸잖아. 일부는 쉬고 일부는 일하라고 맘대로 정해버린 거야. 틀림없이 우린 이 대가를 치러야 할 거야. 나는 사람들이 일터로 돌아왔으면 좋겠어."

　　그의 말대로 우리가 치러야 할 대가는 크고 심각했으며, 끝내 헤아릴 수 없는 형태지만 분명하게 드러났다. 나는 링크와 이 대화를 나누고 몇 년이 지나 부대표로 선출됐다. 그리고 임기가 시작된 지 한 달 즈음 파업을 벌이자는 쪽에 섰다. 그러자 부두 인력 회사는 일방적으로 작업 두 개를 없애기로 결정했다. 하지만 실제로 작업을 없애려 한 것은 아니었다. 이 두 작업은 장비를 다루는 일이었는데, 다만 조합원이 아닌 사람에게 그 일을 시킬 심산이었다.

우리는 작업이 더 이상 줄어드는 것을 받아들일 수 없다는 결론에 도달했다. 게다가 이 두 작업은 중요한 일거리였다. 이 결정은 협약을 명백히 위반한 것이었는데도 회사 측은 요지부동이었다. 무작정 그 결정을 시행하려 했고 우리야 어찌 되든 상관없다는 태도였다.

노조 간부들은 회의를 열었고, 선택의 여지가 없다는 결론을 내리고 선박을 점거해 파업에 들어갔다. 그러자 그다음 주, 샌프란시스코 항구에서 일이 없어 쉬고 있던 이들에게 실업 수당 형식으로 나오던 보장 급여 지급이 중단됐다. 회사는 우리가 포기할 때까지 그 돈을 인질로 삼았다. 그럼에도 실직 중인 조합원들은 노조 회의에서 우리를 100퍼센트 찬성으로 지지해주었고 덕분에 우리는 완강히 버티면서 파업을 이어갈 수 있었다.

하지만 그다음 주에도 실직 조합원들이 보장 급여를 받지 못하자 우리는 모든 것을 중단하고 최후의 수단을 검토할 수밖에 없었다. 노조 간부의 입장에서는 7~8백 명 노동자들에게 지급되는 급여를 중단하면서까지 불확실한 방침을 고수하는 일이 결코 쉽지 않았다.

한 노조 간부와 나는 굳세게 견디면서 항구 전체의 파업을 이어가고 싶었다. 그러면 사측이 더 강경하게 나올 때 우리도 강경하게 할 수 있었을 테고, 그러면 치러야 할 대가가 커지는 사측이 먼저 굴복했을 것이다. 반대로 우리가 여기서 포기하면, 수문을 열어주는 꼴이 되어 다음번에는 고용주들이 더 많은 것을 요구하게 될 거라고 생각했다. 하지만

우리는 좀 더 일하고 싶다

우리의 견해는 부결됐고, 그 결과 작업 두 개를 더 빼앗겼다. 현재 오클라호마에서 잭과 제니스 장갑이 얼마나 팔리고 있을지 궁금하다.

이전의 사업가는 노동자와 직원들에게 줄 임금이 충분치 않거나
자신에게 충분히 이윤이 남지 않을 때 그들을 그냥 쫓아냈다.
오늘날에도 사업가는 그들을 쫓아내고 있으며, 당연한 것이지만
이윤을 남기고, 아마 이전보다 더 많은 이윤을 남기고 있을 거다.

베르톨트 브레히트

수석 벌목꾼은 아버지가 있는 데서는 결코 가방을 열지 않았기에,
아버지는 뭐가 그렇게 무거운지 딱 한 번 가방 안을 들여다본 적이 있다고 했다.
… 아버지는 자리에 앉아 가방 속에서 자신이 발견한 것들에 대해 곰곰이 생각해보았다.
하지만 결정을 내리는 데는 몇 초밖에 걸리지 않았다. 수석 벌목꾼이 돌아오면
자신이 아끼는 도끼로 아버지가 가방을 몰래 열어본 사실을 알게 될 터였다.

05

벌목꾼과 비밀의 가방

내가 알기로, 신기술과 자동화의 물결 아래 감원을 피해간 육체노동 산업은 없다. 모든 산업들이 각기 저마다의 형태로 타격을 입어왔다. 목재 산업에도 나름의 사례가 있다.

예전의 벌목은 사람이 톱을 켜고 도끼로 찍어야 하는 작업이었다. 꽤 큰 가문비나무나 전나무 하나를 작업하려면 보통은 남자 여럿이 온종일 매달려야 했다. 먼저 나무를 쓰러뜨리고 가지를 친 후 운반하기에 적당한 크기로 잘라 벌목 도로에 끌어다 놓으면, 이것들을 뗏목으로 강 하류에 있는 제재소까지 운반했다.

이제는 나무를 쓰러뜨리고 다듬고 치수에 맞춰 자르는 작업을 전기톱으로 한다. 나무를 모아두는 장소로 운반하는 일은 열기구나 헬리콥터가 한다. 작업 시간은 크게 단축됐지만, 더 이상 쓱싹쓱싹 나무 자르는 소리가 들리지 않는다. 전기톱 엔진이 회전 속도를 올릴 때 내는 고막을 찢을 듯한 굉음이 울릴 뿐이다.

아버지가 처음 일을 시작했을 무렵 했던 것 중 하나가 수석 벌목꾼의 보조였다. 아버지가 보조했던 수석 벌목꾼의 일은 나무를 원하는 방향으로 쓰러뜨리기 위해 도끼질할 부분을 결정하는 것이었다. 수석 벌목꾼은 상단 벌목꾼과 함께 숲의 최고 벌목꾼으로 인정받았다. 실제로 예전이나 지금이나 수석 벌목꾼은 최고의 기술을 보유한 사람으로 여겨졌다.

한편, 상단 벌목꾼들의 작업은 그야말로 반쯤 미쳐야 할 수 있을 만큼 위험한 일이었다. 이들은 작은 도끼가 달린 허리띠를 차고 나무에 올라, 나무줄기의 지름이 30센티미터쯤 되는 곳(크기 때문에 목재로 사용할 수 없는 부분)에 이르면, 그 상단 부분을 잘라내는 작업을 했다. 이 작업의 가장 중요하고도 위험한 순간은, 나무 상단이 기울어져 줄기에서 떨어져 나가려는 때 도끼로 마지막 한 방을 날리는 순간이었다.

원시림에서 상단 벌목꾼은 흔히 지상에서 45미터 혹은 그 이상 되는 지점에 자리를 잡는다. 아무리 두꺼운 가죽 벨트와 징 박힌 신발로 나무줄기에 붙어 있어도, 나무 상단이 쓰러질 때는 앞뒤로 크게 흔들리게 마련이다. 그래서 상단 벌목꾼들은 말 그대로 필사적으로 매달려 있어야만 했다. 가끔 상단이 쓰러질 때 큰 나뭇가지가 덮치는 바람에 붙잡고 있던 부분을 놓치기라도 하면 반쯤 의식을 잃고 추락하기도 했다. 아니면 징 박힌 신발을 다시 나무에 찍거나 가죽 벨트가 뭔가에 걸려야만 추락을 멈출 수 있었다. 게다가 나무에 오를 때 가지들을 잘라내야 했고, 특히 도끼를 휘두를 공간을 마련하기 위해 꼭대기 부분을 깨끗이 쳐내야 했다. 이는 아주 위험하고 고된 작업이었으며, 완벽히 끝내야 하는 작업이기도 했다. 그래야만 나무가 쓰러질 때 다른 나무들에 걸리거나 망가지는 일을 피할 수 있었기 때문이다.

상단 벌목꾼들은 혼자서 외롭게 일했다. 하지만 수석 벌목꾼에게는 보조가 붙었다. 아버지는 10대 때 이 수석 벌목꾼의 보조로 일했다. 철부지 시절, 나는 아버지에게 물었다.

"사람들이 '나무 넘어가요!' 하고 외쳤어요? 나무가 쓰러지기 시작할 때 말이에요."

"응?"

"아시잖아요, 영화에서처럼 안 그래요?"

"아니, 아무도 그런 소리는 못 들었는데."

나무를 무작위로 자르면 어느 방향으로든 쓰러질 수 있다. 따라서 쓰러지는 방향을 세심히 정해놓지 않으면, 완충용으로 깔아놓은 나뭇가지 바닥에 떨어지지 않는 한 다른 나무들을 덮치며 줄기가 완전히 부서질 수 있었다. 또한 수석 벌목꾼은 베어낸 나무를, 큰 나뭇가지는 다

벌목꾼과 비밀의 가방

듬고 줄기는 길이에 맞춰 절단할 수 있는 작업 공간 안에 두어야 했다. 이렇듯 작업 면에서 정밀함을 요하는 수석 벌목꾼은 여전히 숲에서 필요하고 가치 있는 존재였고, 위신도 동료 일꾼들 가운데서 최고였다.

옛날에는 나무를 쓰러뜨릴 때 도끼와 톱을 함께 이용했다. 이 톱들은 길이가 15~20센티미터 정도였고 톱니는 길고, 톱날 전체 폭은 넓었으며, 잘 휘어졌다. 두 사람이 양쪽 끝에서 번갈아 잡아당기는 훨씬 긴 톱도 있었다. 이런 톱들은 목재 회사에서 제공했다. 반면에 일반 벌목꾼과 수석 벌목꾼은 자신만의 도끼를 가지고 다녔다. 이 도끼는 아무도 만져서는 안 됐다. 이들은 양날 도끼를 보통 두 자루, 때로는 세 자루씩 휴대하면서 사용하지 않을 때는 기름 먹인 두꺼운 펠트로 날을 감싼 후 가죽집에 넣었다. 그래야만 녹도 슬지 않고 날에 베이는 일도 없었다. 매일 밤 수석 벌목꾼은 도끼날을 날카롭게 갈아 다음 날 작업을 준비했다.

수석 벌목꾼의 보조 일을 하는 소년들은(당시 아버지는 열다섯 내지 열여섯이었다) 잡다한 모든 일을 도맡았으며 거의 사내종에 가까웠다. 다른 야영지로 이동할 때 수석 벌목꾼은 도끼만 챙기면 됐지만, 보조는 그 밖의 모든 것을 날라야 했다. 아버지도 보조로 일할 때 아주 무겁고 큰 짐 가방을 기차역에서 고물 차나 T형 포드 자동차로 옮겨 실었고, 새로운 야영지에 도착하면 수석 벌목꾼의 개인용 천막에까지 갖다 놓았다고 한다. 수석 벌목꾼은 아버지가 있는 데서는 결코 가방을 열지 않았기에, 아버지는 뭐가 그렇게 무거운지 딱 한 번 가방 안을 들여다본 적이 있다고 했다.

아버지는 다른 사람들이 시키는 일도 떠맡아야 했지만, 언제나 수석 벌목꾼의 일이 우선이었다. 때로 수석 벌목꾼은 줄기의 선명한 나뭇결이 시작되는 지상 4~5미터 위의 나무 윗동을 자르려고, 나무줄기에 구멍을 정교하게 내고 그 구멍에 널빤지를 박아서 만든 계단으로 올라가곤 했다. 일단 그가 나무껍질을 깨끗이 잘라내고 쐐기꼴 구멍을 내면, 아버지가 널빤지를 들고 그 뒤에서 대기했다. 그러면 수석 벌목꾼은 자신이 뚫은 구멍이 마음에 들 경우, 아버지가 부채꼴로 펼쳐서 들고 있는 널빤지 가운데 하나를 골라 도끼날의 평평한 부분으로 구멍에 박아 넣었다. 그다음 그 밑에 훨씬 얇은 널빤지를 박아 한층 튼튼하게 보강해 계단 하나를 완성하면, 그 위로 올라서서 무게를 지탱할 수 있는지 확인해보았다. 그리고 또 다른 홈을 파기 시작했다.

수석 벌목꾼은 이처럼 작지만 정확한 표시를 하며 나무를 올랐고, 아버지는 널빤지를 한 아름 안고 뒤를 따랐다. 수석 벌목꾼은 톱장이가 톱질을 시작해야 하는 곳을 도끼로 분명히 표시해두었다. 톱장이도 그 널빤지 위에서 작업했고, 때때로 지상 6미터 높이에서 톱을 켜기도 했다. 이때 수석 벌목꾼과는 달리 장비 따위를 올려둘 자신만의 작은 대를 만들긴 했지만, 어쨌든 널빤지 계단을 밟고 서 있어야 한다는 점은 똑같았다.

수석 벌목꾼은 톱장이가 정확한 위치에서 작업을 시작할 수 있도록 준비를 마친 후에, 이번에는 나무 반대편으로 가서 밑동을 자를 부분까지 또 다른 계단을 만들었다. 그리고 톱장이들이 그 부분에서 줄기의 절반쯤을 잘라내면 나무가 쓰러졌다.

그 시절, 서부는 혼란스러운 분위기에서 소요가 일기도 했다. 당시 광산과 숲에서 일하는 사람들의 입장에서 보면, 백인 이민자와 원주민의 마지막 전쟁으로부터 고작 한 세대가 흘렀을 뿐이었다. 로키 산맥 광산에서 시작되어 벌목꾼 야영지를 거쳐 서부로 퍼져온 노동계급의 전투성이 유럽에서 이주한 부두노동자, 그리고 뱃사람들의 급진주의와 결합해 마침내 해안까지 도달했다. 도처에 행동을 촉구하는 소책자 및 전단이 널려 있었다.

노동쟁의는 노동자들의 삶에서 일상적인 요소였다. 광산과 제재소 소유주들은 자신들에게 우호적인 정치 세력과 경찰력을 동원해 노동자들과 맞서 싸웠다. 주 민병대와 용병들이 여러 차례의 파업을 총포로 분쇄했다. 경찰은 중책을 맡고 있는 노동계급 지도자를 모조리 잡아 두들겨 패고는 감옥에 처넣었다.

나는 인생의 황혼기에 접어든 아버지에게, 숲속 노동자들이 쟁취한 것들 중 가장 기억에 남는 게 무엇이냐고 물었다. 그러자 아버지는 이렇게 대답했다.

"홑이불과 담요지. 우린 숲에서 일요일마다 깨끗한 홑이불과 담요를 받았단다. 덕분에 떠돌이 노동자처럼 등에 침낭을 메고 돌아다니며 담요를 준비할 필요가 없었어."

　　모든 일거리가 임시직과 다름없어서 사람들은 고용주에게 충성심을 느끼지 않았다. 그래서 떠나고 싶어지면 일하던 회사를 그만두고 다른 회사로 갔다. 때로는 종잡을 수 없을 정도로 이직이 잦기도 했다. 아버지의 눈에는 벌목꾼 야영지들이라는 게 다 고만고만해 보였지만, 아버지의 수석 벌목꾼은 누구보다도 자주 자리를 옮기는 듯했단다. 그는 약 3주에 한 번씩 불쑥 '애야, 내일은 다른 곳으로 옮길 거란다'라고 알렸다. 그러면 아버지는 또다시 커다란 짐 가방을 옮겨야 했다.

　　벌목꾼들의 휴일은 일요일이었지만, 본격적인 휴식은 토요일 밤부터였다. 토요일 밤이 되면 모두 가까운 시내에 나가 소란을 벌였다. 하지만 술에 취하고, 싸움질하고, 매춘부와 놀아나기에는 너무 어렸던 아버지와 또 다른 소년 조수는 예외였다. 어린 조수들은 항상 야영지에 남아야 했다.

　　"물건 잘 지켜라."

　　수석 벌목꾼은 나가기 전에 항상 가방을 가리키며 말했다. 가방은 늘 그렇듯이 놋쇠로 된 큰 맹꽁이자물쇠로 잠겨 있었다. 펠트로 정성스레 싼 가죽집에 넣은 도끼들은 담요에 덮인 채로 간이침대에 놓여 있었다. 금방이라도 뭐라고 한마디 건넬 것 같은 모습이었다. 수석 벌목꾼은 나가기 전에 이렇게 덧붙였다.

　　"내일 아침에 떠날 거야."

　　　　　　　　　　　　　　　　　　벌목꾼과 비밀의 가방

아버지가 텅 빈 야영지에서 간이침대에 누워 뭘 할지 생각하고 있을 때, 다른 보조 소년이 천막으로 들어와 아버지의 머리를 툭 치며 말했다.

"야, 술 파는 사람이 있어. 너도 좀 마실래?"

"오, 좋지! 무슨 술인데?"

그 술은 도시의 양조장이 아닌 산속에서 만든 독주였다. 천막에서 두 소년은 큰 병에 담긴 술을 마시며, 벌목 야영지의 막내로서 설움과 넋두리를 나누었다. 아버지의 새 친구가 섭섭하고 후회스러운 마음을 드러낼 즈음, 둘은 반쯤 취해 있었다.

"더럽게 무거운 저놈의 가방을 내일 또 날라야 하다니, 젠장!"

아버지는 그 가방이 왜 그렇게 무거운지, 이 친구도 그걸 알고 싶을지 곰곰이 생각해보았다.

"정말 모르겠네. 열어봐야겠어."

아버지는 수석 벌목꾼의 침대로 다가가 담요를 젖혔다. 도끼 하나를 집어 들고 두 번 내리쳐서 자물쇠를 깨뜨리고는 가방을 확 열었다. 맨 위에는 깨끗한 여벌의 작업복이 있었다. 그러나 옷들을 제치고 안을 보니, 온통 종이 더미뿐이었다.

한쪽에는 전 세계 노동자들의 연합을 촉구하는 전단들이 가득 쌓여 있었다. 그 옆 전단에는 '단일한 대형 노조'를 선포하는 내용이, 또 다른 전단에는 총파업 등과 같은 직접 행동으로 회사 및 공장을 노동자가 인수하여 직접 경영해야 한다는 '생디칼리슴'을 성공시키는 방법에 대한 약술이 있었다. 아버지는 가방을 열어본 후에 왜 자신의 수석 벌목꾼이 3주마다 야영지를 옮겨 다니는지 깨달았다. 그는 세계산업노동자연맹의 조직책이었다. 억압적인 자본가와 맞서 싸워 노동계급이 승리할 수 있도록 애쓰고 있는 혁명 전사였다.

아버지는 자리에 앉아 자신이 가방 속에서 발견한 것들에 대해 곰곰이 생각해보았다. 하지만 결정을 내리는 데는 몇 초밖에 걸리지 않았다. 수석 벌목꾼이 돌아오면 자신이 아끼는 도끼로 아버지가 가방을 몰래 열어본 사실을 알게 될 터였다. 아니면 농부들로 구성된 자경단이 들이닥쳐 이 혁명 문서를 소지하고 있는 아버지를 발견하게 될지도 몰랐다. 아버지는 어느 쪽이 더 무서운 결과인지 가늠되지 않았다. 금방 술이 확 깼다.

"젠장!"

아버지는 소리치고 나서 얼마 없는 짐을 싸기 시작했다.

"뭐하는 거야?"

다른 보조 소년이 물었다.

"이 엿 같은 곳에서 떠날 거야."

"기다려. 짐 좀 챙길게. 같이 가자."

소년은 천막 밖으로 달려 나갔다.

그 소년이 바로 빌 하이네 아저씨다. 두 사람은 뒤도 돌아보지 않

벌목꾼과 비밀의 가방

고 벌목 야영지를 떠났다. 하지만 분명한 것은 아버지가 수석 벌목꾼 혹은 그 전단에서 중요한 뭔가를 얻었다는 사실이다. 그 후로 아버지는 세계산업노동자연맹의 원칙과 사상을 마음 깊이 간직하며 살았다.

혁명은 다 익어 저절로 떨어지는 사과가 아니다.
떨어뜨려야 하는 것이다.

체 게바라

이들 중 더 단호하고 확고한 일부 경제학자는 실업자들이 현실을 직시하고
어디로든 가서 일자리를 구해야 한다고 주장한다. 하지만 어디로 간단 말인가?
맥도날드 말인가? 경제학자들은 실직하면 맥도날드에 가서 일거리를 구하는가?
건축 노동자에게도 놀리는 것이 아니라 써야 하는 기술이 있다.

06

이상한 나라의 경제학자들

경제학자들은 별나고 흥미로운 사람들이다. 또한 아주 인간적이기도 하다. 그들은 자신들이 알고 있는 바를 좀처럼 바꾸려 하지 않는다. 우리와 마찬가지로, 현 상황을 뒤바꿀 수도 있는 조치에 대해 어떤 입장도 취하려 들지 않는다. 물론 이게 전문가들의 영역에서는 적절한 태도일지도 모른다.

하지만 예를 들어, 연방준비제도이사회가 기준금리를 0.5퍼센트 포인트 낮추면 거의 10만 가구의 주택이 새롭게 착공될 수 있다고 하자. 경제학자는 이를 충분히 예측할 수 있고, 침체된 경기에 활력을 불어넣는 조치인 만큼 박수를 보낼 수도 있을 것이다.

반대로 (예상되는 인플레이션을 막고자) 기준 금리를 0.5퍼센트 포인트 올리면 목수, 배관공, 전기 기사, 그 밖의 다양한 건축업 종사자는 일자리를 잃게 된다. 경제학자도 이를 잘 알고 있고 이런 일이 발생하면 유감스러워하지만, 이렇게 격변하는 사회 현상을 바로잡는 수단을 내놓기는 꺼려한다. 아니, 이들 중 더 단호하고 확고한 일부 경제학자는 실업자들이 현실을 직시하고 어디로든 가서 일자리를 구해야 한다고 주장한다. 하지만 어디로 간단 말인가? 맥도날드 말인가? 경제학자들은 실직하면 맥도날드에 가서 일거리를 구하는가? 건축 노동자에게도 놀리는 것이 아니라 써야 하는 기술이 있다.

이처럼 단호하고 확고한 경제학자를 난처하게 만들고 싶다면 이런 질문을 던져볼 수 있다. 만약 주택을 짓는 일이 집을 원하는 사람들의 수요에 기초해서는 안 된다면, 미국인의 보금자리를 기준 금리 조정에 종속시켜야 한다는 말인가? 주택에 대한 수요는 늘 있다. 이에 따라 목수, 배관공, 가전제품, 그리고 가전제품을 만드는 사람들에 대한 수요도 안정적으로 유지된다.

여기에 주의할 점이 하나 있다. 만일 당신이 경제학자 사회에서 이런 주제를 꺼낸다면 즉시 쫓겨날 것이다. 그들은 손사래를 치고 당신을 피하면서, 그런 결정은 정치적이라고, 즉 경제학자의 관심 밖에 있다고 주장할 것이다. 또한 당신은 마르크스주의자, 더 나쁘게는 공산주의자로 불리며 토론에 끼지도 못할 것이다. 당연히 그 토론들은 활기도 없고 무가치하겠지만 말이다. 물론 당신은 마르크스주의를 거부하고 공산주의를 경멸할 수도 있지만, 이미 딱지가 붙은 이상 당신의 질문은 쉽게 묵살된다.

나는 이렇게 묵살과 일축이 자행되는 기이한 상황들을 늘 목격해왔다. 칼 마르크스를 비롯한 모든 마르크스주의자들은 본래 경제학자였다. 하지만 오래전 일이다. 시간이 흐르면서 마르크스주의의 분야도 갈라졌고, 수년간 많은 마르크스주의자와 공산주의자를 만났지만 진짜 경제학자는 한둘 정도였다. 물론 그들은 정치적이었고 평등, 정의, 민주주의를 견고하게 지지했다. 그들은 대체로, 지배 세력이 자신의 이익을 위해 기준 금리를 조종해왔다고 말했다. 늘 해왔던 이야기이다. 교조적인 마르크스주의자는, 마르크스주의 사회에서는 돈을 필요한 사람에게 빌려준다고 말할 것이다. 물론 공산주의자인 연방준비제도이사회의 수장이 이 일을 담당하고 말이다. 이런 것이 불가능하다고 생각하는가? 실제로 러시아에서는 아주 잘 돌아갔다.

한편 미국에서 가장 높은 임금을 받는 육체노동자들의 직업을 살펴보면, 그 직종에는 강력한 노조가 있다. 분석가들의 주장에 따르면 이는 자명한 사실이며, 이 주장은 상관성을 고려해보아도 옳다. 심지어 미국 노동통계국의 자료도 이를 뒷받침한다. 하지만 이것이 진짜 현실을 반영하는지에 대해서는 논란의 여지가 있다. 그렇다면 노동조건은 어떤가? 아마 이들은 임금과 마찬가지로 좋은 노동조건 역시 강한 노조로부터 나온다고 답할 것이다. 여기에 다른 답변이 있을 수 있을까?

경제학자들의 생각은 좀 불분명하다. 노동통계국은 60여 년 넘게, 줄곧 이런 모든 상관관계를 밝히고자 힘써왔지만 이 노력은 사실상 큰 도움이 되지 못했다. 사실 노동통계국은 노동보다는 통계와 더 관련된 기관이다. 경제학자의 대답은 절반이 틀렸고, 나머지 절반도 대부분 의문스럽다.

좋은 노동조건을 만들고 안전하게 지켜나갈 수 있는 주역은 결국 그 일을 담당하는 노동자다. 또 노조협약에 포함된 노동조건과 관련된 조항들은, 결국 노동자들이 성취해낸 결과가 협약에 반영된 것이라고 주장하고 싶다. 즉 노조협약은 이미 존재했던 조건들을 그저 추인하여 문서화한 것에 불과하며, 그 태반은 협약이 체결되기 전 노동자가 성취했던 결과물보다 훨씬 보잘것없다.

그 예로 휴식 시간을 들 수 있다. 일반적인 노동계약서에서는 오전, 오후 휴식 시간을 각각 10분 내지 15분으로 명시하고 있다. 하지만 이 조건이 계약서에 명시되기 전에도 노동자들은 쉴 때면 늘 서로의 일을 교대해주었고, 쉬고 싶을 때는 언제나 쉬었다. 하루에 두 번 이상, 일부는 15분 이상 쉬기도 했다. 여러분과 동료들이 일터에서 어떻게 일했는지를 떠올리면 이해하기 쉬울 것이다.

하지만 이제는 정확히 15분만 쉴 수 있고, 경영자가 쉬는 시간을 결정한다. 계약서에 적혀 있기 때문이다. 경영자들은 이 계약 조건을 강제하기 위해 노동자를 압박한다. 노동자들이 이전 방식을 유지하려고 버티면 그 노력의 일부는 성공을 거둘 것이므로, 이들의 행동을 계약 위반 행위로 해석하여 그 대가가 치명적일 것이라고 위협하는 것이다. 물론 생산에 차질을 줄 수도 있으니 누군가를 즉시 해고하지는 않을 것이다. 대신 이들이 가장 먼저 취할 수 있는 조치 중 하나는 노조 교섭위원에게 연락하는 것이다.

실제로 나는 고용자의 연락을 받은 교섭위원이 일터에 와서 노동자들에게 고용자의 지시에 따르라고 말하는 것을 본 적이 있다. 그 일을 처음 목격했을 때 나는 여섯 명으로 구성된 조에 있었다. 우리는 귀를 의심하지 않을 수 없었다. 마침내 우리 중 한 명이 말문을 열었다.

"뭐라고요?"

그러자 교섭위원이 대답했다.

"맞습니다. 당연히 회사로서는 그럴 권리가 있습니다. 계약서에 분명하고 쉽게 명시돼 있어요. 휴식은 15분이 전부입니다."

"이런, 말길도 못 알아먹는 개자식! 당신이 대변해야 할 사람이 도대체 누구야? 당신은 지금 우리 근무 조건을 상대한테 넘기려고 애쓰고 있단 말이야!"

우리는 교섭위원에게 주먹질을 하려는 그를 말려야 했다.

"당신들, 내 말 좀 들어봐요."

교섭위원이 말했다. 그는 분명히 화가 나 있었다.

"휴식 시간을 협약서에 넣는 데 얼마나 고생했는지는 압니까? 이제 와서 당신들이 그걸 망쳐놓게 할 수는 없어요!"

그가 자신이 누구를 대표하는 사람인지 망각하고 있다는 게 명백했다. 그는 '구사대'가 돼버렸다. 우리는 다음 노조 선거에서 그를 몰아내기 위한 표를 던지면서, 조롱 조의 농담 하나를 만들었다. 사장 때문에 논쟁이 벌어질 때마다 누군가는 꼭 이렇게 말했다.

"교섭위원한테 연락하지 마. 안 그래도 적은 많다고."

오해를 방지하기 위해 덧붙이자면, 노동자들은 노조 간부와 자주 싸우기는 해도 노조가 사라지기를 바라지는 않는다. 우리는 모두, 노조라는 조직에 일터를 초월하여 노동과 연관된 것들(예컨대 산별 단체교섭)이 존재하는 것은 물론, 상부구조, 관료 체계, 즉 의료보험, 휴가, 연금과 수당 등을 사용자와 공동으로 관리하는 체계가 필요하다는 것을 잘 알고 있나.

하지만 좋은 임금과 노동조건을 얻을 수 있었던 것이 강성한 노조 덕이라는 주장은 좀 더 섬세히 살펴볼 필요가 있다. 강력한 노조는 강하고 전투적인 일반 조합원들의 연합에서 나온 산물이다. 또 작업 현장에서 함께 일하며 형성된 관계 속에서 만들어진다. 모든 노동조합은 일반 조합원들의 힘에 비례하여 효과적으로 기능한다. 노동자가 먼저 있고, 노조가 있다. 노조는 노동자를 기반으로 한다. 하지만 강한 일반 조합원들로 구성되어 있던 강력한 노조들이 근래에 퇴색해버린 사실은 어떻게 설명할 수 있을까? 그 예로는 미국 중서부에서 사양화된 공업 지대를 들 수 있다.

1963년에는 골재를 비롯한 세계 광물자원의 60퍼센트 이상이 미국으로 수입됐다. 미국은 피해 없이 제2차 세계대전에서 빠져나왔고, 전쟁 특수로 산업 능력이 향상된 상황이었다. 적군의 침투나 폭격으로 본토가 파괴되는 일도 없었으므로, 전후의 짧은 휴식을 거친 뒤 곧바로 소비재 생산 체제로 전환할 수 있었다.

비록 이 소비재 대부분은 내수용이었지만, 수출도 상당했다. 1960년대 초, 미국은 수출 이익이 원자재 수입 비용을 훨씬 능가했고, 국제수지는 흑자를 기록하는 상당히 좋은 상황이었다. 세계의 모든 국가는 (아마도 스위스를 제외하고) 미국의 채무국이었다. 동시에 미국은 거대한 시장, 즉 미국을 제외한 나머지 국가들을 모조리 더한 것만큼이나 큰 시장으로 성장했다. 취업도 어렵지 않아서 모든 사람이 일했으며, 그렇게 번 돈으로 소비도 여유로웠다. 이 같은 시장 상황은 미국 대외 정책의 정치적 수단으로 자리 잡아 아주 계획적인 방식으로 활용되었다.

고전적인 마르크스주의 이론에 따르면 자본주의는 역사의 발전에 따라 필연적으로 붕괴한다. 또한 자본가들은 세계 곳곳의 시장을 찾아다니며 서로 싸우고, 서로를 파괴한다. 그러나 대부분의 마르크스주의자들이 여전히 파악하지 못한 사실 하나는, 미국 자본가들이 아예 미국 자체를 시장으로 내놓았다는 점이다. 즉 외국 상품을 확대 생산하기 위

이상한 나라의 경제학자들

해 미국을 거대한 본거지로 제공한 것이다. 가장 적합한 예로는 설탕을 들 수 있다.

설탕은 사탕무와 사탕수수로 만들고, 이 두 원료는 북부의 영구 동토부터 남부 파타고니아에 이르기까지 거의 세계 전역에서 재배가 가능하다. 1964년 미국은 본질적으로 종속국인 스물일곱 개의 국가에 '설탕수입할당제도'를 실시했다. 동시에 미국 본토 및 하와이의 사탕무와 사탕수수 농민은 '농산물가격유지제도'에 따라 1파운드당 10센트를 보조금으로 받았다. 스물일곱 개 나라는 이들과 똑같이 받지는 못했지만 늘 국제 상품 시장의 설탕 가격보다는 꽤 많은 액수를 받았다. 당시 세계 시장에서 설탕 가격은 파운드당 7센트 근처를 맴돌고 있었다.

물론 여기에도 경쟁이 있었고, 균형은 위태로웠다. 주로 작은 나라들이 미국 시장 점유율을 높이기 위해 서로를 희생시키며 분투했다. 그런 나라 중 하나가 쿠바, 다시 말해 카스트로가 등장하기 전의 쿠바였다. 경쟁 국가들이 사라지자 쿠바는 미국 설탕 보조금 0순위라는 유리한 위치를 차지했다. 하지만 그 이유는 쿠바가 미국의 인접국이라거나 미국이 쿠바를 편애해서가 아니었다. 이유는 단순했다. 미국의 이익단체들이 쿠바 설탕 산업의 상당 부분을 소유하고 있었기 때문이다.

당시 쿠바에는 활성화된 산업이 많지 않았다. 알루미늄의 원재료인 보크사이트를 채굴해 미국에 수출하는 기업이 하나 있었고, 육우 산업도 고작 시작 단계였다. 그 후로는 매춘, 나이트클럽, 카지노가 산업으로 자리 잡았을 뿐 국가 경제의 기반을 세우는 산업은 존재하지 않았다.

그러나 카스트로는 동구권으로 발길을 돌렸다. 당시 소련과 동유럽의 위성국가들에게 필요 없는 게 한 가지 있었다면, 바로 넘쳐나는 설탕이었다. 폴란드 동부에서 크림 반도와 코카서스 산맥을 거쳐 남쪽 불가리아까지 사탕무를 재배하고 있었기 때문이다. 그럼에도 카스트로는 지지의 대가로 동구권에 설탕을 공급했고, 그래서 이 지역의 모든 국가들은 쿠바가 비집고 들어올 수 있도록 농업 체계 및 재배 작물을 바꾸어야만 했다.

이로 인해 두 가지 결과가 발생했다. 첫째, 미국 시장에서 쿠바의 설탕 할당량이 사라졌다. 미국은 이 할당량을 종속국들에게 조심스럽게 재분배했다. 이는 미국의 대외 정책을 지지하고 열의를 보여준 국가들에 대한 보답이었다. 둘째, 미국 정부는 재고 조사를 끝낸 다음(미국도 설탕 재고량이 엄청났다) 쌓여 있는 설탕을 국제 시장에서 헐값으로 팔아넘기기 시작했고, 가격을 약 반 년 만에 파운드당 2.5센트까지 낮추었다.

당시 소련은 이미 쿠바산 설탕을 그 가격의 세 배로 구매하기로 계약을 마친 상태였다. 설탕은 자루에 담겨 운반되었다. 러시아는 설탕 자루를 떠맡아 비축해온 처지였고, 감당할 수 있는 분량도 많지 않았다. 소련이 까다로운 상대, 곧 미국의 방식에 대응하며 따끔한 맛을 본 건 이게 처음이 아니었고, 마지막도 아니었다. 하지만 미국에게는 그 대가를 치러야 할 날이 다가오고 있었다.

이상한 나라의 경제학자들

시간이 흐르면서, 외국 상품에 대한 국내 시장 개방이 미국 대외 정책의 불가결한 부분으로 자리 잡았다. 미국 본토에서 생산하던 상품들은 수년간 서서히 수입품에 잠식되었다. 하지만 냉전이라는 세계정세와 종속국들의 충성을 유지하려면 자국을 수출 시장으로 내놓는 수밖에 없었다.

그리고 이로 인해 실직한 대부분의 미국인은 육체노동자였다. 처음 잠시 동안은 일거리가 충분해서 공장이 문을 닫아도 어디서든 새로운 일을 구할 수 있었다. 그러나 결국, 소련은 편안히 앉아 최후의 미소를 지으며, 미국이 자기 본토에서 스스로 생산했으면 좋았을 법한 수많은 물건을 바깥에서 사들이는 것을 지켜보았다.

1980년대 중반, 미국의 한 해 무역수지 적자는 1천억 달러를 넘어섰고 이후로도 계속 증가했다. 미국의 텔레비전과 컴퓨터는 거의 모두, 자동차는 무려 40퍼센트가 외국에서 생산됐다. 육체노동자에게 가장 중요한 문제인 실업은 고질병이 돼버렸다. 심지어 캘리포니아 남북에 걸쳐 있던 면직물 사업 같은 지역 산업들마저도 무너져 내렸다. 이런 종류의 사업들은 의회에 영향력을 강하게 행사했고, 공장을 보호하기 위해 수입 상품에 높은 관세를 부과해오고 있었다. 그럼에도 공장들은 이전됐고, 대부분 뿌리째 뽑혀 나갔으며, 공장의 재봉틀은 즉시 생산 활동을 재개하는 것이 가능한 국경의 남쪽으로 운반됐다.

대부분의 공장 소유주는 이런 변화에 적극 동참했다. 여전히 소유권을 유지하면서도 임금 지급분은 4분의 1로 줄일 수 있었기 때문이다. 이들은 일거리가 줄어들수록 공익을 떠받치는 납세자도 줄고, 따라서 공공복지에 대한 부담이 늘어난다는 것에는 신경 쓰지 않았다.

이 정책의 열렬한 지지자들의 지지 근거는 미국이 힘들고 단조로운 저임금, 비숙련 일들을 내주는 대신 수익이 높고 창조적이며 흥미로운 고숙련 작업들을 유지하거나 늘리고 있다는 것이었다. 하루 8시간 동안 좁은 방에서 홀로 컴퓨터를 다루는 일이 아주 재미있다고 마지못해 인정한다손 쳐도, 이는 많은 미국의 산업들과 육체노동자 계급을 파괴하려는 의심스러운 거래가 아닐 수 없다. 물론 나는 이런 직업에는 종사하지 않을 것이다.

해리 트루먼 대통령 이래로 미국 대외 정책은 본질적으로 늘 똑같았다. 대통령들이 민주당, 공화당에서 나왔지만, 대외 정책은 늘 소련이 지배하는 세계의 공산주의 세력을 견제하고 궁극적으로는 처부수자는 것에 초점이 맞춰져 있었다. 모든 것을 고려해보면 이 정책은 분명히 성공적이었다. 만약 냉전의 승리자가 있다면, 소련이 아닌 것만은 분명하다. 하지만 냉전이 종식된 지금도 이런 무역 정책이 여전히 유지되고 있고, 이제 실직은 육체노동자만의 문제가 아니게 되었다. 컴퓨터, 정보 처리, 부기와 회계, 그리고 이와 유사한 업종들도 해외로 넘어가고 있기 때문이다. 지금 미국은 사무직 노동자들에게 긴장 속의 평화일 뿐이다.

냉전 시기 미국이 같은 편을 분명히 밝히고 지지를 호소하기 위

이상한 나라의 경제학자들

해 사용했던 일반적인 표현은 '우리', 즉 우리 민주주의 세력은 반민주주의, 전체주의 독재 국가들과 사생결단의 싸움 중이라는 말이었다. 민주주의의 정의는 간단명료했다. 바로 언론의 자유와 투표권이었다.

하지만 미국은 언론의 자유를 인정하지 않는 많은 국가까지도 지지하지 않았던가. 또 그런 국가들에서 투표가 이루어졌을지언정, 국민들이 선택할 수 있는 후보자는 집권당의 권력자들로 제한되어 있었다. 이같은 사실에도 불구하고 미국이 추구하는 대외 정책은 분명했다. 그 나라의 민주주의에 결함이 있더라도, 힘 있고 두꺼운 중산층을 기반으로 한 민주주의를 건설하여 좌파 혁명 또는 우파의 반혁명을 막는 것이었다.

억압적인 우익 정권들은 좌파 혁명에 민감하게 반응함으로써 위험을 자초할 수 있다. 그들에게는 좌익 혁명, 심지어 공산주의가 아닌 사회주의적 혁명도 의심스럽기는 마찬가지였다. 이것이 세계 문제에 대한 미국의 정책에 저항하게 될 가능성이 있기 때문이었다. 그래서 미국은 항상 세계의 여러 나라들이 중도 성향에 머물며 아무 문제를 일으키지 않도록 하는 방법을 추구했다.

이렇게 목표가 분명하니, 해법도 단순했다. 바로 중산층을 구성하는 것이었다. 민주주의(표현의 자유, 언론의 자유, 자유 투표 등)에 대한 모든 성향은 중산층에 내재하고 있다. 막 시작된 민주주의는 중산층과 함께한다. 여러 형태의 권위주의적 정부를 바꾸는 유일한 방법은 중산층을 키우는 것이고, 일정한 규모까지 늘어나면 민주주의는 햇살처럼 나타날 터였다. 미국 시장은 이런 역사적 변화를 도모하는 데 쓰인 도구였고, 미국의 육체노동자들은 오늘날까지 그 대가를 치러왔다. 이 목적을 달성하기 위해 미국 육체노동자들의 일을 희생시켜온 것이라면, 이제는 그에 대한 대가를 보상해줘야 한다. 그러나 이제는 중산층들의 일거리마저도 적지 않게 해외로 이전되면서, 그들까지도 이 노력에 힘을 보태야 할 순간이 오고 있다.

이런 면에서 칼 마르크스 사상의 또 다른 부분도 오류일 수 있다. 어떤 면에서 계급투쟁은 필연적이지 않을지도 모른다. 미국의 육체노동자와 사무직 노동자는 같은 목표, 즉 일자리를 지키는 사안에서 함께 연대할 수 있다. 만일 두 계층이 연합한다고 해도 그들 앞에 놓인 과제는 만만하지 않을 것이다. 미국의 정책은 경제 정책과 대외 정책이 결합된 양상을 띠는데, 바로 이것을 바꿔야 하기 때문이다.

사람들은 마르크스에게서 많은 역설을 발견한다. 풍자, 분노, 분개도 발견한다. 마르크스는 현실을 분석해 진단하는 사상가로서는 너무 열정적인 사람이었다. 그의 주요 전망은 자본주의 세력들이 세계 시장을 두고 필사적인 싸움을 벌이다가 자멸할 것이라는 예견이었다. 사람들은 궁금해한다. 만약 마르크스가 오늘날에도 살아 있다면 어떻게 얘기할까? 자본주의가 마르크스의 주장을 뒤집어버렸다는 사실은 얼마나 역설적인가. 자본주의는 세계 시장을 두고 싸움을 일으키는 대신, 미국을 세계에서 가장 큰 시장으로 만들어버렸다.

그렇다면 무역수지 적자는 어떤가? 2002년 자료에 따르면 미국은 1천억 달러 이상의 물품을 수입했고, 이는 수출액보다 크다. 일본 같은 나라들이 미국에 상품을 팔면서 죽은 미국 대통령들이 그려진 녹색 지폐를 싹쓸이하고 있다. 그리고 그 나라들은 과연 이 모든 것들에 어떤 반응을 보이고 있는가? 사실 이들에게는 지금의 방식 외에 선택 사항이 많지 않다. 만일 이 상황을 고수하려 하지 않는다면 끊임없이 생산되는 상품을 이디 가서 팔겠는가?

자본은 인간의 노동과 삶을 소외시키는 정수이며,
인간이 자본을 숭배하면 할수록 그것이 인간을 지배한다.

칼 마르크스

모든 노동자들은 일을 빠르게, 쉽게, 효율적으로 하는 기술을 가지고 있다.
그리고 누군가 더 나은 방식을 고안하고, 그 창안자들은 기억에서 영원히 잊힌다.
과연 누가 지게차를 만들었을까? 나는 모르지만, 다들 수년간 지게차를 몰지 않았는가.

07

모든 일에는 전문 기술이 있다

면화 곤포는 개당 무게가 220킬로그램 정도이다. 기름이 담긴 50갤런짜리 철제 드럼통은 무게가 200~220킬로그램 정도이니 면화 곤포 무게와 비슷한 셈이다. 지금은 이런 종류의 화물을 다른 상품들과 마찬가지로 컨테이너에 담아 배에 실으므로 부두노동자의 손을 거치지 않고 해외로 나간다. 하지만 세계 곳곳에는 아직도 사람이 직접 운반하는 곤포와 드럼통이 적지 않다.

이런 화물을 다룰 때는 보통 둘이 함께 작업한다. 개인적 취향이 겠지만 나는 면화보다는 드럼통 나르는 일이 수월했다. 하지만 나처럼 생각하는 사람은 소수다. 면화와 드럼통 운반은 다들 꺼리는 일이지만,

둘 중 하나를 택해야 한다면 대부분 면화를 고른다.

물론 이런 물건들을 손으로 들어 올리지는 않는다. 보통은, 먼저 권양기 기사가 쇠밧줄을 이용해 한 번에 곤포 셋을 배의 창구에 가져다 놓는다. 다음에는 부두노동자가 곤포 양 끝에 서서 갈고리를 꽂아 하나씩 갑판 아래로 옮겨 화물창 맨 구석에서부터 쌓는다. 우리는 이 작업을 '바닥 깔기'라고 부른다. 그런 다음 곤포들을 서로 밀착시켜 평평하게, 햇빛이 비추는 창구까지 겹쌓아 올린다. 권양기 기사가 곤포를 내려놓을 때는 두 사람이면 충분해서, 나머지 조원들은 앉아서 쉴 수 있다. 화물창 한 곳이 가득 차면 다들 갈고리를 들고 다른 화물창으로 내려가 다시 바닥 깔기를 하고 창구까지 곤포를 쌓아 올린다.

드럼통 운반도 면화 곤포 작업과 비슷하다. 옆으로 쓰러뜨리고 굴려서 적재 장소까지 옮긴다. 하지만 드럼통은 굴린 다음 다시 세워야 한다. 이것이 면화와 드럼통 직업의 주요 차이다. 드럼통은 눕혀서 쌓을 수 없지만, 면화는 평평하게 쌓을 수 있다. 면화는 쌓아놓고 다시 가지러 가면 그만이지만, 드럼통은 반드시 세워야 하니 두 번 일하는 셈이다. 사람들은 보통 이렇게 하소연한다.

"드럼통은 싫어. 손이 너무 많이 가."

그러나 나와 몇몇 동료들은 오히려 드럼통 작업을 더 선호한다. 그 첫 번째 이유는, 드럼통의 무게는 220킬로그램이라 다루긴 어려워도 작업 방식이 다양하다는 데 있다. 일단 드럼통은 쉽게 눕힐 수 있다. 즉 가까운 드럼통을 손으로 밀면서, 누이려는 드럼통은 반대 팔로 자신 쪽으로 당긴다. 물론 쉽지는 않지만 건장한 남성이라면 할 수 있다. 드럼통을 요령 있게 옮기려면, 살살 몰고 가면 된다. 통 안의 액체는 출렁거리게 마련인데, 이게 내 쪽으로 출렁댈 때 통을 끌어당기면 더 수월하게 운반할 수 있다.

다른 방법들도 있다. 드럼통을 기울여 둥근 바닥 끝을 땅에 대면 굴릴 수 있고, 옮기려는 방향으로 내던지듯 밀 수도 있으며, 발로 툭 찰 수도 있다. 면화 곤포를 발로 한번 차보면, 둥근 드럼통이 정말 잘 굴러간다는 사실을 알 것이다.

물론 드럼통을 다시 세우는 일은 쉽지 않아서 둘이서 해야 한다. 여기에는 온 힘을 기울여야 하지만 그만한 가치가 있다. 적어도 면화처럼 끌고 옮기는 작업은 하지 않아도 되기 때문이다. 배에 싣는 모든 화물은 꽉 채워 단단히 죄어야 하는데, 면화 곤포의 경우 주임이 화물창으로 내려와 그 위를 걸어보았을 때 곤포가 움직이면 안 된다. 그는 곤포 위를 왔다 갔다 하면서 몸무게로 짐들을 움직여본 다음 이렇게 외치곤 했다.

"이봐, 자네들! 꽉 조이지 않았잖아. 모두 엉덩이 떼고 일어나 여기 느슨한 부분 좀 조여."

이렇게 되면 교대로 일했다고 해도(네 명은 전력을 다해 갈고리를 휘두르고 나머지는 쉬는 방식) 모두가 다시 일어나 느슨한 부분을 조여야 했다. 그런데 문제는, 헐거운 곤포가 단 하나뿐이어도 화물창 전체의 곤

모든 일에는 전문 기술이 있다

포를 재배치해야 한다는 점이다. 한쪽 간격을 줄이면 그 뒤에 틈이 생기고, 그 틈을 채우면 또 다른 틈새가 생기는 식이기 때문이다. 반면 드럼통은 서로 알맞게 꽉 맞물려 들어맞는다. 주임들도 드럼통의 경우는 올라가서 흔들어보려고 하지 않는다.

또 다른 장점도 있다. 보통은 드럼통을 자신 쪽으로 기울여 바닥 부분 끝에 무게를 실어 균형을 유지하며 잡고 있는데, 요령 있는 사람이라면 드럼통 모서리 부분을 쉽게 굴려 2~3미터를 옮긴다. 이는 나르는 방식이 아주 다양하다는 의미이다. 다른 이들은 일을 끝마치려면 한참 남았는데, 누군가는 마지막 드럼통을 굴려 제자리에 딱 내려놓을 수도 있다는 뜻이다. 굳이 쓰러뜨리고, 굴리고, 다시 세우지 않고서도 말이다. 그러니 드럼통 작업이 면화보다 나을 게 없다는 말은 말라!

여태까지 내가 알고 있는, 드럼통을 가장 잘 다루는 사람들은 어느 트럭 운전사 둘이있다. 그들은 트럭에 드럼통을 싣고 와서 부두에 내리는 일을 했다. 한 사람이 트럭에서(정확히는 트레일러) 드럼통을 옆으로 쓰러뜨리고 경사로를 이용해 굴리면, 그의 짝이 그걸 받았다. 그는 15미터 거리를 두고도 드럼통 받는 일을 능숙하게 처리했다. 통이 굴러 오면 받아 세우는데, 대략 열두 개의 통을 빈틈없이 줄지어 세웠다. 그는 그 일을 모두 혼자 해내긴 했지만 도구를 사용했다. '배척'이라고 불리는 것으로, 이 연장은 길이 1.5미터, 단면 2×4인치에, 한쪽 끝은 납작하게 잘라낸 쐐기 모양이었다. 드럼통이 경사로를 빠른 속도로 내려와 정면으로 굴러오면, 그는 배척의 뭉툭한 쪽을 허리 높이에서 양손으로 잡고 쐐기 쪽을 드럼통이 굴러오는 지점에 대고 기다렸다. 그러다가 통이 굴러오면, 상단 테두리 바로 아래 부분이 배척을 타고 올라왔다. 그는 통이 무릎 정도에 이를 때까지 다시금 기다렸다가, 그때 배척을 잽싸게 들어올렸다. 그러면 드럼통이 세워지면서 미끄러지듯 드럼통을 줄지어놓은 곳으로 들어가 바로 앞 드럼통 옆에 멈춰 섰다. 그런 뒤 그가 다시 몸을 돌리면 벌써 다음 드럼통이 굴러오고 있었다. 나도 드럼통을 아주 잘 다루는 편이었지만, 그 정도까지는 아니었다.

고된 육체노동에 종사하는 사람들은 늘 '저 사람은 얼마나 잘하나' 궁금해 같은 일을 하는 사람들을 유심히 관찰한다. 하지만 다들 자기가 더 잘한다고 생각한다. 하지만 그 트럭 운전사들을 본다면 그러지 못하리라.

나는 대체 누가 저런 작업 방식을 고안해내고, 그게 가능하다는 걸 어떻게 확신했는지 알 길이 없었다. 단면 2×4인치의 배척 한 쪽을 쐐기처럼 깎고, 기름이 가득 찬 200킬로그램 드럼통이 자신을 향해 굴러오는 걸 기다리고, 쐐기 쪽 부분으로 드럼통을 휙 세워 옆 드럼통과 나란히 두는 방식을 말이다. 이걸 처음 해낸 사람은 정말 특출한 사람이며, 분명히 자신과 배척을 굳게 믿었을 것이다. 내가 한 번 서 있어볼 테니, 내 쪽으로 200킬로그램의 철제 드럼통을 굴려보게나!

드럼통들이 부두에 선 트럭 운전수를 향해 빠르게 굴러오는 걸

봤는데, 나라면 마지막 순간 배척을 떨어뜨리고 도망칠 것 같았다. 기겁하며 서까래로 뛰어오르거나 벽에 기어오르겠지. 하지만 어딘가에서 누군가는 그렇게 할 수 있다고 마음먹었고, 해냈다. 그는 아주 오랫동안 유지되었던, 트럭에서 드럼통을 내리는 일의 방식을 바꿔놓았다. 적어도 드럼통이 화물 운반대에 놓여 지게차로 운반될 때까지의 방식 말이다.

　모든 노동자들은 일을 빠르게, 쉽게, 효율적으로 하는 기술을 가지고 있다. 그리고 누군가 더 나은 방식을 고안하고, 그 창안자들은 기억에서 영원히 잊힌다. 과연 누가 지게차를 만들었을까? 나는 모르지만, 다들 수년간 지게차를 몰지 않았는가. 아마도 어떤 위원회에서 만들었을 텐데 그들도 잊힐까? 내 생각에는 이미 그런 듯하다.

나는 여태껏 하찮은 우연으로 가치 있는 일을 해낸 적이 없다.
나의 여러 가지 발명은 그 어느 것 하나 우연히 이루어지지 않았다.
그것은 모두 일을 함으로써 성취된 것이다.

토머스 에디슨

공황Depression이라는 이름은 그야말로 우울한depressing 현실을
잘 반영하고 있다. 다른 많은 일들 가운데서도 대공황은 가장 우울했고,
특히 겨울에는 더 그랬다. … 모두가 똑같은 곤경에 처하면 다들 평등해진다.
물론 그런 평등이 아주 즐거운 일은 아닐지라도, 선망에서 오는 사회적 부담은 사라진다.
다들 그렇고 그런 상황에서 부러워할 게 뭐가 있겠는가?
소고기와 옥수수 가루 통조림을 가진 사람들끼리 서로 무엇을 부러워할 수 있겠는가?

08

대공황과 함께 보낸 겨울

나는 1930년대의 대공황을 기억하는 세대다. 공황(Depression)이라는 이름은 그야말로 우울한(depressing) 현실을 잘 반영하고 있다. 다른 많은 일들 가운데서도 대공황은 가장 우울했고, 특히 겨울에는 더 그랬다.

　　캘리포니아는 추웠다. 내 기억에 샌와킨밸리는 매섭게 춥고 안개 낀 날이 많았고 0도를 크게 넘어서는 경우가 절대 없었다. 해는 일주일에 한 번도 나오지 않았다. 특히 크리스마스와 새해에 걸쳐 3주 동안을 기찻길 옆 작은 마을, 벽이 얇은 작은 집에서 보냈던 기억이 새록새록 생각난다. 당시 우리 가족은 겨울 꽃양배추 생산 정책이 시행되기를 기다리고 있었지만, 막상 정책이 시작되지 않아 일거리가 없었다. 매일 밤 남북으로 오가는 화물 열차들에는 일을 찾아 정처 없이 떠도는 품팔이들로 가득했다. 어머니는 밤에는 옷을 빨랫줄에 널 엄두를 내지 못했는데, 아침이면 빨래가 없어지곤 했기 때문이다.

이야기가 너무 지겨워지기 전에, 배고팠던 기억부터 말해야겠다. 이 무렵의 모든 공은 어머니한테 돌아가야 한다. 어머니는 모든 것을 한데 모아두었고, 무엇보다 가족을 지키기 위해 고군분투했다. 아버지는 늘 밖으로 돌며 가끔 과실 포장 작업장을 운영했고, 보통은 그 작업장에서 일꾼으로 일했다. 우리가 있는 곳에 토마토 작업이 생기면 돌아와 몇 주간 일하다가 다시 떠났다. 때로 애리조나나 텍사스로 가서 겨울 양상추 수확 작업을 했고, 2월에는 칸탈루프를 재배하는 먼 남쪽의 멕시코까지 내려가기도 했다.

한번은 아버지가 어딘가로 떠나더니 돌아오지 않았다. 하지만 우리는 아버지가 어디 있었고, 지금은 어디 있는지를 어렴풋이나마 알고 있었다. 대개 과실 품꾼들은 서로의 소식을 알고 있었고, 아버지를 마지막으로 어디서 봤다는 사람들의 말은 믿을 만했다. 드문 일이기는 했지만, 아버지가 오후에 갑자기 나타나는 경우도 있었다. 그럴 때면 아버지는 우리 세 남매를 데리고 자동차 식당에 들러 치즈버거와 맥아 우유를 사주고 어두워지기 전에 집에 데려다주었다.

한번은 형과 아버지와 함께 애리조나 주 피닉스에서 3주를 보낸 적도 있었다. 불볕더위가 기승을 부리는 7월이었는데, 아버지는 매일 밤 늦도록 멜론 일을 하느라 홀쭉해지고 야윈 모습이었다. 우리는 복숭아 포장 작업을 하던 어머니와 누이를 찾아 캘리포니아로 돌아갔는데, 그 길에서 아버지가 충동적으로 그랜드캐니언을 거쳐 우회해 가는 길로 향하기 시작했다. 형과 나는 광대하고 깊숙한 그랜드캐니언에 깊은 인상을 받긴 했지만, 우리의 진짜 관심을 사로잡은 것은 먼 거리를 활공하며 소나무 사이를 오가는 날다람쥐들이었다. 그럼에도 일곱 살부터 성인이 될 때까지, 아버지는 내 삶에서 큰 부분이 아니었다.

그 혹독한 겨울, 어머니는 우리 세 남매와 함께 샌프란시스코로 향했고 생활보호제도 안으로 들어갔다. 당시 루스벨트 대통령의 뉴딜 정책 덕에 지원이 필요한 모든 사람은 최소한의 생계를 꾸릴 구호금을 제공받을 수 있었고, 우리도 그중에 하나였다. 작은 마을에서만 살았던 나에게 샌프란시스코는 신세계와 다름없었다.

우리 세 남매는 어느 작은 마을에서 학교를 다녔다. 이런 경우는 보통 학기가 진행되는 중이었고, 작년에 다녔던 학교라도 아는 아이가 한 명도 없는 경우도 있었다. 친구를 사귈 만큼 오래 다니지 않았기 때문이다.

선생님들은 반 아이들에게 나를 소개해줄 때도 있었고, 아닐 때도 있었다. 나는 주로 뒤쪽 책상에 앉았는데 모두가 몸을 돌려 나를 바라볼 때는 어쩔 줄 몰라 했다. 반 아이들은 쌀쌀맞지는 않았지만, 태어날 때부터 혹은 학기가 시작하는 작년 9월부터 자기들끼리 공유해온 세계가 있었다. 나는 그저 그 세계의 일원이 아니었을 뿐이었다.

점심시간이면 운동장에서 혼자 밥을 먹었다. 쉬는 시간에는 혼자 놀거나, 아이들이 링이나 미끄럼틀을 먼저 타려고 요란스럽게 서로 밀쳐대는 모습을 멀뚱히 서서 지켜보았다. 아이들은 내가 미끄럼틀을 타려고 줄을 서면 내 앞뒤에서는 서로 밀쳐대도 내 차례만큼은 정중하게 지켜주었다.

그 시절 캘리포니아의 작은 마을들에는 정책적으로 공공연한 차별이 존재했다. 흑인 아이들과 멕시코 아이들은 기찻길 반대편의 낡은 건물에서 따로 수업을 받았다. 한번은 우리 세 남매도 그곳에서 공부를 했는데, 어느 날 어머니가 일을 하루 쉬고 학교에 찾아와 마구 화를 내더니 우리를 마을 건너편, 백인 아이들이 많은 학교로 다시 보냈다. 그러나 마을이 너무 작아 학교가 넘쳤으므로 결국 모두가 함께 공부하게 되었다.

학교에 흑인 아이들은 고작 몇 명이 전부였는데 서로 잘 뭉쳤고, 본인이 원하는 반에 들어갔으며, 모든 활동에서도 제 역할을 온전히 해냈다. 아마도 소수여서 그랬던 듯하다. 반면 멕시코 아이들은 종종 다른 언어를 쓰기까지 하는 진짜 외국인이었다. 물론 나도 뒤쪽에 자리를 잡게 되었지만, 이 아이들은 출입구가 있는 교실 뒤쪽에서 벗어날 생각이 조금도 없는 것 같았다. 멕시코 아이들은 자신들의 일원이 아닌 내게도 친절했고 우호적이었다. 덕분에 그 아이들에게 스페인어도 좀 배웠는데, 이를테면 '내 엉덩이에 키스해'라는 뜻인 '베사 미 꿀로' 같은 말들이었다.

여름은 풍요로웠다. 모든 사람이 일거리를 얻었다. 떠돌이 과실 품꾼의 생계 꾸리기는 녹록지 않았지만, 우리 가족도 여름만큼은 일거리가 풍부했다. 물론 잘 익은 각종 과일들도 먹을 수 있었다. 때로 우리는 야외에서 텐트 생활을 하기도 했다. 3년 동안 7월이 되면 그달 내내 강가에 천막을 치고 자기도 했다.

그동안 어머니는 읍내에서 복숭아를 포장하는 일을 했다. 우리 남매는 매일 수영을 하고 캘리포니아에 가장 먼저 온 오키들로 구성된 다른 천막 생활자들과도 친해졌다. 대공황 때 일거리를 찾아 이동하는 농업 노동자인 오키들은 다음 해 겨울에 한 번 더 샌프란시스코에 찾아왔다.

조지 오웰은 『파리와 런던 밑바닥 생활』에서 노숙자로 살아가는 삶을 그야말로 고단하고 진 빠지는 경험, 목숨을 부지하기 위해서라도 분투해야 하는 삶으로 묘사하고 있다. 나라면 같은 시기의 샌프란시스코를 그렇게 담담한 문체로 표현하기 망설여질 것 같다. 실업으로 인한 가난은 샌프란시스코, 아니 미국 전역에 풍토병처럼 퍼져 있었다. 때때로 어머니는 정부에서 배급한 소고기와 옥수수 가루 통조림으로 다양한 식단을 짜기 위해 애를 썼다. 틀림없이 어머니는 여름이 돌아오기를 눈 빠지게 기다렸을 것이다.

하지만 모두가 똑같은 곤경에 처하면 다들 평등해진다. 물론 그런 평등이 아주 즐거운 일은 아닐지라도, 선망에서 오는 사회적 부담은 사라진다. 다들 그렇고 그런 상황에서 부러워할 게 뭐가 있겠는가? 소고기와 옥수수 가루 통조림을 가진 사람들끼리 서로 무엇을 부러워할 수 있겠는가?

어떤 이들은 실직으로 생활보호 대상이 된 것을 부끄럽게 여겼고, 현실을 받아들이는 데 훨씬 큰 어려움을 겪었다. 샌프란시스코 시장 거리의 남쪽 어느 골목에서, 35리터짜리 바구니를 들고 정부가 배급하는 음식을 기다리는 줄에는 우리 가족도 있었다. 모두들 바람 탓에 몸을 움츠리고 있었는데, 그중에 한 가족이 또렷이 기억난다.

그들은 아버지와 어머니, 그리고 내 또래의 남매, 이렇게 네 식구로, 들고 있는 나무 바구니는 새로 짠 듯했고 파란 테두리와 붉은 손잡이가 눈에 띄었다. 그들은 배급품(사과, 오렌지, 싸구려 사탕, 돼지고기 통조림, 콩 통조림)을 바구니에 받자마자 넷으로 나누더니 잽싸게 각자의 코트와 재킷에 넣었다. 그런 뒤 부인은 텅 빈 바구니를 골목 아스팔트 바닥에 내동댕이치고 발로 거칠게 밟았다. 이내 나머지 가족들도 거기에 가담했다. 남편은 바구니를 해진 작업용 부츠로 내리치고, 나머지 식구들도 정신없이 부숴댔다. 마지막으로 소년이 뛰어올라 두 발로 찍어 내리자 그 증오스러운 바구니는 더러운 발자국이 찍힌 나뭇조각 더미로 변해버렸다. 소년 외의 나머지 가족들은 가난과 수치를 상징하는 그 조각들을 뒤로하고 이미 골목길을 내달리고 있었고, 소년도 서둘러 뒤따라갔다.

다른 작은 마을들과는 달리 샌프란시스코에서는 우리도 불청객이라는 느낌이 들지 않았다. 학교에 등록할 때 학교가 아주 큰 덕에 선생님도 나를 그저 반을 옮긴 아이처럼 받아주었다. 점심시간에는 모두 운동장 벤치에 앉아 소금에 절인 쇠고기 샌드위치 부스러기를 갈매기에게 던져주었다. 갈매기는 아스팔트 위, 우리의 손이 닿지 않는 위치에서 주위를 활보하며 부스러기를 기다렸다가 걸신들린 듯 먹고 나서는 내륙 쪽 다른 운동장을 향해 날아올랐다.

점심시간이 끝난 것을 알리는 종이 울리기 직전, 갈매기는 저공비행을 하며 바다 쪽으로 돌아가고 우리는 하늘에서 후드득 떨어지는 하얀 갈매기의 커다란 똥 덩어리를 피해 내달렸다. 갈매기는 우리의 점심을 그렇게 되돌려주었다.

수업 둘째 날이었다. 수업이 끝나자 한 무리의 아이들이 나를 커다란 빵 공장에 데려갔다. 우리는 함께 파이 통을 깨끗이 청소했고, 그 대가로 자동 제빵 공정에서 나온 파이 부스러기를 먹을 수 있었다. 그 빵 공장은 도시 곳곳에 있는 길모퉁이의 수많은 가게에 빵을 공급하고 있었다.

그렇게 파이를 실컷 먹고 난 뒤에는, 다들 동네 공원으로 몰려가 다른 아이들과 미식축구를 했다. 덩치 큰 아이 둘이 열다섯이라는 나이를 계급장 삼아 팀원을 골랐다. 두 사람 중에 한 명은 축구공이 있었고, 나머지 한 명은 헬멧이 있었다. 그들 외에는 그것을 가진 사람이 아무도 없었다. 물론 두 사람은 쿼터백을 차지했다.

헬멧을 가진 소년이 거의 마지막 순서로 나를 뽑았는데, 물론 백 필드는 아니었지만 헬멧 소년이 패스한 공을 받아 골라인을 통과하기도 했다. 하지만 아슬아슬하게 골라인을 지날 때 공을 놓치는 바람에 터치 다운이냐 아니냐 하는 논란이 벌어졌다. 양 팀 모두 화를 내고 서로를 거칠게 밀치긴 했지만 싸움으로까지 번지지는 않았다. 무슨 이유인지 우리 편이 그 논쟁에서 승리를 거두어 내 공은 터치다운으로 인정됐다. 하지만 경기가 다시 시작되자, 나는 공격 방향으로 절반도 못 가 세 번이나 주저앉았다. 상대 팀 아이들이 거칠게 밀치고, 들이받고, 쓰러뜨렸기 때문이다. 이는 모두 내가 어떤 녀석인지 눈치챘다는 의미였다. 그 결과, 이전 경기에서는 끝에서 두 번째로 뽑혔던 내가 다음 경기에서는 앞에서 세 번째로 뽑힌 데다 특별히 우측 끝에 배치됐다.

샌프란시스코에서 두 번째 겨울을 보낸 이후 늦은 봄, 우리는 다시 과실 품꾼 생활로 돌아갔다. 다음 가을이 되면 샌프란시스코로 돌아가고 싶었지만, 어머니가 겨울 일거리로 캘리포니아 남부의 오렌지 포장 작업을 구해놓은 상태였다. 그렇게 나는 샌프란시스코를 다시 찾기 전에 어른이 되었다.

하지만 나는 결코 그곳을 잊지 못한다. 대공황이 한창일 때였는데도 샌프란시스코에는 자신감 넘치는 느낌이 살아 있었다. 그 전년 여름에는 총파업도 벌어졌다. 해안 도처에서 경찰과 주 방위군이 때리고, 총을 쏘고, 최루 가스를 퍼부어댔다. 하지만 부두노동자, 선원, 트럭 운전

수, 다른 노동자들 모두가 이런 공격을 이겨냈다. 이들은 살아남았고, 승리를 거두었다. 그리고 24년이 흐른 뒤, 나는 바로 그 해안, 그 부둣가에서 일하게 되었다.

여성이 처음 부두 일을 시작했을 때만 해도, 그들이 기존의 작업 관행에
변화를 가져와서 새로운 방식으로 일하게 될지도 모른다고 생각했다.
그래서 내 동료에게 그렇게 주장하기도 했다. 하지만 그 예상은 틀렸다.
성별로 인한 변화는 없었다. 여자들이 부두에서 일하게 된 상황은
사실 자동화와 컨테이너 도입에 따른 충격에 비할 바가 못 됐다.

09

부둣가로 나온 여인들

어머니와 아버지 두 분이 헤어지고 2년 뒤쯤, 어머니는 새로운 반려자를 얻었다. 과실 품꾼 일을 했던 어니 아저씨였다. 어머니와 그의 관계는 3년 동안 유지되다가, 결국 어머니가 아저씨를 내쫓아버렸다. 내가 알기로 어머니는 그 이후에는 남자를 만나지 않았다.

　　내 기억에 아저씨는 술꾼이었지만, 난 아저씨를 술꾼이라고 부르지는 않았다. 그저 아저씨는 하루를 살아가는 데 늘 술이 필요했을 뿐이다. 우리 세 남매는 그를 그다지 좋아하지는 않았지만, 그렇다고 아저씨가 다 나쁜 것도 아니었다. 아저씨에게 의붓아버지 역할은 뭔가 낯설고 성가신 일이었던 게 틀림없다. 그렇지만 우리에게 손찌검하는 일은 결코 없었으며(만약 그랬다면 어머니가 아저씨를 때려눕혔을 것이다) 가끔은 우리를 이곳저곳에 데려가주기도 했다.

아저씨에 대한 가장 좋은 기억은 우리를 샌디에이고 동물원에 데리고 갔던 일이다. 우리는 임페리얼밸리에서 출발해 오전 느지막이 동물원에 도착했다. 평일이었고 한산했다. 우리는 특히 코끼리가 보고 싶어서 잽싸게 코끼리 우리로 향했다.

우리 남매는 가방에 땅콩을 담아 왔었고, 아저씨는 이따금 벌컥벌컥 마시곤 했던 버번위스키를 500밀리리터 병에 준비했다. 관람객들은 깊은 도랑못 밖에서 코끼리 네 마리를 지켜봐야 했지만, 쇠상 울타리도 없고 코끼리도 아주 커서 코앞에서 보는 것과 다름없었다. 코끼리들이 긴 코를 내밀어 우리를 만질 수 있을 정도였다.

우리는 번갈아 코끼리에게 땅콩을 던져주었다. 코끼리들은 테너 가수처럼 울부짖으며 용케도 땅콩을 휙 집어서 입에 넣었다. 그런데 내가 던진 땅콩 하나가 도랑못 경사면 중간쯤에 떨어졌다. 지켜보던 사람들 모두가 그 땅콩은 못 먹으리라 생각했는데, 코끼리 하나가 도랑못 가장자리에 앞발을 올려놓고 코를 아래로 뻗어 땅콩을 낚아채는 것 아닌가.

이를 본 우리 세 남매는 코끼리가 얼마나 도랑못 깊숙이 코를 내밀어 땅콩을 주울 수 있을지 궁금해져서는 경쟁적으로 땅콩을 던지기 시작했다. 코끼리는 매우 똑똑하고 영리한 동물이다. 이번에는 뒷발로 균형을 잡고 앞발을 도랑못 안으로 30센티미터쯤 내밀어 경사면 절반까지 코를 뻗었다. 하지만 그때 우리 손에 있던 땅콩이 바닥나버리는 바람에, 우리는 결국 코끼리가 어디까지 코를 뻗을 수 있는지 완전히 확인하지 못했다. 코끼리들은 한 줄로 늘어서서 우리를 향해 코를 흔들면서 땅콩을 더 달라고 울어댔다. 우리는 어찌할 바를 모르고 서 있었다. 손을 휘두르는 식으로 코끼리를 속이기는 싫었다.

"땅콩 더 줄까?"

그때 어니 아저씨가 슬며시 술통을 뒷주머니에 넣으며 소리쳤다. 그리고는 허리를 숙여 딱 코끼리만큼의 속도로 작은 돌을 주워 던졌다. 그 돌은 가장 큰 코끼리의 이마 정중앙에 맞았다. 깜짝 놀란 코끼리는 거칠게 울부짖었다. 코끼리는 자기가 땅콩에 맞은 게 아니란 걸 알고는 주변을 두리번거리지도 않았다. 그리고 더 크게 포효하고 흥분한 듯 거칠게 코를 흔들었다.

아저씨는 연이어 작은 돌과 자갈을 한 줌 정도 모아 코끼리 떼를 향해 내던졌다. 이내 코끼리의 포효가 귀청 터질 듯 커지고 거칠어졌다. 도랑못 하나를 사이에 두고 몇 미터 거리에서 코끼리가 난동을 부리며 우리를 위협하고 있었다. 순간, 코끼리들 모두가 철 우리의 중앙으로 물러나더니 함께 모여 서로 마주 보았다. 금방이라도 이쪽으로 뛰어들 것만 같았다. 겁을 먹은 우리는 몸을 웅크린 채 도망가면서, 뛰어오를 나무나 숨을 곳을 찾았다. 하지만 공을 옆으로 잘 던지던 어니 아저씨는 계속 코끼리에게 자갈돌을 던지고 있었다. 그러자 코끼리들이 조용해지더니

원을 지어 모이기 시작했다. 어머니는 코끼리가 왜 그렇게 행동했는지를 제대로 알아맞혔다. 그리고 뒤에서 웃음을 터뜨리며 이렇게 말했다.

"늙은 곡예단 코끼리야. 서커스하다 온 코끼리라고."

어머니의 말이 맞았다. 코끼리들은 앞 코끼리의 꼬리를 코로 쥐고 원을 그리며 천천히 걷고 있었다. 때때로 한 놈이 코를 들어 올리고 거칠게 울기도 했다. 졸지에 코끼리 조련사가 된 어니 아저씨는 코끼리들이 계속하게끔 정확히 겨냥해 돌을 던졌다. 그러다가 사육사와 동물원 직원들이 소동을 확인하려고 나타나자 우리는 도망쳤다.

형과 나는 어니 아저씨가 사자나 호랑이 우리에 데려가주기를 바라며 돌을 한 줌 모았다. 아저씨가 사자한테는 어떻게 할 것인지 보고 싶었다. 하지만 그 즈음 아저씨는 돌을 던지기에는 너무 취해 있어서 확인할 수 없었다. 어니 아저씨는 그렇게 나쁜 사람이 아니었다. 단지 사회에 편입되지 못했고, 반복되는 일상을 견디지 못했을 뿐이다.

어머니는 한평생 일을 했다. 그리고 대부분의 과실 품꾼 여인들처럼 결국 혼자가 됐다. 심지어 품꾼 출신들은 결혼한 이들조차도 많은 시간을 혼자 보내야 했다. 남편이 멜론 일을 할 때 그 아내는 수백 킬로미터 떨어진 곳에서 복숭아나 배, 토마토를 포장하는 경우가 적잖았다. 가을에는 다시 부부가 함께 캘리포니아 연안에서 토마토 일을 할 수도 있었다. 하지만 멜론 수확은 자주 10월까지 이어졌고, 감론 멜론, 페르시아 멜론, 크렌쇼 멜론은 때때로 크리스마스 무렵까지 작업하기도 했다.

떠돌이 품꾼들에게 겨울 넉 달의 시간은 너무 짧고 아쉬운 것이었다. 텍사스 남부에서 첫 칸탈루프가 익기 시작하면, 서로 떨어져 일해야 하는 고된 생활이 다시 시작됐기 때문이다.

어머니는 미국에서 일하는 수많은 여성들처럼 중년에 이르러 혼자가 됐다. 그리고 그런 삶을 꽤 좋아하기도 했다. 우리 세 남매가 떠난 후, 어머니를 돌볼 사람은 어머니 자신밖에 없었고 말을 받아줄 사람도 없었다. 어머니는 때때로 외로웠겠지만, 한편으로는 자유로웠을 것이다.

제2차 세계대전 동안, 그리고 그 후에도 과실 품꾼들의 일은 많았다. 어머니는 일해서 번 돈을 자신만을 위해 쓸 수 있었다. 어쩌면 일터에서 비슷한 처지의 친구들과 어울려 리노 또는 라스베이거스에 가서 카지노를 하며 화끈한 주말을 보냈을지도 모른다. 이전에는 결코 자신에게 허락하지 않던 호사를 누리면서 말이다.

나는 미국 여성이 임금 노동을 통해 해방되었다고 말한 적이 있다. 하지만 결혼해서 가정이 있는 여성은 나이가 들어서야 자유를 얻을 수 있었다. 지금은 일주일에 40시간 일하고 있고, 그 임금만으로 가족의 생계를 꾸려나갈 수 있는 남성 육체노동자가 드물다. 때문에 여윳돈을 만들려면 아내도 일거리를 찾아야 한다. 물론 아내가 주부와 어머니 역할만 하는 육체노동자 가족도 여전히 있을지 모른다. 하지만 적어도 내가 아는 사람들 중에는 없다. 내 지인들 가운데 거의 모든 여성들이 일을 하고 있다. 이들이 쉬는 때는 오직 출산을 할 때뿐인데, 이것은 휴가라고 할 수도 없고 기간도 짧다. 게다가 아이를 유아원에 보내고 나면, 다시 길고 고된 일로 돌아가야 한다. 물론 시간이 흐르면서 승진도 하고 임금도 올라 난생처음 여유롭게 쓸 돈이 생길 수도 있지만, 그 돈은 대부분 성인이 되었어도 아직 출가하지 않은 자녀에게 들어간다.

여성들이 처음 샌프란시스코에 부두 일을 하러 왔을 때, 이들은 환영받지 못하는 존재들이었다. 이들은 그저 법의 승인을 받아, 그동안 남성이 독점해왔던 직업에 진입하게 된 사람들일 뿐이었다. 대부분의 부두노동자들이 여성을 받아들이는 데 어려움을 겪었지만, 나는 여성과 동등한 자격으로 과실 품꾼 일을 함께한 경험이 있었던 덕에 그렇지 않았다. 다만 남성 부두노동자들의 불만이 일리 없는 것은 아니었다. 거의 대부분의 의견은 이랬다.

"여자들은 여기 일, 제대로 못 해요. 여자들이 어떻게 커피랑 면화를 나르죠? 화물은 단단히 동여맬 수 있고?"

또 다른 불만은 이랬다.

"우리가 일을 중간중간 쉬게 되면 어떡해요?"

"여자들은 결코 따라올 수 없을 거예요. 여기서는 아무짝에도 쓸모없을 겁니다."

하지만 여성들은 잘해냈고, 현재 거의 모든 미국 항구에 고용되어 일하고 있다. 사실 자동화와 컨테이너 시스템이 여성들의 부두 진출 시기에 발맞춰 진행되어 작업이 수월해진 것은 여성 노동자들에게 큰 도움이 됐다. 나아가 이런 변화는 늦은 나이에 부두 일을 시작해 숙련반에 들어가기에는 근속 연수가 부족한 많은 남성들에게도 도움이 됐다. 그들은 일이 없어 집으로 돌아가야 하는 상황에 놓이면 커피, 면화, 기타 고된 작업들에도 기꺼이 몸을 던졌다. 하지만 자동화로 힘든 작업뿐만 아니라 쉬운 일거리마저 사라지기 시작하자, 많은 남성들은 자동화와 여성 노동자의 진출이라는 두 상황에서 위협을 느끼기 시작했다.

일부 여성들은 어떤 고된 작업도 마다하지 않았다. 심지어 이들은 커피 자루까지 날랐다. 한번은 어느 젊은 여성에 대한 이야기를 전해 들은 얼마 후 그녀가 실제로 일하는 모습을 본 적이 있었다. 그녀는 항구에 배는 많은데 정규직 부두노동자가 전부 감당하기에는 벅찬 상황에서 여분의 일거리를 얻어 일하고 있었다. 이처럼 임시직은 정규직이 맡지 않아 남아 있는 고된 일들을 떠맡았다. 그리고 이 젊은 여성은 어떤 일도 마다하지 않았다. 또 누군가가 반대쪽을 같이 들어주어야 하긴 했지만 70킬로그램이나 나가는 커피 자루도 꽤 능숙하게 나른다고들 했다.

처음 야간조를 맡았을 때, 나도 마침내 그녀를 보게 되었다. 나는 지게차로 화물창 화물 운반대에 쌓인 커피를 부두로 운반하고 있었다. 배에 오르면 그녀가 어떻게 일하는지 살펴볼 요량이었다. 그런데 예상했던 것보다 기회가 빨리 왔다. 화물창에서 커피 자루 운반 작업이 중단된 것이다.

작업이 중단되자 당시 노조위원이었던 내게 배에 가보라는 호출

부둣가로 나온 여인들

이 떨어졌다. 권양기는 갈고리를 늘어뜨린 채 멈춰 있었고, 조장과 주임은 코밍*에 기대어 창구를 내려다보고 있었다. 나는 조장과 주임에게 갔지만 입은 꾹 다물었다. 내게는 원칙이 하나 있었는데, 작업하는 남자들과(이번에는 한 여성도) 먼저 이야기를 나누어보기 전에는 다른 어떤 이와도 먼저 말하지 않는 것이었다.

"문제 있어요?"

나는 화불장으로 외쳤다.

"여기 지금 다섯 명밖에 없어요!"

누군가 대답했다. 일손이 부족하다는 말이었다.

그때 본 그 젊은 여성은 흑인이었다. 부둣가 사람의 절반이 흑인이었으니, 흑인이 드문 건 아니었다. 하지만 그녀는 오랫동안 커피를 나를 수 있을 만한 사람으로 보이지는 않았다. 중간 정도의 키에 별다른 특징은 없어 보였다. 작업복 속의 몸이 좀 다부질 것 같기는 했다. 그녀는 화물 운반대 더미에 앉아 있었다.

"여기 다들 같은 조로 일했는데, 더는 안 할 거요."

아래에서 한 남자가 말했다. 나머지 세 명의 남자들도 고개를 끄떡였다. 이 조의 모든 사내들이 같은 마음인 것 같았다.

커피 하역 조는 여섯 명이 둘씩 짝을 지어 한 시간 일하고 30분을 쉬며 교대로 일했다. 한 시간 커피를 나르고 나면, 다시 일할 힘을 모으기 위해서라도 30분은 쉬어야 했다. 사내들은 한 시간 동안 일했고, 이제

⊛ 물이 들어오지 않게 배 갑판 주위에 높이 두른 테두리.(역자 주)

다음 일은 다른 이의 몫이었다.

"저 여자 짝은 어디 있죠?"

나는 조장에게 물었다.

"있었는데 저 여자가 쫓아냈소. 다만 그녀는 아무 잘못 없어요."

주임이 말했다.

"짝이 자기 몫을 안 했거든. 저 여자가 마대를 전부 쌓아야 했소. 전부 운반대에 끌어다가…… 저 여자가 일을 다 하고 있었지."

"노조 직업소개소에서 사람을 하나 데려오지요."

내가 조장에게 말하자 그가 대답했다.

"안 돼요."

"왜죠?"

"사람이 없어요."

"창고 지부에 연락해보는 건 어떨까요?"

"거기도 없어요."

"동부 연안 직업소개소는요?"

"벌써 해봤죠."

"뭐라 하던가요?"

"점심시간까지는 사람을 구할 수 없다던데."

항구에는 배가 많았다. 나는 시계를 봤다. 점심시간까지는 거의 3시간이나 남아 있었다. 주임이 입을 열었다.

부둣가로 나온 여인들

"자, 창구에서 커피가 올라오는지 봐야겠소. 그렇지 않으면 이 작업조를 해고해야 합니다."

때로는 누군가의 일을 다른 사람이 떠맡아야 한다. 이 세계의 일들은 그래야 제대로 돌아가곤 했다.

"조장, 부두에서 나 대신 지게차 좀 몰아줄래요? 해줄 거죠?"

나는 조장에게 부탁했다.

"금방 다시 올게요."

나는 차로 가서 트렁크를 열고 오래된 장갑과 작업 장비들을 넣어둔 상자를 뒤져 방수 부츠를 찾아냈다. 북부 오리건 주에서 뗏목 일을 할 때 신던 부츠였다. 그리고 마대 작업에 쓰는 오래된 갈고리도 찾았다. 마대용 갈고리는 알고 지내던 늙은 부두노동자 세실이 은퇴하면서 주고 간 것이었다. 내가 사용한 지 꽤 됐는데(좀 녹슬기까지 했다) 여태껏 써본 마대 갈고리 가운데 최고였다. 일렬로 된 다섯 개의 날이 자루의 얇은 귀퉁이에 박혀 있었고, 손에 착 감겼다. 다시 가보니 여자는 언짢아 보였고, 성을 내기 일보 직전인 것 같았다.

우리는 함께 화물 작업을 시작했다. 나는 커피 부대 솔기에 갈고리를 꽂아 휙 뒤집어 세웠다. 그녀는 부대를 제대로 던질 줄 알았고, 부대 무게의 절반, 어쩌면 그보다 좀 더 많이 들기도 했다. 그리고 내가 가기도 전에 다음 부대를 미리 세워놓았다. 행동이 재빨랐다.

우리가 같이 부대를 내던지고 나면, 나는 다음 부대를 세웠다. 그런 뒤 그녀가 부대를 세우고, 그다음에는 내가 세우는 방식으로 계속해서 일했다. 그녀는 짐들 사이에서 팔짱을 끼고 커피 부대에 기대어 허공을 응시하곤 했다. 그녀가 쓰는 갈고리는 모양이 이상하고 좀 낡아서 부대에 제대로 꽂지 않으면 놓치면서 다칠 수도 있을 것 같았다. 여덟 번째 짐을 나른 후에 (고맙게도) 권양기가 고장 나서 잠깐 쉬게 되었다. 나는 그녀에게 말했다.

"난 랄프 왈도 에머슨이에요. 당신 이름은요?"

"그건 시인이지 당신 이름 아니잖아요."

그녀는 힐난조로 말했다.

"……아니, 사람들이 당신을 그 이름으로 부르는 걸 듣긴 했네요."

"음, 그래요?"

그녀는 다시 자루에 기대어 허공을 응시했다. 권양기 수리가 끝나자 다시 일을 시작했다. 내가 먼저 부대를 세우고, 함께 운반대에 올려놨다. 그녀가 다음 부대에 손을 뻗다가 멈추었다.

"빌리예요."

그녀는 마지못한 듯 말했다.

수년 만의 커피 작업이었다. 30분 쉬는 시간이 오니 진이 다 빠져버려 자루에 털썩 주저앉았다. 빌리도 땀에 흠뻑 젖도록 열심히 일했고, 나와 조금 떨어진 자루에 앉아 숨을 몰아쉬었다. 혼자라고 하기에도 충분한 거리였지만, 함께 휴식 시간을 보냈다고 할 만큼 충분히 가깝기도 했다.

빌리는 커피 작업 파트너로 괜찮았다. 아니, 사실 아주 좋았다. 그녀는 젊고 튼튼했다. 근무 시간 내내 커피 작업을 온전히 수행하기에는 체력이 부족하긴 했지만 고된 작업에서 필요한 가장 중요한 두 가지를 알고 있었다. 자신에게 맞는 작업 속도를 유지하고 힘을 비축하는 것과, 최소한의 힘만으로 일을 처리하는 것이었다.

"왜 이 일을 하고 있어요?"

그녀가 갑자기 물었다.

"어떤 일 말이에요?"

"당신은 지게차 기사잖아요. 왜 여기서 커피 작업을 하냐고요?"

"주임이 조를 해고하려 했어요. 그래서 내가 들어왔고요. 오후에는 다른 파트너가 올 겁니다."

"또 글렀네. 이전 파트너보다 나으면 좋겠네요."

"빌리, 파트너를 얻어요. 함께 작업할 수 있는 괜찮은 사람 말예요. 부두에선 좋은 파트너가 아주 중요해요. 좋은 파트너가 있으면 어떤 일도 할 수 있어요. 그러면 조원들도 반겨주고 주임도 건들이지 않을 거예요."

점심시간까지 한 시간 남았을 무렵, 우리는 다시 일을 시작했다. 그리고 20분쯤 남았을 때, 나는 다음 자루로 향하는 빌리를 불러 세웠다.

"빌리, 갈고리 좀 봅시다."

빌리는 멈춰서 나를 바라보기만 하더니, 마지못해 갈고리를 건네 주었다. 나는 갈고리를 받고, 내 갈고리를 그녀에게 쥐어주었다.

"손에 맞는지 잡아봐요."

짐을 세 번 더 나르자 점심시간이 됐다. 함께 사다리 옆에 섰는데, 빌리가 내 갈고리를 좌우로 뒤집어보았다.

"아저씨, 이 갈고리 좋은데요."

빌리가 갈고리를 내게 돌려주며 말했다.

"내가 이 갈고리의 두 번째 주인이에요. 당신이 세 번째고."

"무슨 말이에요?"

빌리는 못 믿겠다는 표정이었다. 좋은 갈고리란 우리에게 작은 보물과도 같았다.

"당신 갈고리라는 말이에요."

빌리는 처음으로 웃었다.

"고마워요, 왈도."

점심시간이 끝나고 (다행히도) 나는 지게차로 돌아왔다. 나는 빌리에 대해 곰곰이 생각해보았다. 차별 철폐 정책이 시행된 이후, 미국 여성들은 새로운 많은 일자리를 얻은 대신 잃은 것이 분명히 있었다.

내가 열다섯 때 처음 한 일들 가운데 하나는 여자들을 대신해 작업대의 배 상자를 옮기는 일이었다. 당시 뉴딜 정책에 따라 노동부는 여성 노동자가 들 수 있는 물건 무게를 14.5킬로그램으로 제한하는 법률을

부둣가로 나온 여인들

발의했다. 그 덕에 나는 일거리를 얻었다. 배 한 상자 무게가 25킬로그램이었기 때문이다. 나는 작업대를 오가면서 여자들이 배를 다 담고 나면 그 상자를 옮겼다. 이 법률이 어떻게 됐는지는 모르겠지만, 아무튼 현재는 시행되지 않고 있다. 못 믿겠다면 빌리에게 물어보라.

나는 개인적으로, 빌리가 화물창에서 커피 하역을 해서는 안 된다고 생각한다. 그녀에게 커피 자루는 너무 무거웠다. 아마 빌리는 고된 작업을 계속하다가 곧 몸이 망가졌을 것이다. 나도 젊고 튼튼했을 때는 물론, 그런 무거운 물건을 들어서는 안 됐다. 은퇴 후에는 어김없이 심각한 디스크에 걸려 요통에 시달리는 다른 부두노동자들도 마찬가지다.

노동자에게 무거운 짐을 나르라는 지시는 불구로 생을 마감하라는 형벌과 다를 바 없다. 그 절반이라면 모를까 한 부대에 커피 70킬로그램을 담는다니, 말도 안 되는 일이다. 다른 수많은 물품들도 마찬가지다.

여성이 처음 부두 일을 시작했을 때만 해도, 그들이 기존의 작업 관행에 변화를 가져와서 새로운 방식으로 일하게 될지도 모른다고 생각했다. 그래서 내 동료에게 그렇게 주장하기도 했다. 하지만 그 예상은 틀렸다. 성별로 인한 변화는 없었다. 여성이 부두에서 일하게 된 상황은 사실 자동화와 컨테이너 도입에 따른 충격에 비할 바가 못 됐다.

빌리는 내가 준 마대용 갈고리의 3대 사용자였지만, 그것을 오랫동안 사용하지는 못했다. 내가 빌리에게 갈고리를 건네주고 나서 얼마 후, 커피는 이미 화물 운반대에 놓여 있는 상태로 도착했다. 우리는 지게차를 화물창으로 내려 커피가 쌓인 운반대를 권양기 고리 아래로 옮겼다. 그렇게 몇 년이 지나자 커피 일거리는 완전히 사라졌다. 커피는 여전히 배에 있었지만, 컨테이너 안에 들어 있어서 우리는 보지도 못했고 하물며 만지는 건 더욱 불가능했다. 샌프란시스코의 부두노동자는 남녀 할 것 없이 마대용 갈고리를 버렸다.

하지만 그때까지도 커피를 수작업으로 옮기는 곳이 있었다. 남미의 커피 항구 일꾼들은 세계에서 가장 힘이 센 부두노동자들로 알려졌다. 이들은 커피 자루를 어깨에 둘러메고 창구로 내려가 적재 장소에 쌓았다. 또한 부대를 높게 쌓아야 할 때는 짐을 짊어지고 오르막을 올랐다. 이들은 자신들의 힘을 자랑스러워했고, 마땅히 그럴 만했다. 그 완력 덕에 작업에 영향력을 행사할 수 있었기 때문이다. 이들은 자신들의 특별한 힘을 다른 노동자들의 노동조건과 임금을 최상으로 끌어올리는 데 사용하곤 했다.

내가 알고 있는 다른 나라의 부두 노동에 대한 지식들은 대부분 미국과 외국의 선원들이 들려준 것이다. 스칸디나비아 반도에는 불규칙적인 작업 관행이 있었고(보통 한 시간 일하고 한 시간 쉰다. 젊은 사람은 모두 화물창에서 일한다.) 마닐라는 스물네 명이, 인도에서는 무수히 많은 사람들이 한 조가 되어 일한다고 했다. 산업혁명이 일어나고 무역이 세계적으로 확장되자, 노동자들은 힘이 닿는 데까지 일함으로써 이에 대응해왔다. 동양의 부두노동자는 저임금으로 일하는 대신 자식, 조카, 형제

부둣가로 나온 여인들

에게 가능한 많은 일거리를 만들어준다. 미국과 유럽에서는 근무일을 (기본적으로 불규칙한 근무일) 줄이기에는 너무 젊고 한창일 때는 뼈 빠지게 일하고, 나이가 들어서는 지게차 운전 같은 쉬운 일을 한다.

한편 남미의 부두노동자들은 세계에서 가장 특별했다. 먹고살기 위해 일하는 다른 모든 이들이 짐 무게를 줄이려 애쓸 때, 이들은 무게를 유지하려 했다. 이들은 다른 누구도 자신들처럼 일할 수 없다는 것을 분명히 보여줌으로써 자신들의 작업을 통제했다. 어떤 이는 '남미 부두노동자와 70킬로그램'은 공생 관계라고까지 말했다. 무거운 커피 자루가 먼저인지, 힘센 부두노동자가 먼저인지를 알아보는 것도 재밌을 것이다.

외국 항구에서는 어떻게 일하는지를 알려주었던 사람들도 서서히 사라졌다. 일하면서 마주치는 선원들도 점점 줄어들었고, 이들 역시 다른 곳은 부두노동자가 얼마나 되며 어떻게 일하고 있는지 모른다고 말한다. 현재는 거의 모든 화물이 컨테이너로 운반되고, 선박은 항구에 보통 몇 시간만 정박하며, 모든 것들이 너무도 빨리 진행되어 작업을 자세히 살펴보기 어렵다.

더군다나 선원들도 요즘 남미의 항구에서 그 힘센 부두노동자들을 더는 볼 수 없다고 말한다. 이미 남미에서도 커피를 컨테이너로 운반하고 있어 부두노동자가 필요하지 않은 것 같다. 그렇다고 그들이 커피 농장에서 일하고 있을까? 그렇지 않을 것이다. 하지만 여성 노동자들은 가끔 보인다고들 한다.

빌리의 경우, 커피를 옮길 수 있었다면 다른 화물 작업도 할 수 있었을 것이다. 하지만 빌리처럼 힘이 좋은 여성을 제외한 대부분의 여성들은 쉽게 할 수 없는 작업들이 있게 마련이다. 그래서 제비뽑기로 그런 일에 걸리면 대개 문제가 발생했다. 나 역시 빌리와 커피를 날랐던 몇 년 후 컨테이너 선박에서 이런 문제를 겪었다.

컨테이너선에서 갑판 아래에 싣는 컨테이너는, 선박이나 컨테이너끼리 묶을 때 사용하는 밧줄을 사용하지 않는다. 홈에 딱 들어맞기 때문이다. 하지만 갑판에 쌓는 컨테이너는 단단히 동여매야만 3주에 걸쳐 대양을 건너는 동안 요동치는 배에서 견딜 수 있다. 컨테이너의 무게는 최대 30톤까지 나가고 5층으로 쌓을 수 있다. 배가 흔들릴 때는 40도까지 기울 수 있기 때문에 컨테이너는 쇠사슬, 와이어, 긴 쇠막대 등으로 고정해야 한다. 대부분 새로운 선박들은 이 고정 과정에서 강하고 두꺼운 쇠막대를 쓴다. 쇠막대는 갑판에서 맨 밑 컨테이너의 세 번째 열 위로 고정하고, 길이는 5미터쯤 된다. 쇠막대를 세운 다음에는 나선식 죔쇠로 단단히 죈다.

당시 나는 부두에서 견인차로 빈 트레일러를 운반하면서, 컨테이너선에서 부두 크레인으로 내리고 있는 화물을 받기 위해 준비하고 있었다. 근무 교대 시간이라 여러 사람이 부두와 배를 연결하는 널판에 오르고 있었고, 여자도 두 사람 보였다.

컨테이너선의 경우, 묶인 줄을 풀기만 하면 되어서 작업 초반 난

이도는 그다지 높지 않다. 하지만 컨테이너를 텅 빈 갑판으로 옮길 때는 상황이 달라진다. 당시에는 샌프란시스코로 들어오는 모든 컨테이너가 갑판에 있었고, 갑판을 비우자마자 해외로 보낼 컨테이너를 선박에 싣는 크레인 작업을 시작했다.

처음에는 모든 게 순조로웠다. 크레인을 돕는 트레일러 견인차 운전수도 여섯이나 있었다. 내가 갈고리를 아래로 잡아당기자 크레인 운전수가 트레일러에 컨테이너를 올려놓았다. 부두 일꾼 두 사람이 트레일러의 네 귀퉁이를 철제 핀으로 고정하면, 나는 차를 몰아 적재장까지 컨테이너를 운반했다. 그러고서 빈 차대를 연결하고, 다시 크레인 앞에 줄을 섰다.

한번은 어떤 외부인이 내게 '어떤 일을 하시는 겁니까?'라고 물어본 적이 있다. 나는 그에게 한 구역에서 8시간 내내 차를 몰아보라고 이야기했다. 견인차를 잠깐만 몰아봐도 그게 어떤 느낌인지 제법 정확히 알 수 있다.

컨테이너를 싣는 작업도 내리는 작업과 비슷하다. 앞으로 천천히 차를 대고, 컨테이너에서 핀을 제거하러 온 일꾼과 농담을 주고받다가, 크레인이 컨테이너를 가져가면, 다시 컨테이너를 가져오고 또 우스개를 주고받는 것이다. 당시 나는 우리 지부의 부대표로 갓 선출되었는데, 핀 작업을 하는 수년간 알고 지낸 두 선배가 나를 놀리기 시작했다.

그중 덩치가 더 큰 선배가 내 차 운전석 옆에 서서 이렇게 말했다.

"좋아, 우린 자넬 뽑았다고. 자넨 지금 노조 간부로 있으니 출근할 때 정장에 넥타이를 매기 시작할 것 같은데, 아닌가, 응?"

크레인은 움직이지 않고 있었다. 절름발이인 다른 선배는 견인차 운전석 반대편에서 비틀거리며 걸어왔다.

"우리가 말한 대로지, 앨?"

절름발이 선배가 말했다.

"이 친구 벌써 권력에 취한 거야?"

부대표직이 우리 노조에서는 거의 말단 사원과 다름없었기에 농담을 한 것이었다. 크레인은 여전히 움직이지 않았고, 우리는 계속 대화를 나눴다. 날씨 이야기도 하고, 실망스러운 세계정세를 화제에 올리고, 평소 일하는 법을 일러주었던 감독자들이 없어진 현실을 개탄했다. 그러다가 우리는 주임이 여성 부두노동자 둘과 함께 사다리를 올라오는 것을 봤다. 주임은 여자들을 우리가 있는 곳까지 데려왔다. 주임이 두 선배에게 말했다.

"거기 두 사람은 배에 타서 화물을 묶으세요."

그러고는 두 여성에게 말했다.

"여성 분 둘은 여기서 핀을 뽑고."

두 여성이 화물을 고정하는 일을 끝내지 못해 크레인이 중단된 것이 분명했다. 젊은 여성 둘이서 무거운 쇠막대를 감당하기는 힘들다. 우리는 아무 말도 못 하고 그저 주임을 바라보았다. 주임이 말했다.

"자, 일하러 갑시다."

그때 절름발이 선배가 말했다.

"잠깐만요. 왜……."

나는 말썽이 일어나는 걸 막고자 선배의 말을 끊었다.

"그럴 수 없습니다."

"왜죠?"

주임이 따지듯 물었다. 나는 아주 난처해졌는데, 사실 이건 내 권한을 넘어선 일이었다. 이런 논란은 한낱 부대표가 아닌 교섭위원이 적절히 다루어야 할 일이었다. 하지만 이런 일이 있을 수도 있지 않은가.

"이 여자 분들은 부두 일꾼입니다. 배에 오르면 안 된다고요."

"이 사람들은 화물 고정 일꾼으로 배치된 거요, 다른 이들처럼. 나한테는 이들을 원하는 곳으로 보낼 권한이 있소."

"이 분들이 그 일을 할 수 없는데, 왜 소개소에 연락해서 다른 사람을 구하지 않은 겁니까?"

내 말에 주임은 언짢은 듯 보였고, 두 여성들에게 말했다.

"따라오세요."

세 사람은 함께 떠났다. 듣기로는 부두노동자 조원들이 자신들의 조장들에게, 여성과 관련된 문제가 닥치면 조심하라는 얘기를 했다고 한다. 이 때문인지 조장들은 성차별로 피소되는 게 두려워 지나치게 조심하고 있었다. 조장이 사라진 지 30분 후, 남성 두 명이 배에서 화물을 고정하는 작업에 합류했다. 나중에 나는 두 여성이 부두 맨 끝에서 일하고 있는 것을 보았다. 주임이 고정쇠, 즉 갑판에 층층이 쌓인 컨테이너들의 귀퉁이를 연결해 고정하는 장치를 분류하도록 시킨 것이다. 그저 인력을 놀리지 않으려고 시키는 별 필요 없는 작업이었다.

이후에 부두에서는 그 일에 관심을 두지 않았다. 하지만 내가 크레인 밑으로 견인차를 댈 때마다 이 일을 같이 겪은 두 선배는 차려 자세로 거수경례를 하고 고개를 숙이고는 이렇게 외쳤다.

"우린 보잘것없는 존재입니다! 우린 보잘것없는 존재입니다!"

가끔은 그런 장난을 멈추지 않고 계속하기도 했다. 그 후 몇 달간은 그때 빌리와 함께 커피 작업을 했던 조원들과 마주쳤는데, 그들은 매번 나를 '왈도'라 부르며 놀렸다.

샌프란시스코 항에서 여성 노동자와 관련해 발생한 이 두 건의 문제, 그리고 비슷한 다른 문제들도 결국은 부두노동자들 스스로 해결했다. 해법은 남미의 방식과 다소 비슷했다. 힘세고 젊은 사람들이 자진해서 선박에서 컨테이너 고정 작업을 맡고, 조를 짜서 일하기 시작한 것이다. 그들이 받은 보상이란 고작 '컨테이너 고정 작업은 내 일'이라는 자각밖에는 없었다. 그들은 일하는 사이사이 휴게실에 가서 카드도 치고, 라디오도 듣고, 하고 싶은 것들을 하다가, 작업해야 할 또 다른 컨테이너가 준비되면 돌아가서 열심히 일했다.

모든 게 잘 돌아갔다. 크레인은 가다 서다 하지 않고 부드럽게 움직였고, 일은 잘 마무리됐으며, 때로 컨테이너 고정 일꾼들은 점심시간을 2시간이나 얻기도 했다. 하지만 이들의 귀가 시간은 항상 맨 마지막이었다. 마지막 컨테이너가 배에 선적되고, 우리들이 견인차를 주차한 한참 후에도 고정 일꾼들은 여전히 선박에서 마무리 작업을 하고 있었다. 만일 주임이 현명한 사람이었다면 그들에게 30분의 초과근무 수당을 주었을 것이다. 다음번 작업 때 다른 부두로 가지 않도록 말이다.

한편, 남자와 여자가 함께 일하면 항상 성과 관련된 일이나 이야기가 나오기 마련이다. 그렇지 않은 경우에는 다들 그렇게 되기를 바란다. 하지만 부두노동자들 혹은 육체노동 산업에 종사하는 남녀 사이는 사무직과 달리 연애 기회가 많지 않다. 무엇보다 문제는 성비다. 부두 일 등의 일부 산업에서는 남녀 성비가 여전히 5대 1이고, 일부는 10대 1에 이른다. 이런 관점에서 성비 균등은 육체노동 산업에서는 비교적 일찍부터 이루어졌다. 여성들이 육체노동 산업에 들어올 무렵에는 자동화, NAFTA와 GATT로 인해 우리의 일거리가 해외 이전 등으로 사라지고 있는 상황이었다.

육체노동 일자리를 얻은 여성들은 사무직 여성들과 비교할 때 불리한 점이 있었다. 이를테면 복장이다. 작업복은 실용성이 우선이다. 앞부리가 딱딱한 신발, 장갑, 상하가 붙어 있는 작업복을 여성스럽게 만들기는 어렵다. 게다가 안전모를 쓰면서 어떻게 머리를 매력적으로 꾸미겠는가.

다만 캘리포니아 남부에서 아주 인상적이고 섹시한 광경을 목격한 적이 있다. 산 페드로와 윌밍턴을 포함한 로스앤젤레스 항구와 롱비치 항구에서는 모든 부두노동자들이 같은 직업소개소에서 일을 할당받는다. 또 이동 카드를 소지함으로써 항구를 선택해 일할 수 있다. 나는 약 1년에 한 번, 항상 날씨 좋은 가을 무렵이면 로스앤젤레스를 선택해 몇 달간 일하곤 했다. 보통 가을에는 날이 선선해졌다.

로스앤젤레스의 소개소에서 내가 처음 얻은 일거리는, 전통적인 화물선의 2번 창구 갑판에 길쭉한 강철을 적재하는 일이었다. 우리 바로 뒤에 있는 3번 창구에서는 종이 부대에 담긴, 셀라이트라는 가루를 싣고 있었다. 그 가루는 정수기에 사용되는 재료로 로스앤젤레스에서 많이 하역했다. 셀라이트 자루는 작업하기에 나쁘지 않았다. 무게가 22킬로그램이어서 어디든 쉽게 던질 수 있었다.

3번 창구의 조원들은 화물창 위 후미 갑판인 차양 갑판, 주갑판의 바로 3미터 아래에서 화물을 싣고 있었다. 우리가 화물 작업을 할 때면, 늘 구경꾼이 모여들었다. 보통 우리가 어떻게 일하는지 살펴보고 싶어 하는 사람들은 주임, 화물 관리인, 2등 항해사 정도였다. 그런데 이상하게도 선박 승무원들까지 3번 창구에 비상한 관심을 보이고 있었다. 적어도 여섯 이상이 3번 창구 주위를 서성이며 일하는 모습을 지켜보았다.

당시 그 배는 선적이 선주의 국적과 다른 '편의치적선'으로 라이베리아 깃발을 달고 있었다. 상급 선원들은 그리스인이었고, 일반 승무원들은 모두 아시아인으로 필리핀, 중국, 그리고 두셋은 다른 국적이었다. 나는 내 뒤쪽에 구경꾼이 두 배로 늘어났다는 걸 깨달았다. 나와 파트너는 마지막 I형 대들보를 옮기고 교대할 사람에게 일을 넘겼다.

"저 뒤에 뭔 일 있어?"

내가 파트너에게 물었다.

"아마 진 때문일걸. 진이 거기서 일하고 있거든."

"여자 부두노동자? 저 사람들은 여자 부두노동자 처음 보나?"

"음."

파트너는 뭔가 탐내는 듯한 표정으로 숨을 들이마셨다.

"아마도 모두 진 같지는 않았겠지. 한번 직접 보겠어?"

진은 정말이지, 멋졌고 대단했다. 로스앤젤레스의 부두노동자는 날이 더워지면 아무 옷이나 걸친다. 수영복까지는 못 봤지만, 가시철사 작업이 아니면 대부분 반바지를 입는다. 진은 반바지에 허리까지 내려오는 헐렁한 운동복 상의를 입고 있었다. 체격도 좋았고 금발에, 튼튼해 보였다. 일할 때의 동작은 품위 있고, 게다가 관능미도 있었다.

이를테면 한 여성이 20여 킬로그램이나 나가는 부대를 들었다 던지는 모습에 있는 섹시함과 우아함! 그녀는 마치 발레리나 같았다. 모든 동작이 근사했다. 몸을 비틀 때는 상의가 달라붙어 가슴 선이 선명하게 드러날 것 같았다. 다리는 햇볕에 그을렸고, 팔을 뻗어 부대를 던질 때는 허리의 황갈색 피부가 조금 보였다.

그때마다 선원들은 숨을 죽이고 그녀를 지켜봤다. 진이 속한 조는 화물창 밑에서 올라와 창구에서 일하다가 볕이 쨍쨍 내리쬐자 땀을 흘리기 시작했다. 짐 하나를 싣고 다음 짐이 들어오기를 기다리는데, 갑자기 진이 상의를 벗어 한쪽으로 던졌다. 안에는 민소매 셔츠를 입고 있었다. 마치 산 페드로가 할리우드로 변한 것 같았다.

나는 창구의 언저리를 흘깃 보았다. 여러 승무원들이 눈을 굴리며 그 장면을 지켜보았고, 일부는 황홀경에 빠져 기절할 지경이었다. 진과 동료들은 자루 더미를 쌓고 교대 조원들에게 일을 넘긴 후에 갑판으로 올라왔다. 진은 바로 내 옆에 섰고, 나는 그녀를 살펴보았다. 아름다울 뿐만 아니라 굉장히 멋지고 매력적이었다.

모든 시선이 자신에게 향해 있는데도 그녀는 개의치 않았고 미소를 짓기까지 했다. 그녀는 내가 만일 웰터급까지 체중을 감량했다면, 나와 체격이 얼추 비슷할 것 같았다. 나는 물었다.

"우리가 앙코르를 외치면 또 뭘 보여주겠어요?"

누구나 자신의 사회적 위치나 피부색이 무엇이든 자기 계급을 잘 알고 인정한다.
모두가 예외 없이 자신의 신분과 계급에 걸맞지 않은 품행을 저지르는 걸 원치 않는다.
미국인들에게 있어 계급의식이 있다는 말은 서로에게 할 수 있는 최고의 찬사다.
여기서의 이 표현은 계급class이지 고급classy이 아니다.
고급은 생활양식, 태도, 예의를 나타내는 개념으로 후천적으로 얻거나,
그런 척을 할 수도 있다. 하지만 계급은 지니는 것이며, 타고나는 것이다.
또한 이 타고난 계급은 무형의 실체라, 정의를 내리기보다는 묘사하는 쪽이 쉽다.

10

계급의 울타리

어머니는 절대로 '깜둥이'라는 말을 쓰지 않았다. 또한 미국의 다른 소수 집단을 묘사할 때도 경멸적인 말을 쓰지 않았다. 그럼에도 어머니는 선천적으로 백인이 아닌 사람들에게 편견을 가졌던 것 같다. 미국은 평등주의에 기초한 세계였지만, 어머니는 백인의 세계에서 자라왔다. 반면 아버지는 '깜둥이'는 물론이거니와 20세기 초 미국에서 백인들이 사용했던 온갖 인종 차별적 표현들을 썼다. 반면 누구에게도 눈곱만큼의 편견조차 가지지 않았다.

아버지는 사람들을 잘 받아주었고, 거의 모든 이들을 좋아했으며, 또한 아버지를 아는 사람들도 다들 아버지를 좋아하는 것 같았다. 아버지는 만년에 작업장 주임으로 오래 일했는데, 그곳 멕시코 사람들은 여름 내내 칸탈루프 작업장을 이곳저곳 옮기며 아버지를 졸졸 따라다녔다. 심지어 더 좋은 일거리를 구할 수 있을 때조차 아버지와 함께하려고 했다. 그 이유는 그들이 아버지를, 또한 아버지와 함께 일하는 것을 좋아했기 때문이다. 그리고 내가 포장 작업장에서 본 유일한 흑인 일꾼도 아버지가 고용한 사람이었다.

나는 부두 일을 모르는 백인들에게서 '30여 년간 매일 흑인과 대등하게 지냈는데, 인종과 인종적 편견에 관한 어떤 특별한 깨달음을 얻었는가'라는 식의 질문을 받곤 한다. 나는 이 질문이 좀 이상하다고 생각한다. 만일 당신이 백인인데 흑인과 처음 만났다면, 인종과 상관없이 다 똑같은 사람이라고 평범하게 생각하는 것 외에도, 피부색이 아닌 계급적 관점으로 상대를 평가할 줄 알아야 한다. 상대를 노동계급이나 중산층으로, 만일 유흥가 지역에 살고 있다면 범죄자 부류와 노동계급, 그리고 중산층으로 구분할 수 있어야 한다.

흑인이든 백인이든 그들은 다양한 인종적 편견을 가지고 인습에 따라 일상을 꾸려간다. 아마 백인 쪽이 더 그럴 것이다. 예를 들어 선거의 경우 백인이 흑인을 뽑기보다는, 흑인이 백인을 뽑기가 더 쉽다. 최근까지 미국 대부분의 지역에서 흑인 후보가 거의 없었다는 점만 봐도 알 수 있다. 즉 모든 후보자들이 백인뿐이니 표도 거듭거듭 백인 후보에게만 간다. 백인에게 투표하거나, 아니면 기권하거나 하는 양자택일을 해야만 하는 것이다. 요즘은 상황이 조금 나아져 투표용지에 온갖 인종의 후보들이 등장하고 있다. 하지만 백인 유권자들의 경우, 의식이 깨어 있지 않다면 '이 흑인 후보가 우리를 대표한다고?'라고 생각하고는 그 흑인 후보에게 반대표를 던질 것이다.

편견을 깨는 가장 빠른 방법은 다양한 인종이 모인 환경에서 정치 활동을 하는 것이다. 노조 정치 활동은 샌프란시스코 부두에서 늘 뜨거운 주제였다. 부두노동자들은 매년 노조 간부를 뽑는 1, 2차 선거에 모두 큰 관심을 기울인다. 그런데 '이런 부두노동자들조차 다들 어느 정도는 한다는 인종적 투표를 한다'고 말하는 건 지나친 단순화다.

내가 어느 날 우연히 본 기표된 투표용지들 역시 이와 관련된 아주 흥미로운 사실을 그대로 보여주고 있었다. 샌프란시스코 만 부두노동자는 선거 한 달 전쯤이 되면, 우편으로 모의 투표지를 받는다. 이 투표용지에는 대표를 비롯해 부대표, 비서, 교섭위원들, 여섯 명의 업무 배치 담당자까지 열두 명이 넘는 직책과 몇몇 위원회들이 병기되어 있다. 즉 100명이 훌쩍 넘는 인원이 후보로 나선다는 의미다. 대부분은 집에서 모의 투표용지에 표시한 뒤 선거 당일 그것을 가져와 실제 투표용지에 옮겨 적는데, 이러면 기억에 의존하지 않아도 되고 선거 진행도 빠르다. 기표소를 나온 후에는 이 모의 투표지를 가까운 쓰레기통에 버린다.

선거가 끝난 저녁, 나는 친구 앨과 자진해 청소를 맡았다. 쓰레기통을 하나씩 들고, 쓰레기 수거지인 건물 바깥으로 통을 끌어 옮길 때였

계급의 울타리

다. 강당으로 돌아왔는데 앨이 쓰레기통의 휴지를 내려다보고 있었다.

"뭔데?"

내가 물었다.

"그린의 모의투표지야."

"어떤 그린?"

나는 조금 궁금해져서 물었다. 우리 주변에는 그린이라는 이름을 가진 동료가 많았다. 캐딜락 그린, 투스픽 그린, 펜싱 짐 그린까지. 거의 올림픽 팀을 만들 수 있을 정도였다.

"투스픽."

투스픽 그린의 이름이 적힌 모의 투표용지가 쓰레기통 맨 위에서 우리를 빤히 쳐다보고 있었다. 우리는 투스픽을 잘 알고 있었고, 자주 일도 함께하는 사이였다. 앨과 나는 같은 생각을 하며 서로를 쳐다보았다. 갑자기 우리 마음의 호기심이 윤리 의식을 누르면서 둘이 함께 모의 투표용지를 집어 들었다.

"이 망할 자식이 우릴 뽑았는지 확인해보자."

앨이 투표지를 펴면서 말했다. 앨과 나는 이사회에 출마했고, 함께 선거운동을 벌여왔다. 우리 둘 다 처음 출마한 선거였다.

투표지를 보니 투스픽 그린은 앨이 아닌 나를 뽑았다. 이해하기가 어려웠다. 앨과 투스픽은 흑인이었고, 나는 백인이었다. 그렇다면 선택을 하는 데 인종은 핵심 요인이 아니었을 것이다. 투스픽은 왜 앨을 뽑지 않을까? 앨은 쓰레기통에서 다른 투표지를 집어 들었다. 나도 쓰레기통을 뒤졌다. 우린 총 60장이 넘는 모의 투표지를 모은 다음 변두리 찻집에 가서는 칸막이가 있는 구석 자리에 그것을 펼쳐놓았다.

결과는 앨이 여덟 표, 나는 일곱 표였다. 둘 다 이사로 당선되기에는 부족한 득표수였다. 그래도 처음 치고 아주 나쁘지는 않았다. 앨과 나는 누가 우리를 뽑았는지 대부분 파악할 수 있었다. 흑인 표는 흑인 후보에, 백인 표는 백인 후보에 쏠려 있었다. 앨은 흑인 표 여섯, 나는 백인 표 넷을 얻었다. 그런데 놀라운 사실은 투표자가 얼마나 인종주의적인가는 중요하지 않다는 점이다. 순전히 인종에 따라 몰표가 나온 게 아니라, 흑백 양측 모두에게 표를 받은 사례가 서넛, 심지어 인종주의자의 투표지에서도 다른 인종에게 투표한 경우가 있었으며, 많게는 절반씩 흑인과 백인을 섞어 뽑은 경우도 있었다.

투스픽 그린은 왜 나를 뽑았을까? 나는 결코 알지 못할 것이다. 그날 밤 나는 앨과 헤어져 집으로 돌아와서 차 바닥에 버렸던 내 모의 투표지를 집어 들었다. 살펴보니 나 역시 중요한 직책에는 분명한 선호가 있었지만, 순전히 일시적인 생각이나 이미지에 기대 표를 던진 경우도 있었다. 한 표를 어떤 흑인에게 던졌는데, 우리가 함께 일한 날은 딱 하루뿐이라 거의 아는 바가 없는 사람이었다. 다만 그는 함께 일하기 좋은 사람이라서 나는 그날 하루를 무사히 잘 보냈다. 그리고 나는 그를 뽑았다. 어쩌면 다른 이들의 투표도 어느 정도는 이와 비슷할 터였다.

계급의 울타리

하지만 때로 미국에서 인종과 관련돼 일어나는 문제와 태도가 너무 강력해서, 차라리 다른 행성을 찾아 떠나고 싶을 때도 있었다. 간혹 어떤 백인 부두노동자는 흑인이 없는 자리에서 '흑인들이 노조를 접수하려 한다'라고 투덜댔다(이때 이들이 사용한 표현은 '깜둥이'가 아니라 '흑인'이다. 부둣가에서 깜둥이란 말을 쓰는 걸 몇 번 듣긴 했지만, 그 말을 한 사람은 언제나 흑인이었고, 이들은 늘 취해서 다른 흑인을 부를 때 그 말을 썼다).

언젠가 흑인이 우리의 대표가 된 적이 있었는데 결과는 엉망진창이었다. 그는 노조의 분쟁 해결 기구를 거치지 않고 비밀리에 몇 사람에게 우호적인 퇴직금 관련 협약을 맺었다. 어쩌면 뇌물을 받았을 수도 있다. 그는 신임을 잃어 재선에 실패했을 뿐만 아니라 마을에서도 떠나야 했고, 다른 항구로 갔다. 그의 행동은 다른 흑인 후보들에게도 부정적 영향을 미쳤다. 다음 해가 되자 상당수의 흑인 부두노동자들이 투표를 포기하거나 흑인 후보 지지를 그만두었다. 그러면서 백인 후보들이 거의 모든 직책을 휩쓸었다.

그런데도 얼마 안 돼 또다시 흑인이 노조를 접수하려 한다는 어느 백인 노동자의 불평을 들었다. 그래서 그에게 지금 지부장은 백인이고, 부대표와 비서도 백인이며, 교섭위원 둘과 대부분의 업무 배분 담당자들도 백인이라는 점을 지적했다. 흑인이 차지한 중요 관직은 수석 교섭위원뿐이었고, 그는 누구에게나 존경받는 인물이었다. 그러고는 그에게 우리 구성원의 절반 이상이 흑인인데 간부는 모조리 백인인 상황에 대해서는 어떻게 설명할 거냐고 물었다.

"어, 거기까지는 생각 못 했구먼."

그는 난처해하며 대답하고는 이렇게 물었다.

"그럼 당신은 어떻게 설명할 거요?"

나는 그에게, 이는 흑인 부두노동자들이 흑인 지도부를 부인했다는 걸 명백히 보여준다고 답했다. 그가 우물쭈물하며 뭐라고 답했지만, 번 뜩이는 답은 아니었다. 몇 년 후 노조 간부는 다시 흑백 균형을 이루었다.

흑인에 대한 가장 심하고 혹독한 비난과 비판은 그를 (흑인보다 백인에 더 우호적인) '엉클 톰'이라고 부르는 것이다. 일단 이런 비난을 받으면 변명을 해도 통하지 않는다. 그렇다면 흑인들이 이런 비난에서 자신을 방어하려면 어떻게 해야 할까?

우스꽝스럽게 자신이 좋아하는 흑인의 수, 또는 자신을 차별해온 백인의 수를 세어가며 이야기할 수도 없는 노릇이다. 나아가 다양한 인종이 함께 일하는 회사의 경우, 흑인인 누군가가 어떤 백인을 인종차별자라고 비난할 때, 그 비난이 아무리 부당하다고 느껴도 흑인이 비난받는 백인을 도울 수 없다. 위험한 '엉클 톰' 딱지가 붙을 수 있기 때문이다. 심지어 흑인인 인종주의자가 그런 대치 상황을 만들어도 합리적인 보통 흑인들은 겁을 먹고 침묵하게 마련이다. 물론 이런 상황은 백인이라고 해도 대응하기 곤란하기는 마찬가지다.

"흰둥이 후레자식아!"

한번은 조라는 친구가 내게 이렇게 소리쳤다.

"넌 망할 백인 인종주의자라고!"

조는 내게 얼굴을 바싹 들이밀고 침을 튀겨가며 온갖 말들을 퍼부었다. 우리는 함께 신탁관리위원회 회의를 진행하던 중이었다. 이 위원회는 여섯 명으로 구성됐고, 나는 위원으로 선출된 지 겨우 두 달이 지난 참이었다. 신탁관리위원회는 노조의 재정을 감시하는 기구로서, 노조의 모든 금전 거래는 신탁 위원들이 검토하고 승인한 후에 통과되었다.

우리 위원회의 회계장부 담당자는 일한 지 약 1년이 된 흑인 여성이었다. 전임자 역시 흑인 여성이었고 10년간 일해오다가 어느 날 물러나라는 강요를 받았는데, 나는 이에 대한 분명한 해명을 비서, 동료 위원, 흑인과 백인 중 어느 누구에게서도 듣지 못했다. 그저 명확한 것은 흑인 지도부의 한 분파가 그녀를 물러나게 했다는 사실뿐이었다.

새로운 회계장부 담당자는 아주 예의 바르고 상냥했지만 채용 이후 일을 거의 하지 않고 있었다. 내가 신탁 위원으로 선출된 이후 두 달간 살펴본 바에 따르면 회계장부는 실로 엉망으로 관리되고 있었다. 기입 항목은 불충분했고, 판독하기 힘든 부분까지 있었다. 입출금 내역도 엉망이라 당연히 맞으리라 믿었던 합산 금액조차 맞지 않았다.

어느 날 저녁, 노조 간부 및 사무직원의 임금을 훑어보다가 그 달의 합산 금액이 아무래도 틀렸다는 생각이 들었다. 아니, 분명히 그랬다. 1,700달러 조금 넘는 액수가 비어 있었다. 그래서 이 사실을 노조 비서와

조합원들에게 알리기로 마음먹었다. 그러자 노조 비서가 말했다.

"맞습니다. 돈이 바닥났어요. 조합원들에게 회비 인상을 요청해야 할 것 같습니다."

내가 물었다.

"얼마나요?"

"글쎄요. 1~2달러 정도면 될 것 같은데요."

이 비서는 나와 같은 시기에 부두에 들어온 백인 남성으로, 투표가 아닌 석연치 않은 이유로 비서 자리에 올랐다. 그는 내가 회계장부 담당자를 포함시켜 이야기를 진행하자 곤란해했다. 나는 그에게 회계 담당자는 정직하고 돈을 훔쳤다는 증거도 없으며, 아마 회계 업무를 잘 몰라서 그런 것 같으니 시간을 두고 배우면 나아질 것 같다고 말했다. 그리고 조합원에게 회비 인상을 요청하면 공개적으로 지지하겠다고 밝혔다.

하지만 먼저 회계장부의 작성 문제를 바로잡아야 하고, 회비 인상 금액을 생각하는 건 그다음이라고 덧붙였다. 또 신탁관리위원 긴급회의를 소집하고, 가능하다면 외부의 회계 감사관도 부르자고 제안했다.

"그래요, 그게 좋겠군요. 다음 주 화요일 어떨까요?"

비서는 무뚝뚝한 표정으로 말했다.

"좋습니다."

"음, 감사관에게 직접 얘기하는 건 어떻겠습니까? 당신은 신탁이사니까 직접 연락하면 됩니다."

그 후, 감사관과 나는 전화 통화로 각자 소개를 마쳤다. 나는 신탁이사라는 직함을 밝히고 그에게 회계장부 작성과 지부의 재정에 관해 알려주었다. 그리고 신탁관리위원회 회의에 참석해 이 문제를 함께 제기해줄 수 있는지 물어보았다.

"비서가 이 문제의 중요성을 잘 알고 있는지 모르겠습니다."

감사관의 말에 내가 대답했다.

"당연히 중요하게 생각하고 있지요."

"그런가요?"

"그렇습니다. 그가 비서를 맡고 난 뒤 내가 전부 보여줬거든요."

"작년 전임자에게도 마찬가지고요. 현재 당신네 지부는 지금까지도 적자를 면치 못하고 있습니다. 본부에서 염려하고 있어요. 우리도 본부 소속입니다. 본부로 송금하는 회비도 밀려 있고요. 이뿐만이 아닙니다. 다른 부채들도 있어요. 회비를 올려야 합니다."

"얼마나 올려야 하죠?"

"장부가 엉망이라 정확히 얘기하기는 어렵지만, 한 달에 한 사람당 5달러 정도는 올려야 할 것 같습니다."

쓰디쓰지만 해야 할 일이었다. 노조 간부가 자발적이고 적극적으로 참여해야 일반 조합원들도 5달러 인상 조치를 받아들일 터였다.

"회계장부들이 왜 그렇게 엉망인 거지요?"

내가 감사관에게 묻자, 오랫동안 침묵이 흘렀다. 그러다 감사관이 입을 열었다.

"당신네 회계장부 담당자는 교육도 덜 받았고 직무 경험도 부족합니다."

"일을 배우면 되지 않을까요?"

"그 담당자는 이미 관련 교육을 꽤 많이 받았습니다."

"무슨 말씀인지?"

"우리 쪽에서 이미 그쪽 지부 사무실로 사람을 여러 번 보냈어요. 그리고 말이 나와서 하는 말인데, 우리는 그 비용도 받지 못했습니다. 우리가 계속 회계장부 일을 대신 봐준다면 비용을 청구할 수밖에 없어요."

"알겠습니다. 화요일 오전 회의에는 참석해주실 수 있습니까?"

"네, 사람을 보내지요."

15년간 부둣가에 있었지만, 부두노동자였던 내게 이런 일은 익숙지 않았다. 나는 주간 근무에서는 빠지고 야간조에서 일했다. 그래야 신탁관리 위원 일을 할 수가 있었다. 밤에는 육체노동자였고, 주간에는 사무직 노동자라는 느낌이 들었다. 서류 가방을 들고 다니기까지 했다.

화요일 오전에 열린 신탁관리위원회 회의에는 상당수의 사람들이 모였다. 노조 비서의 사무실은 초만원이었다. 본부 대표인 해리 브리지스도 왔다. 본부에 송금하는 지부 회비는 본부 직원에게 임금을 지급하고 모든 해안 지부를 유지하는 유일한 자금 원천이었던 만큼, 이 문제를 확실히 하기 위해 온 것이 분명했다. 감사관 사무실에서 파견된 사람은 안경을 쓰고 평범한 회색 정장을 차려입은, 그 직업에 딱 맞는 모습이었다. 웹스터의 연재만화에 나오는 캐스퍼 미크토스트에 어울리는 인물을 뽑는다면 딱 그런 모습이었으리라.

다수의 전임 간부와 업무 배치 담당자가 흑인이었으므로, 참석자 대부분도 흑인이었다. 또한 흑인 민족주의자라고는 할 수 없으나 흑인과 관련된 사안에 애를 쓰고 있는 나름 저명한 흑인 부두노동자들도 참석했다. 나는 이 회의에 인종 문제가 개입되어 일 처리에 방해가 되지 않길 바랐다. 그래서 회의가 시작되기 전부터 차갑고 냉철한 태도를 굳게 유지했는데, 그렇다고 어떤 일이 벌어지리라 예상한 것은 아니었다.

비서가 간략한 발언으로 회의를 시작하고 뒷좌석에 앉았다.

"여러분, 회비 인상을 해야 할 것 같습니다."

그러더니 비서는 나를 가리켰다.

"이분이 전부 설명해드릴 겁니다."

나는 회계장부와 회계 감사관의 보고서를 검토한 후 알게 된 사실들에 대해 간략히 설명했다. 상황이 아주 심각하고, (현재의 집행부가 업무를 시작하기 오래전부터 누적된) 현재의 부채를 해결하고 재정을 건전하게 유지하도록 회비를 매달 5달러 정도 인상해야 한다고 지적했다. 또한 회계장부 작성에 용납하기 힘든 오류와 오차가 있어서 조치를 취해야 한다고 덧붙이고는, 회계 감사관에게 고개를 끄덕이며 물었다.

"덧붙일 말씀 있나요?"

"네."

회계 감사관이 발언을 시작했다.

"그 정도 회비를 인상하면 부채를 처리할 수 있습니다. 그런데 처리해야 할 다른 항목들이 여전히 남아 있습니다. 건축 조합의 자금과 섞인 기금이……."

캐스퍼를 닮은 감사관의 말이 다 끝나기도 전에, 조가 탁자에 기댄 채 나를 향해 '흰둥이 후레자식!'이라고 소리쳤다. 깜짝 놀란 감사관은 조를 발견하더니 서류 가방을 들고 건물 밖으로 도망치기 시작했다.

조를 말리는 사람은 없었다. 그는 미친 것처럼 날뛰었다. 나는 도움을 바라며 주위를 둘러보다가 회의 전 현재의 재정 상황을 두고 이야기를 나눴던 합리적이고 차분한 흑인들을 쳐다보았다. 하지만 그들도 침묵을 지키며 내 눈을 피할 뿐이었다.

"이 망할 놈!"

조가 거듭 소리쳤다.

"넌 흰둥이 후레자식에 백인 인종주의자야! 경리가 흑인이라서 네가 싫어하는 거라고!"

"이게 흑인과 무슨 상관입니까?"

나는 강하게 반발했다. 그때 노크 소리가 들렸다. 웬일인지 조도 고함을 멈췄다. 다시 문을 두드리는 소리가 들리면서 논쟁의 도마 위에 오른 흑인 경리 여성이 안으로 들어왔다. 그녀는 손에 서류 한 다발을 들고 있었는데, 겁을 먹은 게 분명했다. 그녀는 비서 앞에 서류를 내려놓고는 서둘러 문을 닫고 나갔다.

"제가 경리에게 오늘 회의를 위해 입출금 내역을 문서로 준비해 달라고 했습니다."

비서가 서류를 사람들에게 나누어 주면서 말했다.

"이걸 보면 현재 어떤 상황인지 알 수 있겠지요."

참석자 모두 재정 보고를 읽는 척하는 건지, 다들 말이 없었다. 나는 보고서를 보고 깜짝 놀랐다. 노조 간부의 급여 내역이 맞지 않았던 것이다. 나는 누군가 이 오류를 지적하리라 기대하며 일단 침묵했다.

"이런, 흰둥이 놈이 경리가 흑인이라는 이유로 잘라버리려 하는 게 맞네요."

조가 큰 소리로 단언했다. 그러자 조의 동료들도 고개를 끄덕이며 동의한다고 말했다.

"지금 경리는 일을 제대로 하지 못하고 있습니다."

내가 답하자 조가 거칠게 반박했다.

"당신은 그녀가 흑인이라 일을 할 수 없다고 말하는 거야!"

"그게 흑인이랑 무슨 상관입니까? 전임 경리도 흑인이었어요. 이름은 베티고요. 그녀는 잘했어요. 능숙하게 했단 말입니다. 베티의 회계 장부를 보았는데 정말 훌륭했소."

"당신은 백인 후레자식이야."

조는 바득바득 억지를 부렸다. 조의 동료들도 맞장구치며 함께 투덜거렸다.

"보세요."

나는 경리의 서류를 들어 보이며 말했다.

"경리가 일을 잘 처리하도록 교육할 수도 있겠지요. 그것에 대해 난 잘 모르겠습니다. 하지만 지금은 날림으로 일을 처리하고 있습니다. 만일 감사관들의 경고가 없었다면 우리가 어떤 상황에 있는지 알지도 못했을 겁니다. 은행에 돈이 정확히 얼마나 있는지도 몰랐을 거고요. 여기 보세요."

나는 회계 서류를 조와 그 동료들에게 내밀었다.

"이 줄을 더해보세요. 계산이 안 맞습니다."

모두 말이 없었다. 나는 비서 쪽으로 몸을 돌렸다.

"거기 계산기가 있군요. 한번 더해보세요."

비서는 찬찬히 계산을 시작했다. 그는 어떤 답이 나올지 알고 있었다. 그는 계산한 종이를 뜯어 흘끗 보고는 사람들에게 건넸다.

"보십시오. 합산조차 안 맞지 않습니까."

내가 말했다.

"흰둥이 망할 자식."

조가 말하자, 나는 가장 최근에 작성된 감사관 보고서를 조와 그 동료들에게 내밀었다.

계급의 울타리

"좋아요, 이 흰둥이 망할 자식이 당신들한테 알립니다. 우린 지금 알거지예요. 그리고 이 문제를 처리하는 일은 이 노조의 신탁 위원과 구성원인 우리들에게 달렸습니다. 그냥 넘어갈 수 없단 말입니다."

이렇게 말하자 인종적 욕설이 빗발쳤다. 참석자 어느 누구도 이를 막으려는 것 같지 않았다. 끝내 브리지스가 입을 열었다.

"누구든 인종주의자가 될 수 있습니다. 하지만 사람은 바뀔 수 있습니다. 사람은 변합니다."

나는 그게 도대체 무슨 말인지 이해할 수 없었다. 미몽에서 깨어나자는 그런 말 같았다. 모두 앉은 자리에서 몸을 살짝 움직였다. 그때 흑인이자 내 친구인 앤디가 거리낌 없이 비서에게 물었다.

"회비를 얼마나 인상해야 하죠?"

비서는 입술을 오므리고 심각하게 생각하는 듯하더니 말했다.

"계산해보니 한 달에 2달러면 그럭저럭 괜찮을 것 같습니다."

앤디는 나를 보고 말했다.

"자네는 얼마나 필요하다고 생각하지?"

"적어도 그보다는 두 배 이상이야. 교섭위원 한 명을 해고하지 않으려면 말이지."

나는 비서의 반론을 기다렸지만, 그는 입을 열지 않았다. 비서도 대략 그렇게 계산하는 것 같았다.

"망할 놈."

누군가 나를 겨냥해 말했지만 어조는 바뀌어 있었다. 더는 고함이 아니었다. 어떤 이는 이제 막 긴장을 풀고 있었다. 그때 브리지스가 일어났다.

"자, 여러분은 다 함께 이 문제를 풀어야 할 겁니다."

브리지스는 도시 외곽에 있는 본부로 돌아가기 위해 문 쪽으로 향하면서 계속 말을 이었다.

"조합원들에게 솔직하게 다 이야기해야 합니다. 회비도 인상해야 하고요. ……본부 이사회에서 당신들 지부를 관리 상태에 두고 사람을 파견해 대신 운영하게 하는 걸 바라지 않는다면 말입니다."

정말이지 그는 존경할 수밖에 없었다. 그는 해답을 제시하는 태도를 보이지 않으면서도 지부가 해야 할 과제를 분명히 가리켰고 위협적인 최후통첩을 날렸다. 만일 관리 상태로 넘어갈 경우, 회의에 참석한 유급 간부들은 따뜻한 사무실에서 부두로 쫓겨나 다시 화물을 날라야 했다. 브리지스가 돌아간 후에도 계속 침묵이 흘렀다.

"이제 감사관의 보고서에 대해 얘기합시다."

나는 정적을 깨며 입을 열었다. 그리고 회의에서 더 이상 '후레자식'이라는 말도 듣지 않았다.

비합리적 인종 편견은 대체로 교육을 통해 종식이 가능하다. 또한 다른 인종과 친밀한 관계를 맺으며 해결하는 방법도 있다. 하지만 계급은 다른 문제다. 계급의식은 태어날 때부터 주입받고 배운다. 일단 꽉 차게 주입된 계급의식은 죽을 때까지 계속된다.

어떤 이들은 비천한 인격을 가지고도 자신은 태생적으로 다른 이보다 낫다고 생각한다. 또한 어떤 이들은 죽을 때까지 열등감을 느끼면서 살아간다. 물론 미국에서 태어나면 이런 대부분의 문제들을 피할 수도 있다. 하지만 미국에서도 계급은 여전히 존재한다. 그리고 미국의 계급은 좋은 결과, 나쁜 결과를 동시에 낳는다는 점에서 다른 나라들보다 훨씬 복잡하다. 이 때문에 미국에서 계급이라는 개념은 하나가 아닌 두 가지 방식으로 이해된다.

많은 제3세계 국가에서는 귀족, 부르주아, 소농 같은 계급 구분이 여전히 강하게 남아 있다. 또한 이 구분에는 포함되지 않은 다른 부류들이 영국과 프랑스의 외곽, 매우 외진 유럽의 다른 지역에 존재하는 경우도 있다.

다른 나라 사람들보다 우월감이나 자부심에 민감해서이기도 하지만 대개 미국인이라면, 외국 여기저기서 마주치는 계급 구조에 다들 깜짝 놀란다. 수년 전 나는 한 동행과 멕시코의 깊은 시골에서 말을 타고 가고 있었다. 그러다 작은 당나귀를 타고 소 네 마리를 몰며 길을 내려오는 소년과 마주쳤다. 그 언덕 윗부분은 울타리가 있는 목초지였고, 철조망 네 줄이 출입을 막고 있었다. 언덕 아래 비탈은 땅이 거친 방목지였다.

우리는 열 살쯤으로 보이는 소년이 작은 가축을 몰고 지나가도록 길을 비켜주었다. 바로 그때 언덕 아래서 울타리 쪽으로 가는 암탕나귀가 보였다. 암탕나귀는 귀를 쫑긋 세우고 경계를 하며 우리 반대쪽 울타리를 몇 미터 지나다가 멈추더니 꼬리를 휙 움직였다. 그러자 소년이 타고 있던 작은 수탕나귀가 갑작스레 생기를 띠었다. 눈을 굴리고 코를 힝힝거리고 앞다리를 들어 소년을 떨어뜨리고는 울타리 반대편에 있는 암탕나귀를 향해 직선으로 내달렸다. 발정이 난 것 같았다.

실로 그 수탕나귀의 열정은 장애물조차 개의치 않았다. 당나귀가 하도 세게 울타리에 부딪혀서 철조망 휘는 소리가 크게 날 정도였다. 수탕나귀는 철조망이 늘어질 정도로 나아갔다가 다시 튕겨 나오더니 단념하지 않고 힘을 모아 다시 울타리로 돌진했다. 마침내 세 번째 도전에서 철조망이 끊어졌고 수탕나귀는 울타리 반대편으로 달려갔다. 하지만 암탕나귀는 수탕나귀가 울타리에 처음 부딪혔을 때 깜짝 놀라 줄행랑친 참이었다. 수탕나귀는 그 뒤를 쫓아갔다. 암탕나귀가 언덕 너머로 사라지고 그 뒤를 바싹 뒤쫓는 수탕나귀의 모습이 우리가 본 마지막 장면이었다.

동행과 나는 말에서 내렸고, 나는 고삐를 동행에게 맡긴 뒤 소년이 일어서도록 도와주었다. 소년은 일어나 엉덩이를 툭툭 털었다. 크게 다친 것 같지는 않았지만 놀란 모양이었다. 사라져버린 두 당나귀 쪽을 바라보더니 아랫입술을 떨었다. 울음을 터뜨리려는 것 같았다.

"흑흑⋯⋯."

소년이 소리 내어 울었다.

"아버지한테 혼날까 무서워요. 화를 많이 낼 거예요⋯⋯."

소년은 당나귀를 잃어버려 아버지한테 야단을 맞을까 봐 무서워했다. 소 네 마리는 몸을 우리 쪽으로 향하고 지시를 기다리듯 우리를 쳐다보고 있었다. 어디로 가야할지 모르는 듯했다. 소년은 계속 울었다. 흘러내린 눈물이 뺨으로 떨어졌다. 우리가 온 방향으로 조금만 가면 울타리가 있는 방목장 출입문이 있었다.

"걱정 마."

나는 소년에게 말하며 문을 가리켰다.

"저기 언덕 보이지?"

나는 말고삐를 소년의 손에 쥐어주었다.

"말을 가지고 가! 당나귀를 찾아와."

소년은 입이 딱 벌어졌다. 얼굴에 걱정이 가시고 이내 놀란 듯 신기한 표정이 떠올랐다.

"말을요?"

소년은 믿기지 않는다는 듯 말을 쳐다보았다.

"그럼. 어서, 어서!"

소년이 오래 지체한다면 당나귀를 잡지 못할 터였다.

"오, 아니에요. 어르신. 고맙지만 괜찮습니다. 제가 말을 탄다고요? 감사하지만 안 돼요."

소년은 고개를 절레절레 저었다. 이번에는 내 쪽이 의아해졌다. 짧은 스페인어를 써가며 말을 빌려주려 했는데 받지 않다니. 소년이 자기가 어르신의 말을 빼앗는다고 생각할 거라고는 예상하지 못했다. 이건 소년에게 당나귀를 놓치는 것만큼이나 무서운 일이었을 것이다. 즉 이 아이에게는 철조망에 찢고 달아난 당나귀보다 자신의 사회적 신분에 걸맞은 행동이 더 중요했던 것이다. 고작 열 살인 소년에게 이미 그런 생각이 뿌리내리고 있었다.

미국에는 이런 식의 계급의식은 존재하지 않는다. 하지만 다른 유형의 계급이 존재하며, 미국인이라면 누구나 자신의 사회적 위치나 피부색이 무엇이든 자기 계급을 잘 알고 인정한다. 모두가 예외 없이 자신의 신분과 계급에 걸맞지 않은 품행을 저지르는 걸 원치 않는다.

미국인들에게 있어 계급의식이 있다는 말은 서로에게 할 수 있는 최고의 찬사다. 여기서의 이 표현은 계급(class)이지 고급(classy)이 아니다. 고급은 생활양식, 태도, 예의를 나타내는 개념으로 후천적으로 얻거나, 그런 척을 할 수도 있다. 하지만 계급은 지니는 것이며, 타고나는 것이다. 또한 이 타고난 계급은 무형의 실체라, 정의를 내리기보다는 묘사하는 쪽이 쉽다.

한번은 노조의 이사회 회의에서 한 흑인 동료와 싸움을 벌인 적이 있다. 서로에게 큰 상처를 입히기 전에 끝났으니 사실 대단한 싸움은 아니었다. 기본적으로 이 싸움은 내가 자제력을 잃은 탓에 일어났지만, 그렇다고 내가 싸움을 유발한 것은 아니었다. 상대는 이름이 스티치였고 시끄럽고 사나웠다. 말과 행동 전부가 남의 관심을 끌려고 하는 사람이었다. 대체로 사람들은 직업소개소나 일터에서 스티치의 행동에 신경을 껐다. 하지만 그때는 그가 이사회 회의에 난입해 방해를 하는 바람에 안건을 하나도 처리할 수 없는 상황이 벌어졌다.

스티치는 대결 상대를 원했고, 그 상대로 나를 택했다. 나는 스티치를 퇴장시키자는 발의를 냈고, 스티치는 싸움을 걸기 위해 역으로 내 발의에 재청을 신청했다. 그리고 옥신각신하다가 내가 주먹을 세 방 날렸다. 그중에 한 방만 맞았는데, 그것도 가벼운 펀치였다. 결국 싸움은 끝나고 회의는 중단되었으며 안건은 하나도 처리하지 못했다.

함께 일하는 동료들의 반응은 작고 조심스러웠다. 다음 날 아침, 소개소에서 만난 백인 동료 둘은 내가 '그를 흠씬 두들겨 패지' 않아서 아쉬웠다고 말했다. 나는 아무 대꾸도 하지 않았다. 그들은 계속 싸웠다면 흠씬 두들겨 맞는 사람이 내 쪽이 될 수도 있다는 걸 생각하지 못하는 것 같았다.

흑인 친구들은 그 화제를 조심스레 피했다. 하지만 흑인들이 우정과 지지를 드러내 보일 때면 으레 그러는 것처럼, 곁에 와서 인사를 건네고는 잠깐 있다가 가곤 했다. 그렇지만 이틀 뒤, 한 흑인 동료가 그 일에 대해 결정적인 발언을 했다. 그의 이름은 밥이었고, 젊지만 실력이 좋아 일찍이 주임 자리에 오른 동료였다. 승진하기 전에 함께 자주 일한 터라, 나는 그를 잘 알고 있었다. 밥은 주임의 몫을 탁월하게 해냈다. 그와 일하는 사람들은 '그를 위해' 일하는 게 아니라 '함께 일한다'고 느꼈다.

다른 주임들에게는 없는 능력이었다.

　이사회 회의에서 그 사건이 일어나고 이틀 후, 나는 밥이 일하는 부두에서 지게차를 몰게 됐다. 부두 출입문을 통과한 다음 지게차를 받아 배 옆까지 몰고 가서는 일의 지시를 기다릴 때였다. 잠시 후 밥이 회사 트럭을 몰고 오더니 내 지게차 옆에 댔다. 그와 나는 30센티미터 정도의 거리에서 얼굴을 맞대고 있었다. 밥이 나를 보고는 고개를 저었다.

　"그런데 왜 그랬소?"

　"뭘요? 무슨 말이지요?"

　"이사회 회의에서 스티치와 싸웠다고 들었소."

　"아, 그거요. 싸움도 아니었어요."

　밥은 또 고개를 저으며 말했다. 자신이 들은 얘기를 믿기 어렵다는 눈치였다.

　"왜 그런 보잘것없는 계급의식도 없는 녀석한테 대응한 거요?"

　밥은 기어를 넣었다.

　"5번 화물창에서 날 도와주면 어떻겠소?"

　이렇게 말하고 밥은 출발했다.

　　　　　　　　　　　　　　　　　　　　계급의 울타리

당시 대응반에서는 파업 불참자에게 주먹맛을 보여주기 전에
마음을 바꿀 기회를 주었다고 한다. 굶주림 때문에 이 일에서 빠지려 들면
그를 돌봐주거나 자신의 전표를 주기도 하고, 파업위원회로 보내 그와 가족의 생계를
보장해주었다. 결혼한 사람이 거절한 경우에는 손봐주는 대신 집으로 순순히 돌려보냈다.

11

불참자를 방문하는 사내들

빅은 남 놀리는 걸 즐기는 사람이었다. 그런 사람들 있지 않은가. 그는 결코 '안녕하세요, 어떻게 지내요?'라고 인사하는 법이 없었다. 보통은 욕을 섞고 비꼬았다. '어이, 챔피언, 요즘도 지저분한 엉덩이 아가씨 쫓아다녀요?' 같은 식의 인사였다. 또한 그런 사람들이 대개 그런 것처럼, 그도 이런 농담을 내뱉는 건 좋아했지만 자기가 듣는 건 싫어했다.

　빅은 한창 나이인 마흔 셋에 차츰 대머리가 되고 있어서 신경을 쓰는 듯했고, 모발 이식을 했다. 의사는 숱이 많은 빅의 뒤통수에서 모낭을 뽑아, 머리칼이 없는 정수리 부근에 옮겨 심었다. 수술 후 처음 봤을 때 빅의 머리에는 몹시 가려울 것 같은 작은 상처들이 줄줄이 나 있었다.

마침내 상처에서 아주 작은 가닥의 머리카락이 나왔고, 빅은 예전으로 돌아왔다. 내가 전 부인과 이혼 절차를 밟고 있을 때, 빅은 늘 이런 말을 던졌다.

"결국 아내가 자넬 차버렸군. 응, 친구?"

"저리가, 빅. 좀 꺼져버리라고."

늘 하던 판에 박힌 농담이었지만 이게 결국 화근이 되었다. 어느 날 일 배분을 기다리며 동료 서넛과 특별할 것도 없는 대화를 하고 있는데 빅이 들어왔다. 이식한 머리카락이 5센티미터 정도 드문드문 멋대로 자라서는 똑바로 서 있었다. 빅은 혹시나 몇 가닥이라도 빠질까 봐 빗질을 꺼리고 있었다. 빅이 내게 말했다.

"어이! 자네 새 여자 친구 봤어. 못생겼더라고!"

"내 여자 친구 앞에서는 그런 얘길 입 밖에 내지 않는 게 좋을 거야. 그랬다간 엉덩이를 걷어차일걸!"

"아니, 내 말은 그게 아니고. 그 여자를 봤는데……, 추녀더라고!"

"그래? 근데, 적어도 내 애인은 정수리에 겨드랑이 털이 난 녀석하고는 연애하지 않을걸."

이 말이 툭 튀어나왔다. 어딘가에서 읽은 말이었을 텐데, 이건 내가 일주일 동안 한 말 가운데 가장 웃긴 말이었다. 모두 바보처럼 웃어댔고, 나도 웃음을 터뜨렸다. 하지만 잔뜩 화가 난 빅은 내게 와서 주먹을 날렸다.

"도와줘!"

나는 물러서며 외쳤다.

"도와줘! 스코티? 프루이트? 도와줘! 이 자식 좀 떼줘!"

나는 덩치 큰 브룩스의 뒤로 숨었다. 빅이 몸을 휙휙 움직이며 날 잡으려 했고, 브룩스는 웃으면서 막아주었다. 그때 일 배분이 시작되어서, 빅도 일거리를 받기 위해 줄을 서야 했다.

얼마 후 빅이 선박 일을 하게 되는 바람에 한동안 그를 보지 못했다. 그리고 1년이 지나서야 우연히 마주쳤다. 빅은 나와 싸운 일을 다 잊어버리고 있었다. 머리도 잘 자라 있어서 꽤 괜찮았다.

서부 해안 부둣가에서 일어나는 폭력의 수준이란 고작 이 정도다. 늘 사적인 경우였고 크게 다치는 경우도 드물었다. 영화에서와는 달리 사람을 죽이기까지 하는 폭력은 아니었다. 영화 속에서 부둣가는 밤에만 존재하는 불길한 장소로 묘사된다. 비가 부슬부슬 내리고 젖은 거리에서는 자동차 추격전이 벌어지며, 전조등 불빛이 비추고 간간이 총소리도 들리고, 끼익 하고 타이어 긁히는 소리가 나고, 유리창이 깨지는 곳. 그러나 부둣가를 누군가의 일터로 그리는 경우는 아주 드물다.

부둣가에 난폭한 사내들이 없다는 말은 아니다. 부두노동자를 자칭하는 사이코패스와 반사회적 성격장애를 가진 이도 많다. 하지만 때때로 주먹 한두 대를 날리는 걸 제외하면 일터에서 폭력이 벌어지는 일은 없다. 사이코패스들도 다들 부둣가 밖에서 범죄를 저지르는 것 같다.

물론 노동계약서에도 작업장 내 폭력에 관한 처벌 규정이 명시돼 있다. 하지만 형법과 마찬가지로 이 규정이 항상 폭력을 막을 수 있는 건 아니다. 사실상 이를 막아주는 바람막이는 부둣가에서 일어나는 문제나 사안들이 서로에게 폭력을 휘둘러 해결하기에는 너무 중요한 것이라는 모두의 암묵적 합의이다.

한편 1930년대 그리고 제2차 세계대전 직후에는 서부 해안의 부둣가에 폭력이 만연한 적도 있긴 했다. 내 생각에 다시 그런 상황이 올 수도 있을 듯하다. 당시 벌어진 부두노동자들의 파업은 (부두노동자와 선원 대 선박 회사, 부두 인력 회사, 그리고 이 회사들이 이용한 경찰, 주방위군, 용역 깡패들 간) 그야말로 격전이었다. 노동자들은 힘센 사람들을 뽑아 대응반을 꾸려서 싸우긴 했지만 회사 측과는 달랐다. 이들은 어디에서도 용역 깡패를 동원하지 않았다. 그저 자신들이 직접 나서서 싸웠다. 또한 파업이 끝나면 대응반을 해체하고 업무에 복귀했다. 반면 회사에서 고용된 용역들은 일거리를 찾아 또 다른 파업 현장으로 떠났다.

당시 노조원들은 가급적이면 파업 불참자 대응반에 참여하려고 노력했다. 노조에게 파업 참여는 곧 의무였다. 직접 나서서 주먹을 휘두르기도 하고, 그저 의욕적으로 참여하거나, 아예 가볍게 관여하기도 했다. 그러던 제2차 세계대전이 끝나고 몇 년 후, 파업이 일어났다. 선박 및 부두 회사 측에서 파업 불참자를 이용하려 해보던 마지막 파업이었다. 당시 대응반에 참여했던 선배 노동자 애셔가 나와 내 파트너에게 그때의 활동 이야기를 들려준 적이 있었다.

그는 윌리와 토니라는 동료와 한 조로 일했는데, 당시 대응반에서는 파업 불참자에게 주먹맛을 보여주기 전에 마음을 바꿀 기회를 주었다고 한다. 굶주림 때문에 이 일에서 빠지려 들면 그를 돌봐주거나 자신의 전표를 주기도 하고, 파업위원회로 보내 그와 가족의 생계를 보장해주었다. 결혼한 사람이 거절한 경우에는 손봐주는 대신 집으로 순순히 돌려보냈다.

애셔는 많이 배웠고 말씨가 부드러웠으며, 싸움을 좋아하는 인물도 아니었다. 그와 토니는 덩치 좋은 윌리와 함께 저녁 시간이면 불참자의 집을 방문했다. 이때 토니는 잠자코 있다가 필요할 때만 행동에 들어갔다. 이들이 저녁 시간을 택한 것은 불참자가 아내나 가족과 함께 있을 가능성이 컸기 때문이다. 윌리는 한쪽에 비켜서 있고, 위협적이지 않고 선량한 모습을 한 애셔가 현관문을 두드렸다. 그리고 안에 있는 사람이 누구냐고 물으면, 봉투를 내밀며 크게 외쳤다.

"전보입니다. 서부 지부에서 왔습니다."

그렇게 문을 열어주면, 그 틈새가 아무리 좁아도 곧바로 윌리가 먼저 밀고 들어갔다. 안으로 들어선 두 사람은 대개 주방 식탁에 앉아 있는 불참자와 마주치곤 했는데, 애셔의 역할은 파업 중에 일을 계속할 경우 아주 곤란한 일을 당하게 될지도 모른다는 요지를 간단히 전하는 것이었다. 윌리의 역할은 그저 떡하니 서서 험상궂은 표정을 짓는 것뿐이

불참자를 방문하는 사내들

었다. 윌리는 바로 이 역할에 잘 어울려서 뽑혔다. 대부분의 불참자가 남부 출신 백인 남성들이었는데, 이들은 대개 고압적인 자세로 있는 덩치 큰 흑인 남자에게 겁을 먹었다.

이렇게 용건을 전달하고 나면 두 사람은 몸을 휙 돌려 성큼성큼 걸어 나갔고 불참자의 아내는 대개 겁에 질렸다. 한편 차로 돌아가면 차 안에서는 토니가 시동을 걸어둔 채 기다리고 있었다. 누군가 경찰에 신고할 경우 빨리 도망가야 해서였다. 실로 이 전략은 대부분의 불참자들을 설득하는 데 아주 효과적이었다.

그러던 어느 날, 이 걸출한 삼인조가 전문적인 파업 방해꾼과 맞닥뜨렸다. 그가 모든 경고에도 불구하고 계속 일을 했기에, 삼인조는 자신들의 위협이 거짓이 아니라는 걸 보여줘야 했다. 토니가 제일 좋아하는 무기는 크기가 제법 되는 둥근 쇠망치에서 떼어낸 망치 머리 부분이었다. 그가 오른손으로 그 망치 머리를 움켜잡고 있는 모습은 가히 압도적이었다. 게다가 토니의 강펀치는 예술 그 자체였다. 그가 갑자기 나타나서 펀치를 날리면, 대개 상대방은 픽 하고 거꾸러졌다.

그 불참자에게 삼인조가 본때를 보여주려고 했지만, 그는 아침 버스로 출근해 부두 앞에 내려서 경찰관의 호위를 받으며 안으로 들어갔기에 맞닥뜨릴 기회가 없었다. 그래서 세 사람은 퇴근길에 그를 잡기로 하고 감시를 계속했다. 윌리와 애셔는 멀찍이 출입문에서 기다리고, 불참자가 버스를 타려고 이동할 때 토니가 곧바로 행동을 개시했다.

파업 방해꾼은 자신이 뭐에 맞은 건지도 몰랐다. 윌리와 애셔가 몸을 숨겼던 곳에서 뛰쳐나와 토니와 함께 인도에 고꾸라진 그를 붙잡았다. 삼인조의 계획은 그를 배수로에 끌고 가서 다리를 갓돌에 걸쳐놓고 한쪽이 부러질 때까지 펄쩍 뛰어올라 밟는 것이었다.

"그런데, 그때 모든 계획이 틀어졌어."

애셔가 말했다. 그가 우리에게 이야기를 들려주는 그때, 우리 셋은 찻집에 앉아 만을 바라보며 배가 들어오기를 기다리고 있었다. 시간은 오전 10시 반쯤이었고 선박은 연착되고 있었다. 우리는 8시부터 기다렸는데, 일도 안 하고 돈을 벌 수 있는 뜻밖의 횡재였다. 또 내 파트너인 몽고메리와 나는 이 고참을 아주 좋아했다. 우리는 애셔의 이야기라면 몇 시간도 들을 수 있었다.

"어떻게 됐어요?"

몽고메리가 재촉했다.

"그래, 어떻게 됐어요?"

나도 몽고메리의 말을 흉내 내어 말했다.

"음, 여자가 하나 있었지. ……버스에서 내린 여자가 토니 바로 뒤에서 마구 비명을 지르는 거야. 나와 토니가 그 녀석 다리를 한쪽씩 붙잡고 윌리는 팔을 붙들고 있었거든. 우리가 놈을 끌고 배수로로 가는데 여자가 하도 소리를 질러서 뭔가를 해야 했어. 그래서 다리를 놓고 여자한테 달려갔지. '이건 정말 괜찮은 일이에요. 노조원끼리 합법적으로 싸

불참자를 방문하는 사내들

우는 겁니다.' 내가 여자한테 말했지. '당신은 가던 길이나 가는 편이 좋을 거예요.' 그런데 여자가 계속 소리를 지르는 거야. 길 건너편에서도 몇이 우릴 보고 있더라고. 사람들이 모여들 것 같은 기미였어. 그래서 여자 팔을 붙들고 갈 길을 가게 하려고 했지.

어떻게 해야 할지 모르겠더라고. 그리고 '이건 정말 괜찮아요. 노조원끼리 합법적으로 싸우는 거라고요.' 내가 또 그랬지. 그런데 그때 퍽 소리가 들리더니, 토니가 '아악!' 하고 비명을 지르면서 사타구니를 움켜잡았어. 녀석이 토니의 사타구니를 걷어찬 거야. 토니는 몸을 구부리고 끙끙댔지. 내가 달려갔고 녀석은 몸부림치면서 발악을 했지. 결국 윌리가 그를 제압했는데, 그때 토니가 벌떡 일어나서 '이런 개자식! 죽여버릴 거야!'라고 소리 지르더니 녀석 위로 달려들더군. 그러고는 손에 쥐고 있던 쇠망치 머리로 녀석을 때리기 시작한 거야. '죽일 거야. 망할 자식. 죽여버리고 말겠어!' 하고. 정말 엉망진창이었어."

애셔가 고개를 설레설레 저으며 말을 다시 이었다.

"토니가 정말로 죽이려 들었거든. 내가 그 망치 머리를 붙잡았는데 힘을 못 당하겠더군. 토니는 정말 미친 사람 같았어. 그래서 윌리에게 도와달라고 소리쳤지. 윌리가 녀석의 팔을 놓고 토니를 꽉 붙잡아서는 간신히 녀석한테서 토니를 떼어냈어. 그래도 몸부림치고 있어서 계속 붙잡고 있는데, 그때 녀석이 벌떡 일어나서 거리로 내빼더라고. 그리고 구역 끝에 있는 공원을 대각선 방향으로 가로질러 도망치는 걸 마지막으로 봤어. 결국 토니도 포기했지.

윌리가 가자고 말하고 골목으로 갔어. 토니는 몸을 꼭 웅크린 채 끙끙거리고 있었고. 그래서 부축해줬지. 차를 댄 곳으로 가려면 모퉁이를 돌아 한 구역을 지난 다음, 거리의 절반쯤을 더 가야 했어. 그런데 모퉁이를 돌기도 전에 경찰한테 붙잡혔지."

"그게 경찰이랑 무슨 상관이죠? 경찰한테 보복당했어요?"

"경찰이 때렸어요?"

"경찰은 잘 대해줬어. 조서를 쓰지도 않았고, 그날 오후에 내보내줬어. 1930년대 파업 때부터 오랫동안 일해온 경찰관들이더군. 우릴 북부 경찰서로 데리고 가서 유치장에 넣었지. 거기에 종일 있는데 서장이 들어와서 자리에 앉더니 증명서를 꺼내더라고.

'보이지요?' 서장이 말했어. '내 철강노조 퇴직 증명서요. 그래요, 나도 노조 사람입니다. 하지만 경찰관이기도 하지요. 자, 들어보세요. 우리가 당신들을 잡은 곳에서 단 두 구역만 서쪽으로 벗어나서 불참자를 붙들고 있었다면, 내 관할에서 벗어났을 겁니다. 다음번엔 꼭 기억해둬요'라고."

애셔는 우리를 보며 활짝 웃었다.

"그러고 우릴 풀어줬어."

여전히 같은 일을 함께하는 육체노동의 일터에서는 어떤 화제든 대화를 계속할 수 있다.
이 환경이 노조원들을 노조에 헌신하도록 만들었는지도 모른다.
이런 노동자들에게는 작업 중에도 일과 관련된 논의를 진행하고 결론을 내리며,
스스로 조직화할 만한 충분한 시간이 있다. 즉 어떤 행동을 이끌어낼 수 있는
조건이 갖춰진다는 의미이다.

12

사소한 대화가 우리를 묶어주었다

자동화로 인한 일자리 축소는 육체노동의 사회적 모습에 변화를 가져왔다. 이제는 일터에 대화를 나눌 상대가 많지 않다. 하지만 이에 대한 보상 가운데 하나로, 생각할 시간이 많아졌다. 생산 라인에서 작업을 반복하니 지루하긴 하지만, 일단 일이 손에 익기만 하면 생각은 상대적으로 자유롭다. 즉 손을 움직이면서 다른 생각을 할 수 있다. 물론 계속 주의를 기울여야 하는 컴퓨터 작업은 예외다.

하지만 여전히 같은 일을 함께하는 육체노동의 일터에서는 어떤 화제든 대화를 계속할 수 있다. 이 환경이 노조원들을 노조에 헌신하도록 만들었는지도 모른다. 이런 노동자들에게는 작업 중에도 일과 관련된 논의를 진행하고 결론을 내리며, 스스로 조직화할 만한 충분한 시간이 있다. 즉 어떤 행동을 이끌어낼 수 있는 조건이 갖춰진다는 의미이다.

'작업 중에 대화'를 나누는 분위기가 연대로 이어진다면, 옛날부터 함께 조를 짜온 부두노동자들은 다른 어떤 집단들보다도 앞서 나갈 수 있다. 실제로 세계 곳곳에 있는 대부분의 부두노동자들은 스스로를 보호하고 이익을 지키기 위해 강력한 조직화를 이뤄냈다. 노조로 결속돼 있든 아니든 말이다. 샌프란시스코의 부두노동자들도 예외가 아니었다. 우리는 화물창에서 일과 노동조건을 주제로 뜨거운 논쟁을 자주 벌였다. 또한 논쟁의 많은 주제들이 다음 노조 회의에 안건으로 올라왔다.

처음에는 주로 화물을 주제로 잡담이 시작되곤 했는데, 그 대화는 우리 자신이나 정치, 심지어 부두노동과도 전혀 상관없는 방향으로 흘러가곤 했다. 한번은 호주 선박 화물창에서 사과를 내리는데, 한 조원이 라벨을 보려고 상자를 휙 뒤집어 세우더니 말했다.

"이봐요. 도대체 태즈메이니아가 어디요?"

"오스트레일리아 남쪽에 있는 섬이지. 그런데 뭐 문제 있소?"

그러자 그가 답했다.

"이 사과가 거기서 왔다는구먼."

모두가 관심을 보이다가 일하면서 대화는 잦아들었다. 하지만 이야기는 여전히 끝나지 않았다. 한 조원이 일하다 말고 나에게 물었다.

"근데 거기에 누가 살지?"

나는 곧바로 대답하지 않았다. 섬사람들이 스스로를 오스트레일리아 사람으로 생각할지 아니면 태즈메이니아인으로 생각할지 몰라서였다.

"바보, 태즈메이니아인이지."

누군가 말했다.

"그럼 누가 살겠어? 인도인?"

야유, 욕설, 허튼소리가 한바탕 지나가자, 한 동료는 바보를 알아보려면 바보가 필요하다고 농담을 했다. 이 얘기도 수그러들고 또 누가 다른 질문을 던졌다.

"그 사람들은 인종이 뭐지?"

우리 조는 여러 인종이 뒤섞여 있었다. 인종과 연관된 질문은 보통(항상은 아니지만) 조심해야 했다. 그래서 모두가 말없이 오랫동안 생각했다.

"흑인이지."

내가 대답했다.

"전부?"

난 뭐라 대답해야 할지 몰라 쩔쩔맸다.

"모르겠네. 토착민이 살고 있는지, 아닌지. 조지, 자네는 아나?"

나는 질문을 조지에게 넘겼다. 조지는 우리보다 조금 연장자로 신중한 인물이었다. 그는 스페인 내전에 참여해 국제 여단 산하의 아브

라함 링컨 부대에서 싸웠고, 스페인 제2공화국이 프랑코 세력에게 넘어
가자 프랑스로 탈출한 후 고국으로 돌아왔다. 그리고 제2차 세계대전에
서는 태평양에서 일본군에 맞서 싸웠다.

샌프란시스코 부두노동자 중에 스페인 내전에 참여했던 사람이
약 스무 명 정도였는데 조지도 그중에 한 명이었다. 좌파 부두노동자들
은 이들을 존경했다. 나는 부둣가에서 몇 년을 보내면서 참전 용사 대부
분을 만났는데, 그들을 소개하는 말끝에는 꼭 이런 말이 덧붙었다.

"알다시피, 스페인 내전에서 싸웠습니다."

참전자들은 이런 소개를 정중하고 겸손하게 받아들였지만, 시간
이 흐르자 대부분 좀 불편해했다. 나 역시 이상하다는 생각이 들었다. 그
들은 영웅이었지 결코 우상은 아니었기 때문이다.

몇 년 후 나는 조지와 가까워졌다. 처음 대면했을 때는 한번 떠볼
심산으로 조지를 뒤흔들어보기도 했다. 악수 중에 '알다시피, 스페인 내
전에 참전했습니다'라는 소개를 받자, 나는 그의 오른손을 계속 꽉 쥔 채
'오, 그래요? 어느 쪽에서요?'라고 물었다. 주위에 있던 모두는 어이가
없어 말문이 막힌 듯했지만 조지는 여유롭게 웃었다.

"물론 진 쪽이죠."

그날 화물창에서는 점심시간이 될 때까지 태즈메이니아 얘기가
이어졌다. 우리는 사다리에 올랐고, 조지는 좀 늦을 것 같다며 일을 대신
좀 봐달라고 부탁했다. 그는 자신의 말대로 좀 늦게 돌아왔지만 일에 지

장이 생길 정도는 아니었다. 몇 번인가 화물을 쌓아 밖으로 보내고 나자, 조지가 줄 쳐진 노트를 꺼내들었다. 그러고는 노트를 보며 다음과 같이 알려주었다.

"순수 혈통인 마지막 태즈메이니아인은 1892년에 죽었군요. 태즈메이니아인 혈통을 이어받은 마지막 사람은 1916년에 죽었고 말이오. (태즈메이니아인 피를 이어받은 사람이 몇 명인지는 적혀 있지 않았다.) 태즈메이니아 원주민은 근본적으로 오스트레일리아 원주민과 같은 인종이라고 합니다."

점심때 집에 가서 백과사전을 찾아본 모양이었다.

"이것 봐요!"

조지는 놀란 얼굴로 덧붙였다.

"오스트레일리아 원주민은 금발로 태어난다는군요! 그럼 열두 살이나 열세 살까지만 금발인 건가?"

조지 덕에 우리는 오후 내내 머리 색깔 이야기를 이어갈 수 있었다. 나아가 그는 노조 정치 활동에 참여해 결국 우리 지부의 비서 및 회계 담당자에 당선되기도 했다. 그는 양심적이고 정직했으며, 우리 지부 최고 비서들 중에 하나였다. 조지가 비서였을 때 나는 부대표였고, 서로 손발이 잘 맞았다. 그는 정치 이야기를 할 때 이념적인 용어(이는 공산주의자였던 많은 이들의 특징이다)를 쓰는 일이 없었고, 내가 무슨 화제를 꺼내든 함께 이야기했다. 조지는 내가 가지고 있던 견해를 잘 파악하고 있었다. 한번은 조지에게 다음과 같은 얘기를 한 적이 있었다.

마르크스주의의 실패 원인 중에 하나는 자신들의 분석 체계를 자기에게는 적용하지 못한 것이라고 말이다. 또한 자신들의 신조와 원칙을 역사보다 우위, 또는 역사 바깥에 두면서 자기 자신을 역사라고 생각했다는 점도 있다. 이런 지적 엘리트주의는 위험한 독선일 뿐만 아니라 마르크스주의에 반한다. 비판을 거부한 독단적인 마르크스주의는 수년 후 스탈린, 스탈린주의, 강제 노동 수용소로 이어졌고 그 결과 유럽과 미국의 많은 좌파 세력들이 사라졌다. 요컨대 좌파가 민주적 사회주의를 달성하지 못한 이유는 스탈린주의 탓이다. 사회주의는 스탈린주의로 신뢰를 잃어버렸다.

나는 이 같은 일련의 비판이 조지의 신경을 건드릴 것이라고 생각했다. 하지만 아니었다. 조지는 잠깐 생각하더니 이렇게 대답했다.

"그래, 자네 말이 맞는 것 같군."

조지는 몇 년 전 석면증으로 죽었다. 우리는 부두에서 자주 석면을 날랐다. 처음에는 남아공에서 온 석면 화물, 나중에는 엄청나게 많은 수출용 석면을 선박에 실었다. 그 석면은 금광맥인 시에라네바다 산맥에서 채굴한 것이었다.

혁명은 사소하지 않지만 사소한 것에서 시작된다.

미야모토 테루

공장은 순식간에 사라져버렸다. 엔지니어와 사무직 노동자들은 공장을 지키려고 했던
육체노동자 동지들과 합류하지 않았다는 실수를 범했다.
만일 이들 모두가 일찍 힘을 합쳤다면 어느 정도 성공을 거두었을 가능성도 있었다.
결국 일거리 대부분이 사라졌고, 얼마 후 공장은 복잡한 설계 작업을 제외한
모든 작업을 외주업체에 맡겼다. 물론 공장은 여전히 그곳에 있다.
판자로 막지 않은 창은 깨져 있고, 철길 침목 사이에는 잡초가 자라고 있다.

13

모욕당한 일터는 어디로 가는가

공장이 문을 닫고 모든 작업 공정이 해외로 이전되면, 당연히 일자리가 사라진다. 또 그 여파는 끝이 없다. 일자리, 북적거리던 일터, 공장이 있어 가능했던 생활들. 우리에게 '전부'라고 할 수 있는 것들이 재빠르게 사라졌다.

1970년대 말, 부두 일에도 자동화 설비가 심각한 영향을 끼치기 시작했다. 10년간 대기 상태로 있던 컨테이너가 천천히 작업에 도입되면서 퇴직자를 충원하지 않는 자연 감원이 발생했다. 퇴직자들의 자리는 채워지지 않았고, 노동자들도 점차 일감 나누기를 꺼리게 되면서, 어느새 일거리도 줄어들었다.

해외 수송이 간편화되고 비용 절감 정책이 시행되면서, 모든 것들이 수출입 컨테이너에 적재되었다. 여남은 인원들이 예전에는 100명이 하던 일을 맡았다. 다행인 것은 부두노동자들의 경우 자동화로 일이 줄어들어도 노동계약에 따라 주급을 보장받았다는 점이다. 다시 말해 일이 줄어도 급여가 줄어드는 건 아니었다.

하지만 스스로를 보호하지 못한 다른 산업 분야 노동자들은 엄청난 충격을 받기 시작했다. 그 결과, 우리가 일손이 부족할 때면 이들 중에 많은 수가 우리 쪽에 와서 일하기 시작했다. 우리도 그들을 도와주었지만, 우리 역시 난관을 맞이한 상황이었다. 그렇지만 그들은 여전히 우리를 찾아왔다.

실제로, 부두에 일거리가 많았던 수년간은 일을 나누는 게 가능했다. ILWU 산하의 자매 지부들, 파업 중인 다른 육체노동자들에게 그 우선권이 돌아갔다. 우리에게 여분의 일이 있는 날에는 그들도 부두로 와서 꽤 많은 돈을 벌어 갈 수 있었다.

부두노동자들은 이것을 노동계급의 연대가 확대된 결과라고 생각했다. 항구가 배들로 꽉 찬 날에는 사무직 노동자를 포함해 모두와 일을 나누었다. 한번은 파업 중인 오토로우 자동차 판매상들에게 일을 나눠주었는데, 경찰관이 온 적도 있었다. 당시 신참이었던 나는 일터에 경찰이 나타난 것을 처음 보고 깜짝 놀랐다. 난 궁금해서 묻지 않을 수 없었다.

"저기요, 어떻게 된 거예요? 왜 경찰한테도 일을 나누어 주죠?"

하지만 나는 이내 입을 다물었다. 한 고참이 곧바로 주의를 준 것이다.

"진정하게, 친구."

우리는 부두 앞쪽 끝에서 작업이 시작되길 기다리고 있었다. 경찰 네 명이 작업표를 들고 나타났다. 두 사람은 심지어 경찰 셔츠도 벗지 않은 채였다. 셔츠 주머니에는 옷감이 상하지 않게 배지를 달 수 있는 작은 쇠고리가 박혀 있었다.

"전 이해가 안 가는데요."

내가 말하자 고참이 답했다.

"어리석게 굴지 마. 이다음에 우리가 파업할 때 저들이 우리 편에 서야 하니까."

하지만 자동화로 우리도 심각한 타격을 받으면서 일거리가 궁핍해졌다. 일거리 나누기는 말할 것도 없었다. 아주 좋지 않은 상황이었다. 다른 산업에 근무하는 노동자 대표들이 우리 이사회 회의에 나타나 도움을 청하기 시작했다. 나누어 줄 만한 일거리는 없었지만, 그들이 직접 할 수 있는 일에 대해 조언해주는 것은 가능했다. 디젤 펌프와 터빈을 생산하는 공장에서는 육체노동자 전체가 단계적으로 정리해고되고 있었고, 다수가 고작 해고 2주 전에 통보를 받고 거리로 내쫓겼다.

이 공장에서는 한 조가 보통 여섯 명이었는데, 약 예순 명 가운데 가장 나이가 많은 사람은 근속 연수가 무려 38년이었다. 그는 다른 이들보다는 그래도 형편이 조금 나았다. 사회보장연금을 받을 수 있었고, 몇 년이 지나면 65세가 되어 산업연금 수령 자격도 얻을 터였다.

법률 제정에 따라 일거리가 없어지고 있다는 점에서 그들의 사정은 매우 특이했고, 이 모든 것의 시작은 캘리포니아 주의 센트럴밸리 프로젝트에서 찾아볼 수 있었다. 이 프로젝트는 겨울눈으로 뒤덮인 시에라 산맥에서 흘러나오는 물을 막아 건조 지역에 공급하는 초대형 댐과 운하를 건설하는 프로젝트였다. 이 프로젝트에는, 일거리를 창출하고 산업을 뒷받침하기 위한 다양한 조치들 중에 하나로 모든 장비와 용품을 미국산으로 써야 한다는 기획 법안 부칙이 덧붙었다. 덕분에 디젤 펌프와 기타 관련 물품들을 생산하는 공장들도 건립될 수 있었다.

이 공장에서 일하는 400명의 고용인 중에는 기사들이 많았다. 이들이 장비를 설계하면, 육체노동자들이 그 장비를 생산했다. 댐과 운하는 이들의 노력으로 생산된 제품으로 만들어져 캘리포니아의 위아래로 거의 1,600킬로미터까지 뻗어 나갔다.

이 공장은 제2차 세계대전이 가져다 준 전무후무한 작업량을 토대로 성장하기 시작해 40년간 번영했고 규모를 확장했다. 그런 의미에서 센트럴밸리 프로젝트는 공장에 새로운 활력을 준 구세주였다.

한편 육체노동자를 대변하는 국제기계공조합은 수년간의 협상을 통해 대략 전국 표준에 이르는 노동계약을 타결했다. 덕분에 미국의 번영기에는 공장과 노동자들도 함께 번성했다. 하지만 이 번영기는 노동자에게 우호적이지 않았던 주 정부가 법안에서 자국 생산품 조항을 삭제하면서 막을 내렸다.

얼마 안 가 공장의 평형 상태가 무너졌다. 한물간 장비들은 교체될 기미가 없었고, 새 기계들은 포장되어 대한민국으로 보내졌다. 재앙의 전조였다. 전략적 위치를 점하고 있던 국제기계공조합은 사무직 노동자와 기술자를 설득해, 공장을 구하고 모두의 일자리를 구하려는 공동의 노력에 이들을 합류시키려고 애썼다. 하지만 이 교섭은 아예 시행되지 않고 거절당했다기보다는 방치되다시피 했다. 최고급 기술을 보유한 사무직 노동자 엔지니어들은 자신들에게 다가오는 위협을 생각하지 못했다. 자신들의 직업은 안전하고 직장 생활이 계속 유지될 것이라고 믿었다. 더군다나 공장 경영자들은 육체노동자들에게, 세계경제에 적응하려면 스스로를 더 효율적이고 경쟁력 있게 만들어야 하며, 필요할 경우 부가 혜택을 포기하고 심지어 임금 인상도 삼가야 한다고 공표했다. 이들은 기업 전체를 해외로 이전할 계획을 세우면서도 노동자들로부터 경제적 양보를 얻어내려고 기를 썼다.

채 반 년도 안 되어, 육체노동자들은 해고로 완전히 파괴되었고, 남아 있는 수도 얼마 없었다. 그리고 이 생존자들 중 여섯 명이 지부장이 회의를 주재하고 있던 우리 이사회에 모습을 드러냈다. 이들에게 닥친 문제들을 그들의 입으로 직접 들은 후, 우리는 모두 침묵했다.

지부장이 마침내 입을 열었다.

"자, 의견 있는 사람 있습니까?"

회의에는 업무 배치 수석담당관을 포함해 지부의 모든 간부가 참석해 있었다. 누군가 물었다.

"여분의 일거리가 좀 있습니까?"

"내일 오전 일을 보면 우리마저 절반은 쉬어야 할 노릇입니다."

업무 배치 수석담당관이 대답했다.

"다음 주 내내 그럴 것 같습니다. 이후에도 크게 나아지지 않을 것 같군요."

모두 잠시간 이 사안에 대해 골똘히 생각했다. 그때 한 교섭위원이 화난 듯 언성을 높였다.

"공장을 폐쇄해버리는 건 어떻소?"

"어떻게 말이지요?"

지부장이 묻자, 그는 공장 기계공들을 둘러보았다.

"지금 모든 기계들이 대한민국에서 컨테이너로 들어오고 있지요. 맞습니까?"

그들은 1분 정도, 낮은 목소리로 이 질문에 대한 답을 준비했다. 이윽고 그들의 대표자로 보이는 연장자가 '맞습니다'라고 대답했고, 나머지 다섯도 '이봐, 이 사람들은 부두노동자라고, 이건 당장 행동에 나서라는 거 아니겠어?'라는 듯 고개를 크게 끄덕였다. 교섭위원이 말했다.

"좋습니다. 그렇다면 이제 피켓 라인을 설치하세요. 그러면 우리는 그 피켓 라인을 넘어갈 수 없을 거고, 그 컨테이너 하역에 손끝 하나 대지 않을 겁니다."

기계공들은 어리둥절한 것 같았다. 지부장이 물었다.

"어떻게 하자는 겁니까? 이 사람들이 부두 전체에 피켓 라인을 설치해야 한다는 말씀입니까?"

어떤 이가 덧붙여 대답했다

"맞습니다. 피켓 라인 설치를 적법하게 하려면(즉 금지명령을 받지 않으려면) 그걸 이들의 일터에 설치해야 합니다."

교섭위원이 말했다.

"좋습니다. 이렇게 하면 됩니다. 일단 공장에 피켓 라인을 세우고, 그다음엔 그걸 부두까지 연장하는 겁니다. 그렇게는 가능합니다. 컨테이너에 이들의 일거리가 들어 있으니까요. 이는 태프트하틀리법의 제2 보이콧 조항에 적법합니다. 그런 행동에 대해 합법 판결을 내린 선례도 있고 말이오."

교섭위원이 다시 기계공들을 향해 물었다.

"요즘 계속해서 대한민국에서 온 화물을 내리고 있지요?"

기계공들은 다시 숙덕거렸다. 지부장이 교섭위원에게 말했다.

"이들이 어떤 항구에서 시위를 벌여야 할지부터 말해주시겠소?"

"대한민국에서 온 화물이 담긴 컨테이너를 내리는 부두이지요."

그러자 지부장이 투덜거렸다.

"젠장, 대한민국에서 오는 컨테이너는 정말, 떼로 몰려와요. 선원들도 컨테이너 내용물의 절반이 뭔지도 모를 정도요."

몇몇 이사들 사이에서 논쟁이 벌어졌다. 그때 기계공의 대표가 헛기침으로 목을 가다듬자, 다들 입을 다물고 기대에 찬 눈초리로 그를 바라보았다. 하지만 대표도, 그의 동료들도 아주 만족스러운 표정은 아니었다. 대표는 침울하게 말했다.

"음…… 아직 하역장에서 일하고 있습니다. 대부분 분류 작업이지요. 그런데 이 컨테이너 대부분은 곧장 주 곳곳으로 운송됩니다."

그러다가 그의 표정이 좀 밝아졌다.

"그래도 우리는 이 컨테이너의 소재를 거의 알고 있소."

이들의 문제는 사실 피켓 라인이나 대응반으로 해결할 만한 것들이 아니었다. 우리에게는 그들이 바라는 어떤 도움도 준비되어 있지 않았고, 이들을 위해 할 수 있는 것도 없었다. 다만 우리가 한 일은 돈을 모아 다음 노조 회의에서 전달한 것뿐이다.

공장은 순식간에 사라져버렸다. 엔지니어와 사무직 노동자들은 공장을 지키려고 했던 육체노동자 동지들과 합류하지 않았다는 실수를 범했다. 만일 이들 모두가 일찍 힘을 합쳤다면 어느 정도 성공을 거두었을 가능성도 있었다.

결국 일거리 대부분이 사라졌고, 얼마 후 공장은 복잡한 설계 작업을 제외한 모든 작업을 외주업체에 맡겼다. 물론 공장은 여전히 그곳에 있다. 판자로 막지 않은 창은 깨져 있고, 철길 침목 사이에는 잡초가 자라고 있다.

이들의 논리에 따르면, 미국인의 일자리 하나를 외국에 수출하지 않고
자국에 '보존'하는 데에는 엄청난 '비용'이 들지만, 물품을 외국에서 생산해 들여오면
그것을 더 값싸게 살 수 있다는 것이다. … 사익을 추구하는 특권층은 사무직 노동자와
육체노동자를 불문하고 모든 노동계급을 대상으로 총력전을 벌이고 있다.
하지만 일자리를 중국에 수출하고 그곳에서 생산한 상품을 다시 수입하는 행위는
어떤 경제적 논거로도 뒷받침될 수 없다.

14

일자리, 떨이로 팝니다!

미국인이라면 '실직한 비숙련 노동자는 오직 자신만을 탓할 수 있다'는 말을 다들 인정한다. 그렇게 되고 싶지 않았다면, 숙련 기술을 습득했어야 했다. 현대 산업국가가 항상 숙련 노동자와 고학력 노동자를 원한다는 것은 확실하다. 하지만 이에 대한 검토 또한 필요하다. 미국은 숙련 노동자든 비숙련 노동자든, 모든 노동자가 필요하다. 뇌 외과 의사가 중요하듯이 미화원도 중요하다.

하지만 미국은 어떤 영역에서도 노동자를 낳지 못하고 있다. 실리콘밸리 기업들은 숙련된 자국 노동자를 구할 수 없다고 불만을 터뜨린다. 이들의 불만을 그대로 믿는다면, 사람들은 이들이 정부에게 교육 및 훈련 프로그램을 점검해달라고 요청할 것이라고 생각한다. 하지만 기업들은 이런 요청 대신, 외국인을 고용할 수 있도록 이민자 할당 수를 늘려달라고 의회를 압박한다.

이런 행동은 기업들이 스스로를, 더불어 자신들의 고용 관행을 고발하는 것과 다를 바 없다. 기이하게도 현대 산업국가에서 숙련 직종에 고용하겠다고 데려오는 이민자들은 주로 인도, 동남아시아, 중동, 그리고 기본적으로는 제3세계 국가에, 모범 교육기관으로는 유명하지 않은 곳 출신이기 때문이다.

컴퓨터산업 노동자를 유입시키기 위해 이민자 할당 수를 늘리자는 의견이 제기될 때마다, 그 지역의 신문사에는 편지가 쇄도한다. 미국에서 컴퓨터공학 교육을 받은 사람들은 대다수가 석박사이지만 직장은커녕 면접 기회도 얻지 못한다. 이들은 실리콘밸리의 경영진들이, 고용할 수 있는 전문 인력이 있는데도 싼값으로 일할 사람을 원한다고 말한다. 미국으로 이주해온 외국인들은 보통 미국인 급여의 절반 내지 3분의 2를 받는다. 또한 이주민 고용조건에 따라 그들은 자신의 직장에서 벗어나기가 힘들다.

이처럼, 일거리를 수출해 실업률이 올라가는 상황에서 또다시 국내의 다른 일터에 외국인을 들여와 실업률을 올리고 있다니, 이상하지 않은가. 일거리는 수출하고 노동자는 수입하다니 합리적인 중상주의 원리에도 맞지 않는다.

그런데 반대로 주장하는 사람들도 있다. 미국에서 유명 기관 중 하나인 워싱턴 D.C의 한 싱크탱크는 세계무역 연구기관으로서, 여기의 구성원 및 대변자에는 공화당과 민주당의 두 대표도(최근에 대통령이었던 이를 포함해) 포함되어 있다. 이 단체는 미국이 수출한 일거리 덕택에 미국 시민이 전체적으로 10만 달러 내지 100만 달러, 평균 17만 달러의 이득을 보았다고 주장한다.

이들의 논리에 따르면, 미국인의 일자리 하나를 외국에 수출하지 않고 자국에 '보존'하는 데에는 엄청난 '비용'이 들지만, 물품을 외국에서 생산해 들여오면 그것을 더 값싸게 살 수 있다는 것이다. 이 배배 꼬인 논리에 따르면, 이렇게 해서 미국 소비자가 얻는 이득은 노동자 재교육과 재배치 비용, 실업 상태에 지급되는 생활 보조비의 여섯 배나 된다. 여기서 더 나아가면, 이제 미국인들은 모든 일거리를 해외 시장에 팔자는 캠페인을 시작해야 한다. 심지어 모두가 생활보호를 받는 처지가 되더라도, 받을 수당을 생각하면 이를 지체하지 말아야 한다.

자동화 역시 계속되는 위협이다. 게다가 이런 식으로 일자리가 사라지면서 수출품도 하나씩 줄어들고 있다. 그렇다면 어떤 일자리부터 팔아야 할까? 물론 우리의 수출 계획은 NAFTA와, GATT를 이은 WTO의 조항에 맞추어 수립되어야겠지만, 나는 워싱턴 D.C의 싱크탱크에서 근무하는 사람들의 일부터 먼저 팔라고 제안하고 싶다.

누군가의 존재에 값을 매긴다는 것은 어불성설이다. 일자리가 사라지면서 발생하는 가족, 지역사회, 지방의 경제적·문화적 손실에 값을 매길 수 있겠는가? 중서부의 방대한 지역이 사양 산업 지대로 쇠락했을 때, 고통을 겪은 것은 노동계급만이 아니었다. 원하는 곳 어디서나 삶을 꾸려나갈 수 있는 매우 부유한 계층을 제외하고는 육체노동자와 사무직 노동자 모두의 삶이 피폐해지고 불안해졌다. 그럼에도 우리는 금전적 가치 외에 잃어버린 진짜 가치를, 사양 산업 지대에서 살아남지 못한 이들이 치른 진짜 대가를 알지 못한다.

일자리 창출 계획, 즉 누군가 일을 계속하게끔 일자리를 만드는 계획들은 계속 비난을 받고 있다. 나는 개인적으로 이런 계획들이 아예 폐기되었으면 한다. 현재 미국에서 노동과 일자리의 개념은 그 본뜻을 잃어버린 듯하다.

육체노동이든 정신노동이든, 노동이란 가치 있는 것을 생산하는 활동이자 세상에 필요한 것이다. 그리고 일자리는 사람들이 노동을 수행하기 위해 유지하는 중요한 것이기에 세계적으로 일자리를 조성하고자 하는 노력은 숭고하다. 하지만 불필요한 일거리를 만들어내는 건 죄일 수 있다.

우리 부두에서는 다들 밑에서 일하기 꺼리는 주임이 있었다. 컨테이너 선박에는 원뿔고정쇠라는 중요한 장비가 있다. 이 장비는 갑판에 쌓인 맨 위의 컨테이너에 사용하는 것으로, 한 층 한 층 쌓인 컨테이너를 크레인을 타고 올라가 맨 위 컨테이너의 네 귀퉁이에 있는 홈에 끼우고 내려온다. 그런 뒤 크레인 기사가 다시 컨테이너를 가져와 옆 열에 차곡차곡 쌓으면 또다시 그 귀퉁이에 고정쇠를 끼워 컨테이너들을 위아래로 단단히 고정한다. 이런 작업을 반복해 컨테이너 여섯 줄을 선적하고 나면, 긴 쇠막대와 나선식 죔쇠를 이용해 컨테이너 전체를 갑판에 고정한다.

이 작업들은 만만치 않다. 죔쇠도 무겁고 쇠막대도 무거우며 원뿔고정쇠도 가볍지 않다. 이들 중 일부는 사용하는 장비에 따라 무게가 13킬로그램까지 나가며, 날씨가 사나운 날에는 컨테이너 위로 세 개 이상을 운반하기가 어렵다. 반면 작업 속도는 아주 빨라야 한다. 사람들이 컨테이너 위에 올라가 있을 때는 크레인이 멈춰 있으므로, 다들 크레인을 가능한 빨리 컨테이너 운반 작업에 돌려보내기 위해 애써야 한다. 고정 담당 선원들은 컨테이너 사이에서 잠깐 쉴 수 있긴 했지만, 쇠막대와 죔쇠를 준비하고 원뿔고정쇠도 분류해야 하는 등 다른 할 일이 많다.

척이라는 이름의 주임은 늘 일을 재촉하고 빠른 처리를 요구했다. 우리는 잠시도 쉬지 못했다. 사력을 다해 컨테이너를 고정한 후에 한숨 돌리며 힘을 비축하려 들면 꼭 그가 나타나곤 했다.

"어이, 자네들! 9번 창구에 고정쇠가 좀 필요할 거요."

척은 늘 이렇게 말하곤 했다.

"후미로 돌아가서 뭘 좀 해야 할 거요."

"선두 화물창 쪽에 고정쇠 상자가 있어요. 사람들이 쓸 수 있도록

2, 30개 정도 7번 창구 난간에 갖다 놔요."

그러던 어느 날, 한 고정 조에서 고정쇠를 후미로 나르던 절반의 조원이, 고정쇠를 선두로 나르던 나머지 절반의 조원들과 마주쳤다. 알고 보니 척이 우리에게 시킨 일 중에 많은 것들이 불필요한 작업이었다. 이는 나중에 조원 두 사람이, 척과 회사 관리자가 컨테이너 귀퉁이에서 나누고 있는 대화를 우연히 듣게 되면서 확실히 확인되었다. 관리자가 모두 바삐 움직이는 것 같다고 말하자 척이 대답했다.

"네. 저는 모두가 쉬지 않고 일하게 하는 게 좋습니다."

척은 생산량을 얼마나 늘렸는가가 아니라, 일을 얼마나 시켰는가를 이야기하며 상관의 비위를 맞추려고 애쓰고 있었다. 상황이 알려지자 척의 운명도 판가름 났다. 아무도 척과 일하려 하지 않았다. 작업 배분 시간에 척이 맡은 작업은 맨 마지막으로 채워졌다. 다른 일이 없어 척이 담당하는 부두에서 일해야 할 때는 다들 최소한으로 일했다.

그러다가 누군가 이 사실을 경영진에게 제보한 듯했다. 결국 척은 선박 일을 그만두고 시베리아의 어딘가로 발령이 났다. 그가 거기서 잘 지냈는지는 모르겠다. 내가 아는 건 고정 담당 선원들은 잘 지냈으며, 물론 생산성도 증가했다는 사실이다.

과거에는 일을 필요해서 했을 뿐, 불필요한 일을 만들어내지 않았다. 산업화 이전 중세의 농부는 밭을 갈거나 수확할 일이 없을 때는 싹이 날 때까지 쉬었다. 쓸데없이 오전에 땅을 파서 오후에 메우는 건 신의 뜻에 위배되는 행동이었다.

그러다가 산업혁명이 일어났고, 농부들은 공장으로 들어갔다. 공장주는 그들의 여가시간을 자신의 이익을 위해 쓸 수 있는 방법을 알고 있었다. 노는 손은 손해이므로 하루에 12시간 일을 시키기 시작했다. 이 노동시간을 줄이기 위해 150년 넘는 격렬한 투쟁이 벌어졌고, 마침내 산업 노동자들은 처음에는 하루 10시간 근무, 다음에는 8시간 근무 그리고 끝내 주5일근무제까지 쟁취했다.

현재 생계를 꾸리기 위해 유지하는 주 근무시간은 수십 년간 그대로이다. 하지만 점차 자동화가 이루어진 상황에서 근무시간을 이보다 단축하지 않을 이유가 없다. 주당 노동시간을 물가와 연동함으로써 매년 증가하는 노동생산성을 따라가기 위해 고되게 진행되었던 작업 시간을 이제는 줄일 때도 되었다.

노동자도 이익을 공유하는 것이 당연하며 합리적이다. 그렇게 되면 노사 교섭도 훨씬 수월해질 것이며, 노동자들도 3년마다 의례적으로 벌이는 협상용 파업을 그만두게 될 것이다. 물론 경영진들은 예민하게 사회 파국을 운운하며 이 조치에 반대할 것이며, 그 내용은 이전에 우리가 매번 들어온 것과 비슷할 것이다. 이 반응은 오래전, 노동자들이 12시간의 근무시간을 줄여달라고 처음 요구했을 때 공장주들이 보였던 반응과 아주 흡사하다.

노동생산성, 곧 노동시간당 산출되는 상품 및 서비스의 양은 생산량을 측정하는 일반적인 척도이며, 국가 경제를 건강하게 유지하려면 생산성을 향상해야 한다는 것이 경제학 제1의 법칙이 되었다. 그런데 이 이론에 동의하려면 이 생산성 논리가 끝이 없고 계속 극심한 양상으로 진행될 것이라는 불편한 사실을 감수하거나 무시해야 한다.

또한 이 논리적 귀결(점점 더 적은 노동자로 더욱더 많은 상품을 생산하려는 노력)에 수반되는 역설은 누구나 알 수 있는 것이다. 노동자가 실직하고 상품 수요가 감소한다고 치자. 이렇게 시장이 흔들리면 이 생산양식도 위태위태해질 수밖에 없다. 평균 소득이 줄어든 노동자가 소비를 줄이면 시장이 손상을 입고, 결과적으로 해고가 늘어나면서 제 살 깎아 먹기로 몰락하게 된다. 결국 생계를 위해 일하는 우리 모두는 피부색과 상관없이, 절대적 위치에 있는 권위자에게 우리 삶에 대한 결정권을 맡기는, 경제 체계의 잠재적 피해자일 수밖에 없다.

샌프란시스코의 제9 연방순회항소법원은 아무리 근속 연수가 많아도 더 적은 임금에 일할 사람이 있을 경우 나이 든 노동자를 해고할 수 있다고 판결했다. 다른 노동자들에 대해서도 마찬가지였다. 이런 판사들과 워싱턴 D.C의 싱크탱크의 지지를 받는 현 체제는 인간과 사회의 건강 같은 모든 것들보다 이윤의 극대화를 최우선으로 하는 상황을 초래해왔다.

하지만 내 비판이 잘못됐을지도 모른다. 아마도 현재 우리 경제 체계가 실패한 건 평등을 충분히 이루지 못해서일 수도 있다. 만일 지금 같은 상황을 만든 위와 같은 판결들이 누구에게든 평등하게 적용될 수 있었다면, 정의와 조화와 모두의 안녕이 넘쳐났으리라. 어느 누구도 법, 법 집행, 법정 판결에서 면제되지 않았다면 모든 게 순조롭게 돌아갔으리라. 그렇게만 되면 앞서 언급한 항소법원의 소송에서도, 심사숙고한 판결을 내려줄 더 젊은 판사를 더 적은 비용으로 쓰는 게 왜 불가능하겠는가.

많은 이들이 일자리 감소에 항의하는 것은, 사회의 진보를 이해하지 못한 탓이라고 말한다. 진보에 이의를 제기하는 것은, 옛날에 이미 사라져버린 일자리에 대한 향수에 머물러 있거나 빠져 있기 때문이라고 간주한다. 그러면서 땀 흘리는 노동에 대한 숭배를 그만두고, 역사의 편에 서라고 권고한다. 이처럼 노동자의 불만은 과소평가되고, 노동자의 비판에는 대답이 없다.

하지만 노동자들은 알고 있다. 자동화로 많은 육체노동 일자리가 사라졌지만, 남은 일거리마저 라틴아메리카, 동남아시아로 보내는 것은 자동화가 아니며, 이런 '진보'에 이의를 제기하는 것은 향수에 젖는 것과는 아무 상관이 없다는 것을 말이다.

역사도, 진보도 이곳 일터에는 없다. 이곳에서는 계급투쟁이 벌어지고 있을 뿐이다. 사익을 추구하는 특권층은 사무직 노동자와 육체노동자를 불문하고 모든 노동계급을 대상으로 총력전을 벌이고 있다. 하지만 일자리를 중국에 수출하고 그곳에서 생산한 상품을 다시 수입하는 행위는 어떤 경제적 논거로도 뒷받침될 수 없다.

일자리, 떨이로 팝니다!

현재 미국은 중국에 대한 국제수지에서 5대 1, 즉 200억 달러 대 1,000억 달러로 적자를 보고 있다. 곧 중국 무역에 관여하는 일부 미국인들이 200억 달러를 대가로 이 나라의 필수적인 일부(1,000억 달러의 부분)를 팔아먹고 있는 셈이다. 이것도 그들에게는 큰 문제가 아닐 것이다. 그들이 200억 달러를 버는 한 말이다.

기계 그 자체는 노동 시간을 단축시키지만
자본주의적으로 사용되면 노동 시간을 연장시키며,
기계 그 자체는 노동을 경감하지만
자본주의적으로 사용되면 노동 강도를 높이며,
기계 그 자체는 자연력에 대한 인간의 승리이지만
자본주의적으로 사용되면 인간을 자연력의 노예로 만들며,
기계 그 자체는 생산자의 부를 증대시키지만
자본주의적으로 사용되면 생산자를 빈민으로 만든다.

칼 마르크스

때로 역사는 구전으로 채워진다.
칠순 노인이 자신이 젊었을 때 일을 젊은 사람에게 이야기하고,
그 젊은이가 칠순이 됐을 때 그 이야기를 회상한다면,
거기에는 족히 100년이라는 긴 시간이 존재한다.

15

100년을 건너온 목소리

다른 역사들과 달리 노동자들의 역사는 제대로 기록되지 않았다. 적어도 노동자의 역사를 온몸으로 살아내고 창조해낸 사람들의 손으로 기록된 적은 없다. 그렇다고 노동자의 역사가 덜 정확해지는 것은 아니다. 다만 이는 노동자의 역사를 알려면 최고령 노동자의 기억까지 거슬러 올라가서, 그들이 목격했던 사건이나 이야기를 나누었던 사람들을 모두 망라해야 한다는 것을 의미한다.

또 다른 역사들과 마찬가지로 노동자의 역사도 잘못 쓰이는 경우가 있다. 전통적인 역사는 누군가의 이익을 위해 기록되고 수정되는 반면, 노동자들의 구술사는 개인이나 집단을 영웅으로 묘사하는 경향이 있다. 막상 그들은 보통 사람들과 똑같이 행동했을 텐데 말이다.

사람들에게는 때로 영웅이 필요하다. 이따금 의심스러운 승리 혹은 의심할 여지없는 패배 후에 노동자들이 유일하게 얻거나 떠맡는 것이 영웅의 역할이다. 신화는 그렇게 만들어진다. 그러나 실제로 그 현장에 있던 사람을 만나보면 꾸밈없는 사실을 들을 수 있다.

과실 품꾼들은 늘 샌프란시스코 부두노동자를 추앙했다. 1936년 봄, 캘리포니아 주 살리나스에서 양상추 품꾼들이 파업을 벌였다. 농장주들은 농장을 폐쇄해 품꾼들이 들어오지 못하도록 막으면서 대체 인력들에게 일을 시켰고, 주 방위군은 밭에서 양상추를 실어 오는 트럭의 운전석 위에 기관총으로 무장한 사내들을 배치했다.

파업은 여름까지 이어졌다. 이맘때 캘리포니아로 갓 올라온 오키들은 힘든 경제 여건에서 또 다른 교훈을 얻었다. 그들 중 많은 수가 파업하는 품꾼들을 대신해 일했지만, 더 많은 이들이 그러지 않았다. 공격적인 피켓 시위가 처음 터져 나왔을 때, 포장 작업장 소유주와 양상추 농장주들은 8채 내지 10채의 작업장 전체 둘레에 철책을 세우고 주위에 순찰을 돌렸다. 내부는 무장한 방위군이 지키도록 했다. 지역 경찰은 간헐적으로 피켓 라인을 급습해 무차별적으로 파업자들의 머리를 내리쳤다. 이런 가혹한 본때 보이기는 아주 용감한 사람들마저 주눅 들게 만들기에 충분했다.

실제로, 파업자들이 자체 대응반을 꾸렸을 가능성도 있지만 대부분의 폭력 사태는 용역 깡패, 제복을 입은 지역 경찰, 지역 경찰청이 조종하는 더 악질적인 폭력단이 일으킨 것이었다. 파업을 진행하고 있던 품꾼들은 바로 이 폭력단 때문에 도움이 절실했다.

그렇다면 도움을 요청할 만한 곳은 어디였을까? 북쪽으로 160킬로미터 떨어진 곳에 있는, 2년 전 굉장한 파업을 승리로 이끈 샌프란시스코 부두노동자들 말고 또 있었을까?

나는 이때의 상황들을 모두 알고 있었다. 열두 살 때, 내 눈으로 포장 작업장들을 둘러싼 피켓 라인을 보았고, 내 귀로 이야기를 들었다. 당시 어머니와 아버지는 캘리포니아 북부에서 배 포장 작업을 했고, 우리 가족은 토마토 작업이나 연안의 다른 일거리를 찾아 남쪽으로 가는 길에 살리나스에서 며칠 머무르고 있던 차였다. 이 시기에 과실 품꾼들의 파업이 많이 벌어졌는데, 특히 살리나스의 파업은 주목할 만했다. 그두 가지 이유 중 하나는 양상추 노동자들이 끝내 노조를 결성하는 데 성공했기 때문이었고, 나머지 하나는 샌프란시스코 부두노동자들 때문이었다.

몇 년간 양상추 파업에서 샌프란시스코 부두노동자들의 역할은 점차 증가했다. 당시 내가 들은 이야기에 따르면, 부두노동자들은 파업 초반에 자금을 지원했고 이후에는 노조 건설을 돕기 위해 조직책 두 명을 보냈다고 한다. 하지만 그 한두 해 동안, 힘을 꽤 쓴다는 대응반 이야기는 전혀 듣지 못한 차였다. 그러다가 수년 후, 센트럴밸리에서 칸탈루프 포장 작업을 하다가 살리나스 파업 현장에 있었던 포장 일꾼 셋을 만났다. 나는 부두노동자들이 보안관의 폭력단에 맞설 대응반을 정말로 보냈냐고 물었다. 내 앞에서 칸탈루프를 담고 있던 동료가 확인해주었다.

"응, 그랬지. 부두노동자들이 와서는 작살을 냈어. 놈들의 혼쭐을 빼놨지."

우리는 점심시간이 끝나자 다시 작업을 하려고 장갑을 끼고 앞치마를 두르고 있었다. 다른 이가 고개를 크게 끄덕이며 말했다.

"그래, 부두노동자들이 그랬지."

세 번째 동료도 고개를 끄덕이며 거들었다.

"그랬던 거 같아. 보지는 못했지만 그들이 왔다는 말은 들었네. 자네도 알겠지만, 파업이 두 달이나 지속되고 부두노동자들이 트럭에서 기관총을 꺼내 무장하니까 경찰들도 알아서 잘 처신하기 시작했다고 하더라고. 모두가 부두노동자 덕택이라고 말했네."

그 수년 뒤에는, 바로 내가 부두노동자가 되었다. 나와 파트너는 10년간 주간 근무를 뛴 후에 여름에는 야간 근무를 하기로 맘먹었다. 주간 닷새 근무를 야간 나흘 근무로 바꾸었는데, 방학이라 아이들에게 더 시간을 쏟을 수 있었고 캠핑을 가거나 해변으로 놀러가기도 했다. 또는 그저 집안일을 하며 시간을 보내기도 했다.

야간 근무는 새벽 4시에 끝났고 집에 오자마자 잠자리에 든다면 아침 10시 반이나 11시에 일어나 나머지 시간을 자유롭게 쓸 수 있었다.

또한 사나흘 연이어 여행을 떠날 수도 있었다. 심지어 나와 파트너는 야간조 일을 즐거워했다. 직업소개소를 거치지 않고 곧장 부두로 오후 7시까지만 가면 되니, 집에서 가족과 저녁을 먹을 수 있었기 때문이다.

우리 조의 고참은 존이라는 사내였다. 그는 파업 불참자를 48번 부두까지 호송하는 해안경비정을 향해 30구경 윈체스터 라이플을 갈겨댈 정도로 열렬했던 파업 활동가로, 1934년과 1936년, 1948년의 파업 때 활동했다. 또 그의 레프트 훅도 끝내줬다. 언젠가 존이 어떤 사내와 배 중앙의 하활을 어디에 둘 것인가로 언쟁을 벌이다가 사내가 고함을 치자, 주먹으로 때려눕히는 걸 본 적도 있었다. 하지만 나와는 아무 문제가 없었고, 파트너와 나는 그를 좋아했다. 존은 부두노동에 대해 항상 우리가 알고 싶었던 것보다 더 많은 것을 알고 있었다. 그에게는 원하는 곳에 배 중앙의 하활을 마음대로 놓을 권리가 있었다. 한번은 누군가 그에게 내가 한때 과실 품꾼이었다는 사실을 이야기했다. 나는 존에게 말했다.

"맞아요. 전 과실 품꾼이었어요. 어머니와 아버지도 그렇고, 누이는 아직도 그 일을 하고 있지요."

"살리나스에서 일했나?"

"전쟁 직후에 겨우 몇 주 동안만이요."

우리는 활대 양 끝 버팀줄을 팽팽하게 당기는 중이었는데, 존은 온 체중을 실어 밧줄을 아래로 잡아당겼다. 나는 존이 몇 차례 밧줄 걸이에 감아 느슨해진 부분을 당기고 있었다.

"양상추 작업은 그다지 내키지 않았어요."

내가 덧붙이자 존이 말했다.

"사람들과 살리나스에 내려간 적이 있었지. 1936년 파업이 한창일 때였어."

그 말을 듣자 정신이 번쩍 들었다. 그간 들어온 모든 이야기가 사실인지 확인할 수 있게 되다니! 믿을 수 없었다.

"1936년 파업이 일어났을 때 우리 가족은 그 지역을 지나가고 있었어요. 저는 한낱 꼬마였지요. 주 방위군이 양상추 트럭 운전석 위에다 기관총을 장착했고요."

"그래? 음, 내려갔을 때 그 일에 대해서는 몰랐는데. 헛수고였어."

존과 나는 밧줄을 고정시킨 뒤 갑판 휴게실로 들어갔다.

"무슨 일이 있었는지 알고 싶어요."

존은 입이 무거운 사람이었고, 나는 성가시게 조르는 사람으로는 보이고 싶지 않았다. 다행히 존은 거리낌 없이 이야기를 계속했다. 아무렴 어떤가, 나는 이 사내의 조원 아닌가.

"그때 우리들은 자동차 두 대를 나누어 타고 갔어. 만나기로 한 사람의 주소를 가지고 말이야. 파업자들이 우리한테 회사의 용역 깡패들을 조심하라고 말해줬지. 아, 정말 소름 끼쳤어. 해가 지면 바로 가기로 했는데, 거리에는 경찰 말고는 아무도 없었어. 마침내 그 집을 기찻길 건너편 거리에서 찾았지. 내가 현관에서 노크를 하고, 나머지는 차에서 기다렸어. 그리고 남자 하나가 나오기에 우리가 누군지 밝혔지. 그랬더니 그 남자, 안색이 하얗게 변하더니 내 앞에서 문을 쾅 닫아버리는 거야. 그래서 차로 돌아왔는데, 바로 그때 경찰차가 서더라고. 경찰 둘이타고 있었어. 경찰들이 우릴 빤히 쳐다봐서 우리도 같이 노려봤지. 그러더니 운전석에 있던 경찰이 차에 기어를 넣고 길모퉁이로 부리나케 가더라고. 경찰차에 무전기가 있는지 없는지는 몰랐지만(그 시절 대부분의경찰차에는 무전기가 없었다) 그걸 확인하려고 기다리는 대신 바로 출발했어. 멈추지 않고 우리 동네까지 가서는 동료들을 페리 빌딩 앞에 내려줬어. 아, 말도 안 되는 계획이었지. 아무 준비도 없었다니, 스스로 무덤을팔 뻔했지."

　　나는 존을 바라볼 뿐 입을 꾹 다물고 있었다. 숨김없는 이야기였던 만큼, 의문의 여지가 없었다. 나는 아침에 일어나자마자 누이에게 이사실에 대해 편지를 보내야겠다고 생각했다. 하지만 생각 끝에 이런 결론을 내렸다. 과실 품꾼들이 믿었던 게 뭐든, 실제로 일어난 일이 무엇이든, 있었던 역사가 무엇이든, 아무튼 그 부두노동자들이 살리나스 양상추 파업에 엄청난 영향을 미쳤다는 것은 사실이었다. 그것도 부두노동자들이 알고 있었던 것보다 더 큰 영향 말이다. 부두노동자들의 방문은파업하는 이들의 사기를 크게 북돋아주었고, 경찰들을 주저하게 만들었다. 아마 존이 차로 돌아오고 있을 때, 두 경찰이 차를 멈추고 거친 부두노동자 사내들을 두 눈으로 목격하고는 말을 퍼뜨렸을 게 분명했다.

때로 역사는 구전으로 채워진다. 칠순 노인이 자신이 젊었을 때 일을 젊은 사람에게 이야기하고, 그 젊은이가 칠순이 됐을 때 그 이야기를 회상한다면, 거기에는 족히 100년이라는 긴 시간이 존재한다. 물론, 때로는 고작 50년밖에 안 된 사건들 가운데 깜짝 놀랄 만한 것들이 있다.

내가 부두 일을 처음 시작했을 무렵(커피 작업을 맡았다), 한번은 비가 내리기 시작했다. 우리는 서둘러 창구를 캔버스 방수포로 덮었다. 커피콩이 젖게 내버려두어서는 안 됐다. 그때 우리 조의 권양기 기사 중에 주름이 자글자글하고 허리가 굽은 자그마한 남자가 있었다. 그와 나는 비가 그칠 때까지 샌프란시스코 부두 건너에 있는 부둣가 술집 '윌리스'에 있기로 했다. 윌리스는 첫 대지진이 오고 나서 그곳에 자리를 잡았는데 추천하는 사람이 많지는 않았다. 더 가까운 데 다른 술집들이 있긴 했지만, 윌리스는 그곳들에 비해 더 따뜻하고 건조해서 좋았다.

우리는 비를 피해 실내에 있다는 사실에 만족하며 각자 커피 한 잔을 따라 자리에 앉았다. 권양기 기사는 젤리 도넛도 하나 샀다. 그는 도넛을 크게 한입 물고 우물거리다가 삼키고는 좌우를 둘러보았다. 그가 고개를 가로저으며 말했다.

"난 여기가 썩 마음에 들지 않지. 내가 부두에 처음 왔을 때 파트너가 여기서 어딘가로 인신매매로 팔려 갔거든."

"네? 뭐라고요?"

나는 내 귀를 의심했다. 그가 사무적인 어투로 다시 말했다.

"인신매매. 1915년도였어."

인신매매에 대한 얘기를 읽긴 했지만, 그건 아주 오래전 19세기 샌프란시스코의 암흑가인 바바리 코스트에서 일어나던 일 아닌가. 적어도 내 생각에는 그랬다. 그런데 지금 이 순간, 젊은 시절에 매일 그런 위협과 위험 주위를 거닐었던 한 사내가 생생하게 살아 있는 것이다.

"네……?"

나는 무슨 말을 해야 할지 몰라 주춤거렸다.

"파트너한테 무슨 일이 일어난 거죠?"

"그 사람, 한 해 뒤에 나타나긴 했어. 태평양과 극동 지역 곳곳을 돌다가 용케도 배에서 탈출해서 여기 샌프란시스코로 돌아왔지."

권양기 기사는 젤리 도넛을 오물거렸다. 나는 기다렸다. 그가 도넛을 씹으면서 말했다.

"그 친구를 납치한 건 영국 배였지……. 전쟁 중이었어. 우린 아직 그 전쟁에 참여하지 않았을 때고. 그래서 선원을 구하기 어려운 때였지."

그는 도넛을 꿀꺽 삼켰다.

"아직 비 오나?"

"네, 아직요. 커피 한 잔 더 드실래요?"

"응, 당연하지."

"제가 가져올게요. 젤리 도넛 하나 더 어때요?"

"하나 더 먹고 싶었지. 여기, 돈 줄게."

"아뇨."

나는 벌떡 일어서면서 단호하게 말했다.

"제가 사 올게요."

나는 잽싸게 도넛과 커피를 가져다주었다. 밖을 보니 날이 개는 것 같았다. 나는 일하러 돌아가기 전에 나머지 이야기를 꼭 듣고 싶었다. 그는 말없이 앉아서 젤리 도넛을 우물거렸다. 나는 조바심이 났다.

"저…… 그분이 어떻게 됐는지 듣고 싶어요."

"더할 얘기가 별로 없는데. 우린, 그러니까 파트너와 나는 선박 일을 끝냈어. 32시간을 연달아 일했지. 그때는 그렇게 꼬박 일했어. 잠은 몇 시간만 자고. 내 기억엔, 다 쌓아놓은 화물 위에서 잤던 것 같아."

그는 도넛을 크게 한입 베어 물었다. 나는 계속 기다렸다.

"좋아, 어디까지 했지?"

"선박 일을 끝냈다고 했어요."

"아, 그래. 이른 아침이었어. 삯을 받았는데, 당시에는 현금이었지. 그래서 한잔하러 여기 와서는 위스키를 더블로 마셨어. 그 친구는 한 잔 더 하고 싶어했지만 나는 피곤해서 자러 가고 싶었어. 완전히 녹초였지. 그래서 나는 돌아갔는데, 다음 날 그 친구가 안 보이는 거야. 그러다가 1년쯤 지나서 몸을 질질 끌며 돌아와서는 전부 이야기해줬어. 어떤 남자가 술을 한 잔 줬고, 그게 마지막 기억이래. 깨보니 '게이트'를 빠져나가고 있는 화물선 갑판이었다는 거야. 강철 갑판에 누워 있는데 갑판장이 신발 밑창을 밧줄로 갈기더니 빨리 일어나서 선원들과 함께 짐을 넣으라고 했다는군."

비는 이미 그쳤다. 그는 남은 도넛을 게걸스레 먹어치웠고 우리는 다시 일하러 갔다. 술집 윌리스는 몇 년 전에 헐렸다. 부자들이 마음에 들어 할 법한, 더 그럴싸한 부두를 위해 자리를 내주었다. 그때 뭔가를 보존했어야 했다. 보도 표지판이나 명판 같은 거라도 걸었어야 했다.

'사람들이 여기 있었던 술집에서 납치되어 선박에서 강제 노역을 했다.'

아니다. 이렇게 잘난 체하는 어투로 진정한 역사를 기념할 수 있을까? 다시 생각하니 그 반대였다. 어떻게 명판 하나로 부두노동을 기억하기 바라겠는가?

그 늙은 권양기 기사는 비가 내리던 그날, 45년 전 일을 내게 이야기해주었다. 그의 이야기는 기념해야 마땅하다. 그 45년 동안 미국은 극적으로 변화했고, 문명화되었다. 더 이상은 사내들이 약을 탄 뭔가를 먹고 납치되어, 친구와 가족과 떨어져 장시간의 고된 강제 노동을 견뎌야 하는 일이 벌어지지 않는다. 하지만 그로부터 45년이 흐른 지금, 나는 그의 이야기에 무엇을 덧붙일 수 있을까? 이 나라가 변해온 모습? 그렇다면 어떻게?

만일 그 권양기 기사가 바로 이 순간의 삶으로 돌아온다면, 그에게 이렇게 말해야 할 것이다. 이제 영국 선박이 샌프란시스코에서 선원을 구하고 있다고. 누구를 납치할 필요가 더는 없을 것이라고. 저기 저 부두에서 수십 명의 남자들과 몇몇 여자들이 일거리를 달라고 외치고 있을 테니까.

역사는 과거와 현재의 끊임없는 대화이다.

에드워드 카

어머니는 친구인 베라 아주머니와 함께 100년쯤 돼 보이는 미루나무 아래
작은 달개집에서 토마토를 상자에 두 켜로 담고 있었다.
… 나는 차에 타자마자 서둘렀다. 어머니는 벌써 두 번째 상자를 하고 있었다.
농로에 들어서서 오랫동안 뒤를 돌아보았다. 두 명의 늙은 여인,
어머니와 베라 아주머니가 작업대에서 몸을 구부려 열심히 일하고 있었다.
자신들이 가장 능숙하게 할 수 있는 일을 말이다.

16

삶이 있는 풍경

미국 작업 현장에서 떠돌이 노동자는 더 이상 중요한 구성원이 아니다. 서부에도 토박이 과실 품꾼이 없고, 동부 해안 지방의 작물 수확 일꾼들도 공통의 정체성이 부재해 단일 집단으로 결속되지 않는다.

  이들은 우리 사회의 맨 아래에 위치하고 있으며, 안타깝게도 인종별, 민족별로 분열되어 자신들의 요구 사항들을 경제적으로 연합된 힘으로 바꾸지 못하고 있다. 이들은 자신들의 대가족에만 충실하다. 그 충실함이 강렬하긴 하지만, 가족의 경계를 넘어선 관계에서는 응집력이 없다. 이렇게 분열된 각종 집단들이 파업을 조직할 정도로 제대로 연합한 사례를 내 귀로 들은 건 딱 한 번뿐이다.

그러나 한때는 달랐다. 19세기 유럽에서 건너온 떠돌이 노동자들은 중세 후반부터 빠른 이동식 노동을 관습으로 유지해온 이들이었다. 그들은 많은 길이 빠른 속도로 놓인 것만큼이나 빠르게 도로와 철로를 오가며 일했다. 한 예로 프랑스의 고숙련 석공들은 동종 업계 사람들의 도움을 받아가며 도시와 일터를 옮겼는데, 미국에서도 이와 유사한 직종이 몇 개 있었다. 한 예로 인쇄 조판공을 들 수 있는데, 이들 대다수는 20세기로 접어드는 시기 동분서주하며 바쁘게 일했다. 비록 이때에는 잠깐 머물며 일하긴 했지만 조판공들의 지위가 제도화되었고 편집자, 발행인, 인쇄소 소유주 모두가 이를 받아들였다.

조판공(전부 남자였다) 기술은 활자함을 그에게 보여주고, 직접 만들어보게 하면 단번에 확인해볼 수 있었다. 이런 검증 방식은 한동안 유지되다가 인쇄 노조들이 단일 노조로 조직화되면서 바뀌었다. 모든 소유주, 편집자, 감독의 작업장 출입을 금하고 동료 집단에게만 자신의 인쇄 기술을 입증하는 방식으로 바꾸어서 대개 일을 얻기가 이전보다 까다로워졌다.

인쇄공의 동료인 언론인 및 기자는 직장을 옮길 궁리를 자주 했고, 한 신문사에 잠시 머물다가 거의 즉흥적으로 다른 신문사로 떠나곤 했다. 예컨대 마크 트웨인은 네바다의 한 신문사에서 일할 때 고작 5주 동안만 일했다.

떠돌이 노동자는 모험을 쫓건 그저 또 다른 지역을 찾아 나서건

늘 일을 잊지 않았다. 일을 해야 또 다른 곳으로 떠날 수 있었다. 여정의 끝에는 언제나 일이 있었고, 일로 얻은 삯으로 또 다른 여정을 떠날 수 있었다.

오래전 죽은 조지는 진정한 떠돌이 과실 품꾼이었다. 그는 자기 차가 없는 몇 안 되는 과실 품꾼으로 대개 화물 열차를 타고 이동했다. 아침에 포장 작업장에 갈 때 자주 내 차를 얻어 타곤 했지만, 나는 그가 신세를 진다고 생각하지 않았다. 그는 다른 방식으로 이를 보상했다. 그는 일을 피하려 들지 않았고, 경시하지도 않았으며, 몇몇 일터에서 함께 일할 때면 항상 훌륭하게 과실을 담아냈다. 이제는 누구도 더 이상 화물 열차를 타지 않는다. (아마도 지금은 국내 이곳저곳을 지나가는, 문이 열린 빈 곳간차들이 많지 않기 때문이다.) 하지만 조지와 알고 지낼 당시, 그는 이동 수단으로 화물 열차를 선호했다.

가을쯤 멜론 일이 끝나고 남부에서 토마토 수확이 시작될 무렵이었다. 나는 조지에게 일거리를 구하러 갈 때 차에 태워주겠다고 했지만, 그는 내 제안을 정중히 거절했다. 다음 날 아침, 나는 한쪽 겨드랑이에 작은 노란색 여행 가방을 끼고 다른 팔에는 노끈으로 종이봉투를 묶어 매달고 어딘가로 가는 조지를 보았다. 그는 마을 끝 철로 측선으로 부리나케 가는 중이었다. 그에게 화물 열차로 이동하는 게 뭐가 그리 신 나냐고 물었더니, 그는 활기를 띠며 말했다.

"아, 여기저기 떠돌며 사는 건 아주 즐거운 일이야. ……만약 돈만 좀 있다면 말이지."

이것이 조지가 살아가는 방식이었다. 나아가 그가 이 삶을 유산처럼 물려받았다는 점, 아니 정확히 말하면 이런 삶이 그에게 전해졌다는 사실이 흥미로웠다. 조지의 아버지도 떠돌이 일꾼이었고, 떠돌이 일꾼으로 살다가, 떠돌이 일꾼으로 죽었다.

조지가 아버지의 사망 소식을 전해 들었을 때, 나는 바로 그의 뒤에서 과실을 담고 있었다. 그의 아버지는 뉴멕시코 주 라스크루시스의 한 무개 화물차에서 죽은 채로 발견됐다. 그 소식이 어떻게 전해졌는지 모르겠지만, 아무튼 조지는 엄청난 충격을 받았다. 그는 술독에 빠져 일터에 모습을 드러내지 않았고, 이후로 다시는 볼 수 없었다. 몇 년 후, 나는 조지가 어느 기차 측선에 있지 않을까 궁금해 아버지에게 물어보았다. 그러자 아버지는 이렇게 답해주었다.

"조지는 기운을 차리고 워싱턴 사과 밭에서 일하고 있지. 요새는 거의 북서부 지역에서 시간을 보내고 있고."

나는 조지가 워싱턴 중심부 주위의 구릉지에서 그 춥고 비 잦은 겨울을 보냈을 때, 곳간차보다 나은 곳에서 지냈기를 바랄 뿐이다.

미국인들이 많은 일자리를 잃게 된 이유가 자동화와 이주노동자 고용 때문이라면, 변화하는 사회(역사)도 노동과 노동자, 노동 관습에 엄청난 충격을 주었다. 조지는 노동과 노동자, 노동 관습, 세 가지 모든 부분에서의 희생자였다.

예컨대 오늘날에는 토마토를 딸 때 사람 손으로 하나씩 따거나 담지 않는다. 대신 자주식 기계가 밭고랑을 따라 이동하며 토마토를 따고 흙도 털어낸다. 또 동시에 익도록 유전자를 조작한 토마토가 한꺼번에 줄기에서 떨어지면, 이동벨트가 이것들을 운반해 쓰임새에 따라 통이나 상자에 담는다.

게다가 화물 열차에 쉽게 올라타 전국 각지를 돌아다니며 일할 수도 없게 되었다. 첫째, 철도 회사가 그런 행동을 더는 용인하지 않을 테고, 둘째로는 소도시에 노동자가 짧게 머물 수 있는 저렴한 숙소가 사라졌기 때문이다. 또한 싼값으로 끼니를 해결할 수 있는 밥집들이 있던 빈민가도 없어졌으며, 이런 식당들이 여전히 남아 있는 곳은 어김없이 마약으로 절어 있다.

물론 토마토 수확 기계를 다루려면 일꾼이 필요하지만, 이 일은 주로 이주한 라틴 노동자들이 담당한다. 그들은 마을 외곽, 농장에 인접한 곳에서 낡은 이동 주택이나 싸구려 판잣집에서 산다. 이 작은 마을들의 생활 방식은 이렇다. 이주노동자들은 외곽에서 지내고 이따금 식료품을 살 때만 시내로 나온다. 그리고 수확이 끝나면 멕시코로 돌아간다.

이주노동자들의 임금이 상대적으로 싸서 농업 분야에 이들을 들여와 고용했다는 말은, 일을 빼앗긴 우리로서는 늘 미심쩍게 들렸다. 대체 그들이 우리보다 얼마나 더 적은 삯으로 일했다는 걸까? 내가 마지막으로 칸탈루프 작업을 했을 당시, 그해의 칸탈루프는 수년 전보다 품질

살이 있는 풍경

이 좋긴 했지만 개당 임금은 슈퍼마켓에서 판매되는 칸탈루프 가격인 0.3센트도 안 됐는데도, 나는 한 주에 무려 1,000달러를 벌고 있었다. 다시 말해 이주노동자를 들여온 것이 고작 1센트를 더 줄이려고 하는 행동이라고 생각하면 속임수에 빠지는 것과 다름없다.

또 비단 농업뿐 아니라 다른 분야에서 노동자를 수입하는 또 다른 이유는 미국 사람은 고되고 지저분하며 반복적인 노동을 하지 않으려 든다는 것이었다. 특히 아주 힘든 조건의 작업, 이를테면 대체로 혹서기에 작물을 수확하는 일 등을 들 수 있다. 이 부분을 골똘히 생각하면, 그 많은 과실 품꾼들이 뭐하러 7월의 애리조나 주 유마에서 하루 12시간 동안 흔쾌히 칸탈루프 포장 작업을 했는지 궁금하지 않을 수 없다.

결국 과실 품꾼들은 사라졌다. 이 무렵 나는 이들과 상관없는 사람이 되어 있었다. 하지만 부두노동을 시작한 후 1970년대 중반의 수년간, 나는 여름이면 부두를 떠나 샌와킨밸리로 돌아가 한 달쯤 칸탈루프 작업을 했다. 비록 돈은 얼마 안 됐지만 부두노동에서 벗어나 잠시 쉴 수 있다는 것이 좋았다. 또한 내 아이들도 10대가 되자 작업장에 보내 일을 해보도록 했다. 칸탈루프는 과실 품꾼이 기대고 있는 마지막 발판이었다. 이 작업은 세 아들들에게 한때 아버지와 할아버지와 할머니가 어떻게 생계를 꾸렸는지 엿보게 해주었다.

내가 칸탈루프 작업을 그만두고 샌프란시스코에서 계속 일하기 시작했을 때도 세 아들은 여름이면 과실 포장 작업장에서 일했다. 이 일을 제일 먼저 그만둔 건 첫째였다. 첫째는 배관공 견습생이 되어 새로운 일을 하기 위해 작업장을 떠났다. 둘째와 막내는 마지막 충격파가 불어 닥쳤을 때도 여전히 과실 품꾼으로 일하고 있었다.

1980년대 중반, 칸탈루프 재배 회사와 운송업자들은 남아 있는 과실 품꾼들과 대립각을 세우기 시작했다. 이들을 몰아내고 그 자리를 최저임금 수준으로 일해줄 사람으로 채워 넣을 생각이었다. 그래서 노동계약 기간이 끝나자 임금의 약 50퍼센트를 삭감하겠다는 받아들일 수 없는 제안을 했다. 물론 과실 품꾼들은 거절했고, 파업을 벌였다.

거의 전형적이라고 할 수 있는 각본에 따라, 운송업자와 재배 회사들은 구할 수 있는 모든 곳에서 대체 인력을 데려왔다. 과실 품꾼들은 포장 작업장들이 다수 위치한 샌와킨밸리의 작은 마을 네 곳의 작업장 주위에 피켓 라인을 설치하고 시위를 벌였다.

재배 회사들은 이 파업에서 자신들에게 유리한 점을 두 가지 들어 승리를 점쳤다. 첫째, 칸탈루프는 다 익고 나면 거칠게 취급해도 손상되지 않아 포장 일꾼 기술이 덜 필요하다는 점이었다. 둘째는 왕복 4차선 고속도로인 5번 주간도로가 새로 놓여 시골 샌와킨밸리가 남북으로 연결되었다는 점이었다. 이는 칸탈루프를 밭에서 담지 않고 산적화물을 통해 중심가의 가공 시설(거대한 공장형 포장 작업장으로 현대식이었다)로 운반할 수 있게 된 것을 의미했다. 이 시설은 공정 통합을 위한 새로운 조치로 세워졌다.

지역 경찰은 운송업자들에게 단단하게 매여 통제받는 처지였고, 때문에 그들은 이 작은 마을에서 여름마다 3대가 넘게 일해온, 피켓 라인의 파업자들을 거칠게 다루었다. 과실 품꾼들도 반격에 나섰다. 나는 누이의 전화를 받고 이 충돌이 가히 격렬했음을 알게 됐다. 누이는 17년 간 여름마다 일해온 작업장에서 파업에 참가하고 있었다.

"톰은 괜찮아."

누이는 인사도 생략하고 안부를 전했다. 톰은 내 둘째 아들이다.

"괜찮다고? 괜찮다니, 무슨 말이야? 도대체 어떻게 된 거야?"

"톰, 돈, 그리고 스무 명 정도 되는 사람들에게 중죄 혐의로 구속 영장이 떨어졌어."

누이가 말했다. 돈은 여동생의 아들, 즉 내 조카였다.

"그래서 지금 다들 숨어 있어. 노조에 파업 자금이 있어서 변호사가 오면 바로 자수할 거고 우리가 보석금을 내서 풀려나게 할 거야. 그래서 톰은 괜찮다고 전화 건 거야. 또 엄청난 이야기를 다른 사람한테 듣게 될까 봐 내가 먼저 전화했어."

"엄청난 이야기라니? 무슨 이야기? 무슨 일이 있었는데?"

"저번에 운송업자들이 작업장 한 곳 주변에 철책을 세웠거든. 폭이 2인치인 파이프를 말뚝으로 썼는데, 콘크리트 덩이에 꽂혀 있었어. 길이는 3미터쯤 됐어. 이 작업에는 비조합원들을 썼고. 그런데 콘크리트가 아직 굳지 않았을 때, 돈이랑 톰이 다른 사람들과 같이 파이프를 붙잡고 장대높이뛰기 하듯 철책을 뛰어넘어서, 작업장 테라스로 들어가서는 비조합원들을 사방팔방으로 쫓아냈어."

"오, 이런!"

"애들이 어떤지 잘 알잖아. 걔들은 아마 그 철책을 맨 처음 넘었을 거야."

"너무 가볍게 생각하는 거 아니야? 다친 사람은 없지?"

"경찰서 부서장만. 다리가 부러졌대."

"심각하네."

"부서장은 철제 파이프로 무릎을 맞았다고 말해. 다른 사람들은 다들 그가 줄행랑치다가 짐 싣는 곳에서 떨어져서 그렇게 됐다고 하고."

"아무래도 내가 가야겠다."

"지금은 다 괜찮아. 필요하면 얘기할게."

그러고 얼마 안 돼서 내 도움이 필요해졌다. 막내인 마커스 때문이었다. 같은 날, 날이 어두워졌을 때쯤 조카 스티브로부터 전화가 왔다. 누이가 파업을 벌이는 곳에서 북으로 30킬로미터쯤 되는 마을에서 연락한 것이었다. 스티브가 말했다.

"녀석들이 마커스를 구치소에 넣었어요!"

"오, 맙소사!"

"내일 아침 10시에 기소 심문을 할 거예요."

"당장 가야겠구나!"

나는 최대한 2시간 내에 도착할 수 있을지 재빠르게 계산했다. 머릿속에는 오직 구치소에 있는 갓 열여섯이 된 마커스 생각뿐이었다. 얼마나 많은 깡패들이 마커스를 두들겨 패고 있을지, 아니면 아무 일도 없을지 알 수 없었다.

스티브가 말했다.

"오셔도 소용없을 거예요. 내일 아침까지는 만나게 해주지도 않을 테니까. 그리고 오실 때 보석금으로 쓸 돈 좀 가져오시는 게 좋을 거예요. 우린 돈이 다 떨어졌거든요."

보석금이라! 돈! 현금! 나는 현금이 필요했다. 문을 연 은행이 없었다. 그렇다, 친구들! 친구들에게 전화를 해야 했다. 돈, 그것도 많은 돈이 필요했다. 또 나 자신을 통제할 필요도 있었다. 그저 구치소에 있는 아들 걱정으로 미칠 것만 같았다.

나는 우리의 마지막 부두 파업을 돌이켜보았다. 얼마나 평화롭게 진행되었던가. 선박 회사들은 대체 인력을 쓸 시도조차 못 했다. 우리는 부두 앞에 피켓 라인을 설치했고, 그 라인은 뚫리지 않았다. 그때 어렸던 아들들은 내가 피켓 시위를 맡은 날에는 그곳에 찾아와서는 함께 펑고 놀이나 캐치볼을 했다. 마커스는 여덟 살쯤이었는데 미식 축구공을 아주 멀리 던질 줄 알아서 온 부두노동자들의 감탄을 자아냈다.

"스티브, 얼만데? 보석에 얼마나 드는 거야?"

"대개 2만 달러 정도래요. 제 것은 지불했고요. 그것도 간신히 줄인 금액이에요……."

나는 한탄했다.

"2만 달러라고! 선불로 2,000달러라는 말이구나. 10퍼센트니까. 아까 뭐라고 했지? 넌 보석으로 풀려났다고?"

"네."

"뭐로 기소됐는데?"

"제가 폭동을 조장했대요."

스티브가 웃으며 대답했다.

"마커스는 뭔데?"

"누군가 하역장에서 대체 인력을 겨냥해 돌멩이를 던졌어요."

"마커스가 그랬니?"

"아마도요. 마커스는 속구를 잘 던졌잖아요."

파업에 참가한 모두가 매사를 너무 안이하게 다루고 있다는 걸 알고는 미칠 것 같았다. 아들은 구치소에 있었다. 어서 그곳에서 아이를 빼내고 싶었다. 다행히 2,000달러는 빠르고 쉽게 모았지만 아들 걱정에 지옥 같은 밤을 보냈다. 노동자들은 대부분 평상시에 쓰지 않는 비상금을 몰래 숨겨둔다. 그 덕에 한 뭉치의 돈이 들어왔다. 한밤중에 직접 건네받은 것이었는데, 흙냄새가 났다. 뒷마당 어딘가에 묻혀 있었던 것 같았다.

나는 정말로 도움이 필요했고, 장남 레이에게 연락했다. 레이가 하루 휴가를 얻어서 우리는 다음 날 아침 일찍 떠날 수 있었다. 서둘러 출발한 덕에 10시보다 훨씬 전에 시청과 구치소에 도착했다. 레이가 운전을 했는데, 나는 주차를 하기도 전에 차에서 내려서는 법정 장소와 사건 일람표에서 마커스의 순서를 확인하려고 시청 입구로 향했다. 그리고 건물로 가던 중에 밖으로 나오는 아들과 마주쳤다.

"아빠!"

"마커스! 괜찮니?"

"네, 그럼요."

"10시라고 들었는데. 어떻게 된 거야?"

"9시로 바뀌었어요."

"넌 돈이 없잖아, 어떻게 나왔어?"

"아뇨, 보석금 냈어요."

"그런데…… 2만 달러를?"

"상원법안 28번을 시행해달라고 청원서를 냈어요."

"응?"

"네, 그래서 2,000달러까지 줄였어요. 정작 낸 건 그 10퍼센트인 200달러고요."

아들을 보니 긴장이 풀려 다리가 후들거리는 바람에 어딘가에 앉아야 했다.

"안녕, 형."

"안녕, 마커스. 괜찮니?"

"응, 그런데 배가 너무 고파. 뭐 좀 먹으러 가자. 거기서 아침에 주는 건 오트밀 죽이 전부였거든."

파업에서 꼭 해야 하는 필수적인 행동 중에 하나는, 체포됐던 파업자가 피켓 라인으로 돌아와 자신이 겁먹지 않았다는 걸 곧바로 사장들에게 보이는 것이었다. 법원 명령이 그 행동을 엄격하게 금지하지 않는 한 말이다. 마커스는 정오에 피켓 시위를 하러 가겠다고 했다. 식사할 시간은 충분했다. 레이와 나는 아침 정식을, 마커스는 걸신들린 듯 라지 사이즈의 피자 한 판을 먹어치웠다. 레이는 마커스가 괜찮다는 것에 내심 안도하면서도 베이컨 에그를 앞에 두고 동생을 꾸중했다. 레이는 자신이 피켓 라인에서 몸소 겪었던 중요 경험에 대해 이야기했다.

"다음번에 또 대체 인력들한테 돌을 던지면 가만 안 둘 거다."

아침을 먹고 피켓 라인으로 돌아가는 길에 마커스는 식료품점에 들르자고 하더니 가게에서 여섯 개들이 탄산음료 세 묶음을 사 가지고 나왔다. 그러고는 말했다.

"지금 세 개의 문에서 시위를 하고 있어요. 저는 정문에서 하고요. 정문을 마지막으로 갈 거예요."

첫째 문에서 마커스는 환호를 받았다. 아들이 음료 한 묶음을 건넸고, 우리는 서둘러 이동했다. 길에서 떨어진 작업장 뒤쪽에 있는 둘째 문은 농부의 아낙들이 지키고 있었다. 여름에 작업장에서 과실을 분류하며 부수입을 벌어온 이들이었다. 중년의 가슴이 큰 아낙들이 비치파라솔 아래서 이 보루를 지키고 있었다. 예전에는 지역 주민들의 경우, 작업장에서 일한다 해도 대개 파업에 동참하지 않았지만 이번에는 파업을 강력히 지지했다. 이들은 음료를 받으며 이구동성으로 어머니들처럼 혀를 쯧쯧 찼다. 한 부인이 말했다.

"마커스, 괜찮은 거니?"

"네가 아주 심하게 굴었다고 들었다, 마커스."

다른 부인은 손가락을 내저으며 꾸중하는 흉내를 냈다.

"한 시간쯤 있다 오렴. 아이스크림과 케이크를 먹을 거란다."

세 번째 부인이 말했다. 그리고 그 모든 일이 있었던 정문은 경험이 풍부한 많은 과실 품꾼들이 지키고 있었다. 이들은 음료수를 냉큼 받고는 아들의 주위로 모여들어, 어떻게 되었는지 물었다. 레이는 오랜 친구들에게 인사를 건넸다. 그때 한 친구가 땅에 있는 돌 더미를 가리키며 활짝 웃었다.

"저게 마커스의 돌무더기야."

그러고는 고갯짓으로 30여 미터 떨어진 철책 안의 하역장을 가리키며 내게 말했다.

"마커스가 정말로 대체 인력을 돌로 맞혔어요."

그 말을 들으니 만감이 교차했다. 나는 열다섯 살에 처음 파업에 참여했을 때부터, 어떤 방법을 동원해서든 반드시 파업 불참자, 대체 인력을 작업장에서 빼내야 한다는 것을 알고 있었다. 그렇지 않으면 효과적으로 파업을 벌일 수 없다. 그렇지만 내 아들이 구치소에 갇히는 희생을 감수하면서까지 그렇게 할 수 있을까?

레이와 나는 시내를 떠나는 길에 시청에 들렀다. 마커스의 재판 일시에 관해 모을 수 있는 정보가 있다면 전부 얻고 싶었다. 시청 앞 풍경은 그야말로 불법의 무법 지대였다. 경찰 특수반(작전반) 한 소대 전체가 위장복을 입은 채 으스대며 활보하고 있었다. 그중 일부는 자동화기를 들고 준비 태세를 갖추고 있었는데, 시끄럽게 떠들고 있는 모습이 고압적이었다. 언제든 밖으로 뛰쳐나가 피켓 라인의 시위자들을 덮칠 기세였다.

나는 대체 누가 그들을 데려왔는지, 저들은 대체 어디서 왔는지 알 수 없었다. 이 작은 도시의 시장과 경찰서장은 파업자의 절반이 지역 주민이란 걸 모르나? 저들은 그 농장 아주머니 셋을 체포하려고 제복 입은 폭력배를 보낼 생각인가? 명백한 건 회사에게는 무장 경찰을 부를 힘이 있었고, 지역 당국자들은 그들을 제지할 힘이 없거나 그럴 의사가 없었다는 것이다.

레이와 나는 피켓 라인으로 돌아가 우리가 목격한 광경을 말해주고는 집으로 돌아왔다. 하지만 아직 끝난 게 아니었다. 집에 도착하자 전화가 걸려왔다. 우리가 떠나고 몇 분 만에 경찰이 들이닥쳐서는 마커스를 또 다른 혐의로 체포해 구치소에 가두었다고 했다. 상황이 훨씬 심각했다. 며칠 후에는 보안관들이 피켓 라인을 급습해 시위 중인 한 모녀를 체포했다. 다음 날 두 사람은 족쇄가 채워진 채 발을 질질 끌며 법정에 나타났다. 심지어 허리를 감은 체인과 연결된 수갑도 차고 있었다.

농업 기업과 운송업자들은 거대한 손실(서투른 일꾼들은 멜론을 잘 다루지 못해 밭에 있는 멜론 거반이 썩었다)을 입고도, 수년간 고용해온 이들과 합의를 끌어내보려는 어떤 조치도 취하지 않았다. 그들은 다각농을 하고 있었다. 그렇게 상당한 손해를 입었어도, 여전히 정부 보조금을 받는 상당히 큰 목화밭을 소유하고 있었다. 그들은 이 보조금으로 멜론 손실을 감당했고 후에는 소득세에서 손실액을 감면받았다.

그리고 이듬해, 기업들은 멜론을 재배하지 않았다. 그리고 멜론 철이 지나 칸탈루프를 심었을 때는 이주노동자들을 고용해 밭에서 칸탈루프를 포장하도록 했다. 이것이 과실 품꾼의 마지막 업적이었다. 그들은 이 파업에서 패했다. 그 이후로 서부의 어디에서도 과실 품꾼이 다수로 고용되는 일은 없었다.

모든 게 끝나자 마커스에 대한 기소들도 누그러졌다. 마커스가 보다 가벼운 혐의들을 인정하고 벌금을 내는 것으로 일이 마무리됐다. 하지만 다른 마을의 지역 당국자들은 톰을 구속으로 몰고 갔다. 노조 변호사는 톰의 재판이 30여 킬로미터 떨어진 카운티 소재지에서 열릴 수 있도록 힘 쓰면서 재판을 두 번 연기했다. 결국 1월 말의 어느 추운 날, 톰은 그곳 보안관에게 자수했다. 그리고 주말을 구치소에서 보낸 뒤 월요일 오전에 법정에 출두했다. 우호적이었던 판사는 재판을 기다리느라 구치소에 수감되어 있던 기간을 적용해 톰의 형을 감면해주었다. 톰은 풀려났다.

다음 날 나는 마커스에게 이번 경험으로 배운 게 있는지, 파업에 대해 어떤 생각을 갖게 되었는지 물었다. 마커스는 곰곰이 생각하다가 입을 열었다.

"다음에 파업에 나갈 때는 다 같은 옷을 입자고 제안할 거예요. 이를테면 모두 노란색 티셔츠를 입는 거죠. 그렇게 하면 경찰들도 누가 누군지 구별하기 어려울 거니까요."

나 또한 이 파업에서 배운 게 있었다. 만일 다음에 파업에 개입하게 된다면 이런 제안을 낼 생각이었다. 파업을 지휘하는 역할을 맡은 사람의 자식이 피켓 라인에 있고 폭력 사태가 임박한 상황이라면, 그를 즉시 빼내 선전 업무나 기타 업무에 배치하도록 하자는 제안 말이다. 만일 내 경험이 보편적이라면, 그 사람은 오직 자식만 염려하느라 움직이지도 못하고, 행동을 취할 수도 없으며, 아무것도 생각하지 못할 터였다.

비록 파업이 패배로 끝나 서부에서 수많은 과실 품꾼들이 일거리를 잃었지만, 외딴 곳들에는 아직 작은 규모의 일거리들이 남아 있었다. 어머니의 마지막 일은 멕시코 국경에서 멀지 않은 사막 언저리에서 봄 토마토를 상자에 담는 작업이었다. 당시 나는 이동 카드를 사용해 어머니가 있는 곳에서 불과 150킬로미터 정도 떨어진 로스앤젤레스에서 일하고 있었다.

　한번은 짬이 나서 어머니를 만나러 차를 몰고 내려간 적이 있었다. 고속도로에서 빠져나온 후에 비포장도로에서 길을 잃었지만 운하 관리자가 어머니가 일하는 곳을 알려주었다. 어머니는 친구인 베라 아주머니와 함께 100년쯤 돼 보이는 미루나무 아래 작은 달개집에서 토마토를 상자에 두 켜로 담고 있었다. 토마토 밭은 용수로 너머에 있었고, 만 평 혹은 그보다 좀 더 되는 것 같았다. 만일 날이 계속 서늘해서, 한꺼번에 따야 할 정도로 토마토가 빨리 익지만 않았다면, 어머니와 베라 아주머니 두 사람만으로도 토마토 작업을 전부 할 수 있었을 것이다.

　나는 먼지를 일으키지 않으려고 천천히 차를 몰고 들어와 주차했다. 두 사람은 나를 등지고 있어서 내가 온지 모르는 듯했다. 작업은 전형적인 시골 일거리였다. 두 사람은 토마토를 상자에 담고, 멕시코 여성 넷은 토마토를 분류해 통에 담고, 잡부 한 명은 상자 뚜껑에 못질을 해 고정해서 미루나무 아래 달개집에 쌓았다.

　어머니와 베라 아주머니는 작업대 양 끝에 달린 종이 보관 선반에서 박엽지를 꺼내 토마토를 하나씩 싸고 있었다. 옛날 방식 그대로였다. 상자 끝에 '데저트 젬'이라는 상표가 붙어 있었다. 당시 토마토를 재배하던 사람은 누구나 그 상표가 인쇄된 포장지를 사용했다. 어머니와 베라 아주머니는 일련의 동작으로, 통에서 토마토를 집어 종이에 싸서 상자에 담고 있었다. 담을 때는 상자의 두 널 사이로 상표가 보이게끔 했고, 그 틈으로 다른 토마토들을 살짝 엿볼 수 있었다. 어머니는 일에 집중하고 있어서 내가 다가가 어깨를 두드리자 깜짝 놀랐다.

"오!"

어머니는 손을 놓으며 말했다.

"여기는 웬일이니?"

"어머니 뵈러 왔죠."

"왜? 무슨 일 있니?"

"아니요."

"애들은?"

"잘 지내요. 뭐하러 토마토를 고르게 쌓고 계세요? 요즘은 그렇게 하는 데 없어요. 다들 큰 상자에 던져서 담잖아요."

"특별 주문이야. 여기 영세 농장주들은 대부분 이렇게 하고 있어. 과실들은 동부로 보내. ……뉴욕으로. 밥 먹을 참이었는데, 같이 점심 먹을래?"

나는 잠시 기다렸다가 어머니와 베라 아주머니가 나누어 준 점심을 같이 먹었는데, 거의 토마토에만 손이 갔다. 이곳에서 자라는 봄 토마토는 새콤하고 맛이 좋아 일품이었다. 만일 이곳의 신선한 토마토를 먹어 본 적이 없다면, 토마토가 얼마나 맛있을 수 있는지 상상하기 어려울 것이다. 뉴욕 사람들 중에 일부는 이 맛을 제대로 느끼겠지만.

나는 점심 무렵이 지나서 어머니를 대신해 상자에 토마토를 담아

보았다. 어머니는 곁에서 내 동작을 하나하나 지켜보았다. 나는 어머니가 한 것처럼, 종이로 싼 토마토를 상자 널 사이로 상표가 보이게 담았다. 네댓 상자를 담자 어머니가 답답해하는 기색이 완연해서 자리를 다시 넘겼다.

그 이틀 전 밤, 로스앤젤레스에서 로우 볼 포커로 300달러를 따둔 차였다. 나는 작업대에서 일어나기 전에 100달러 한 장을 꺼내서는 어머니가 보지 않을 때 박엽지 더미 1센티미터쯤 깊이에 슬쩍 넣어두었다. 아마 어머니는 서너 상자를 마치기 전에 지폐를 보았을 것이다.

나는 차에 타자마자 서둘렀다. 어머니는 벌써 두 번째 상자를 하고 있었다. 농로에 들어서서 오랫동안 뒤를 돌아보았다. 두 명의 늙은 여인, 어머니와 베라 아주머니가 작업대에서 몸을 구부려 열심히 일하고 있었다. 자신들이 가장 능숙하게 할 수 있는 일을 말이다.

아버지는 국경에 인접한 텍사스 남쪽 리오그란데에서 돌아가셨다. 그곳은 아열대 기후라 지역 주민들이 겨울 채소를 재배했다. 아버지는 말년에 리오그란데로 내려가 10년 동안 밭에서 품꾼들을 부리며 양상추를 담는 일을 했다.

아버지에게는 본인이 쓰는 일꾼들이 있었다. 또한 텍사스에 처음 갔을 때는 그곳의 양배추 밭에 캘리포니아 방식을 들여왔다. 즉 품꾼에게 담은 양상추 상자 개수만큼 돈을 지불하는 방식이었다. 아버지가 처음 내려갔을 때 그곳 임금은 시간당 1달러였다. 하지만 아버지의 일꾼들은 그 두세 배를 벌고도 일찍 집에 들어갈 수 있었다.

그러던 어느 날 농장주 대표단이 아버지에게 엄포를 놓았다. 일꾼들에게 일반적인 임금을 지불하든지, 그렇지 않으면 그 지역에서 환영받지 못하는 인물이 될 거라고 말이다. 그래도 아버지는 캘리포니아 방식을 조금 고치는 식으로만 수정했기에, 품꾼들은 계속해서 아버지와 일하고 싶어했다.

뇌졸중으로 쓰러지신 아버지는 내가 도착하기 전에 돌아가셨다. 나는 비행기를 타고 내려가다가 휴스턴에서 비행기를 갈아탈 때 항공사 측의 부주의로 검은 정장이 든 가방을 분실했다. 국경 부근에 도착해서는 거의 새것이나 다름없는 아버지의 픽업트럭을 타고 갔다. 많은 사람들이 아버지의 집에 들러 내게 애도를 표했다. 그중에는 수년간 얼굴을 보지 못했던 늙은 과실 품꾼 다섯 사람도 있었다.

아버지는 몇 번인가 자신이 죽으면 화장해달라고 말했다. 아버지는 땅에 묻히고 싶어하지 않았다. 하지만 이 이야기를 하자 아버지의 친구 분들은 무례할 정도로 반대를 했다. 좋다, 그럼 아버지의 시신을 매장한다고 하자. 하지만 뭐가 그렇게 다르겠는가? 결국 나는 매장을 하는 작은 장례식장을 택했는데, 조문객들이 아버지의 시신을 볼 수 있게끔 한 것이 또 다른 분노를 샀다.

"이것 보쇼!"

누군가 나를 불렀다. 아버지는 방 중앙의 관 속에 있고 나는 거기서 조금 떨어진 곳에 앉아 있었다. 늙은 과실 품꾼 다섯 사람 중에 넷이 아버지를 내려다보고 있었다. 나는 어르신들 쪽으로 가면서 물었다.

"네, 무슨 일입니까?"

"한번 봐."

한 분이 따지듯 말했다.

"콧수염을 밀어놨다고!"

"그러게 말이야."

다른 분이 거들었다.

"무슨 짓을 했는지 알긴 하는 건지…… 돈의 콧수염을 이렇게 깎아버리다니!"

죄책감이 들었다. 아버지는 어른이 된 이후로 항상 콧수염을 길렀다. 그럼에도 아버지를 처음 누일 때 콧수염이 없어졌다는 사실도 알아채지 못했다.

아버지를 영구차에 막 실으려 할 때였다. 한 일본계 미국인이 마지막으로 장례식장으로 뛰어들어 왔다.

"돈이 죽었어요?"

그가 비통해하며 말했다.

"돈이 정말로 죽었냐고요?"

나는 그에게 아버지를 보여주고는 강권하여 여섯 번째 상여꾼을 맡겼다. 그는 잘 참았지만, 나와 픽업트럭을 타고 묘지까지 가는 길에 반쯤 가서는 흐느끼기 시작했다. 그리고 장례식과 마을로 돌아오는 내내 엉엉 울었다. 나는 수년간 많은 일본계 미국인과 알고 지냈지만, 그들이 우는 모습을 본 건 취했을 때뿐이었다. 그는 취한 것 같지는 않았다. 그는 마을 어귀에 도착해 교차로를 지날 때 손을 흔들어 인사하고는 달리는 트럭에서 뛰어내렸다. 결국 나는 그의 이름을 듣지 못했다.

　아버지를 땅에 묻고 며칠간 배회했다. 나는 요 몇 년간 텍사스 남부에서 칸탈루프 포장 작업을 한 적이 없었다. 이번은 겨울이었고, 달랐다. 또 비가 내려서 땅이 질었다. 셋째 날이 되자 나는 아래쪽에 사는 아버지의 오랜 친구 부부에게 픽업트럭을 주고 집으로 돌아왔다. 짐은 결국 되찾지 못했었다. 그래서 검은 옷 없이 장례를 치렀다.

항구에는 저마다 고유한 '문화'가 존재한다.

… 또한 서로 차이가 무엇이든, 항구마다 많이 다르다고 해도

서부 부두노동자들에게는 노동협약 외에, 적어도 한 가지 동일하게 공유하는 것이 있었다.

바로 핵심적인 사안에 부딪히면 똘똘 뭉쳐서 하나로 행동한다는 점이었다.

17

모든 항구엔 색깔이 있다

미국 서부 해안의 부두노동자들에게는 해안을 따라 위아래로 이동하며 다른 항구에서도 일할 수 있는 특권이 있다. 나 역시 샌프란시스코가 싫증 나고 내 안의 오래된 과실 품꾼이 되살아나면 다른 곳으로 떠나 일하곤 했다.

노조 회비를 체납하지 않았고, 부두 인력 회사가 아주 예외적으로 어떤 지배력을 행사하고 있지 않는 한(만일 당신이 일터에서 자주 불평하고 싸움질을 해왔다면 회사는 당신이 떠나는 걸 아주 반가워할 것이다), 부두노동자라면 누구나 항구를 골라 이동 카드에 기입하고, 차에 연료를 가득 채우고 떠날 수 있다. 나는 이게 마음에 들었다. 마을을 떠나 새로운 장소, 새로운 사람들, 그리고 나를 기다리는 일을 찾아갈 수 있다는 것.

내가 간 곳은 로스앤젤레스나 오리건의 쿠스 만이었다. 일 대부분이 통나무 운반이었지만, 쿠스 만에서 일하는 것은 아주 만족스러웠다. 좀 더 설명하면, 이 일은 연안에서 배 옆에 떠 있는 뗏목의 통나무들을 일정하게 모아서 쌓는 작업이었다.

처음 쿠스 만에 갔을 때는 1970년대 초였다. 그 무렵 나는 마음이 복잡했다. 당시 서부 연안 부두노동자들은 새로운 5년 계약을 간발의 차이로 인준한 상황이었다. 해리 브리지스는 자동화 문제를 다루는 몇몇 안들 중에 하나인 신노동협약을 지지하고 있었는데, 반면 나를 포함한 많은 부두노동자들이 그 협약에 반대했다.

우리는 이 협약이 노조 직영 직업소개소를 위협하고, 고용주들에게 우리들과 작업에 대한 너무 많은 권한을 주는 일이라고 판단했다. 많은 이들과 마찬가지로 나 역시 노조 회의에나 일터에서 반대 목소리를 냈다. 하지만 협약은 통과되었고(2회 투표 후 브리지스는 협약 안건을 통과시켰다) 나는 잠시 다른 곳에서 보다 단순한 생활을 하고 다른 환경에서 일해보기로 마음먹었다. 마음이 끌리는 일은 뗏목 관련 작업이었지만 일 자체에 대해서는 아는 바가 없었다. 그저 아는 부두노동자 몇몇이 있어서 쿠스 만으로 가기로 한 것이었다.

나는 이동 카드를 소지하고 느긋하게 북쪽으로 향했다. 쿠스에 도착한 것은 목요일이었다. 도착 시간을 맞추는 게 중요했는데, 소규모의 지부 회의가 목요일 저녁에 열렸기 때문이다. 의례적으로 방문자는 오후에 노조 비서에게 이동 카드를 보여주고, 당일 저녁 노조 회의에 참석해 회원들과 인사를 나누도록 되어 있었다.

쿠스 만 부두노동자들에게는 엄격하고 고유한 관습 하나가 있었다. 금요일 아침, 방문 노동자를 업무 배치 창구까지 안내하고 항구의 모든 일거리 중에 하나를 먼저 선택할 기회를 주는 것이다. 이처럼 쿠스 만에서는 비단 알고 있던 사람이 아니라고 해도, 외부에서 방문한 부두노동자를 형제로 간주하고 반갑게 환영해주었다.

오후가 되자 나는 비서에게 이동 카드를 제시하고 방문 절차를 밟았다. 비서는 무관심한 태도에 좀 쌀쌀맞기까지 했지만, 알고 있던 사람이 아니기에 대수롭지 않게 넘겼다. 저녁에는 몽고메리와 함께 회의에 참석했다. 그는 샌프란시스코에서 나와 오래 파트너를 맺었던 사람으로, 이 항구로 넘어와 정착했다. 나는 소개 시간에 빨리 앞으로 나갈 수 있게, 몽고메리와 앞쪽에 자리를 잡고 회의 시작을 기다렸다.

회의는 보통 7시 정시에 시작됐다. 하지만 7시 15분인데도 시작할 기미가 보이지 않았다. 심지어 연단도 비어 있었다. 그때, 샌프란시스코에서 함께 일했던 한 부두노동자가 와서 몽고메리의 어깨를 두드리며 따라오라는 몸짓을 했다. 나는 1분가량 혼자 있었는데 몽고메리가 굳은 얼굴로 돌아왔다.

"같이 가지."

그가 말했고, 나는 그를 따라 회의장을 나섰다. 밖으로 나가니 예닐곱 사람들이 둥그렇게 서 있었다. 무리 중앙의 비서를 제외하면 모두 일면식이 있는 사람들이었다. 몽고메리가 나를 비서에게 데려갔다.

"나한테 한 얘기, 이 친구한테도 해줘요."

그가 비서에게 말했다. 비서는 곤란해하는 것 같았다.

"어서요."

몽고메리가 재차 말했다. 그러자 비서가 말했다.

"오늘 아침에 당신에 대한 전화 한 통을 받았어요. 해리 브리지스에게서 왔죠."

나는 믿을 수 없었다.

"농담이겠죠. 해리 브리지스라고요?"

그러자 몽고메리가 비서에게 말했다.

"그가 얘기한 대로 말해줘요."

비서는 더 곤란한 표정으로 말했다.

"브리지스가 그러더군요. 당신이 여기로 일하러 왔는데, 당신은 파업 파괴자에 사기꾼이고 노조를 망가뜨리는 데 안달이 난 사람이라고 했어요."

어안이 벙벙했다. 훗날에는 브리지스와 면식을 텄지만, 당시는 그와 개인적으로 모르는 사이였던 터라 그가 나를 알고 있다는 사실에 깜짝 놀랐다. 사실 이건 큰 쇠망치로 모기를 내리치는 격이었다. 브리지스의 자동화 협약에 반대하는 이들이 많았고 공개적으로 반대를 표명한 사람들도 있었지만, 그 가운데 나는 사실 보잘것없는 인물이었다. 만약 반대자들을 큰 연못에 비유한다면 나는 그 안의 가장 작은 개구리에 불과했다. 그렇지만 해리 브리지스의 처지에서 보면 그냥 내버려둘 만큼 미미하지는 않았던 듯하다. 나는 몸을 돌려서 떠나려 했다.

"어이! 어디 가요?"

"다음에 봅시다. 알아서 사라져드리지요. 이건 샌프란시스코 문제입니다. 내가 여기 있다는 이유로 당신네까지 그 싸움에 끌어들일 필요는 없지요."

"아니, 좀 기다려봐요."

누군가 말했다. 몇몇은 날 붙잡기도 했다.

"아니오, 갈 필요 없소. 일하러 왔으니 여기서 일하면 되지."

"고마워요, 정말 고마워요. 하지만 가는 게 좋을 것 같군요. 이 모든 게 지나가면 다시 올게요. 내년쯤이요."

"절대 안 됩니다."

날 잡고 있는 이들 중에 한 사람이 비서에게 이야기했다.

"이 사람은 공인된 이동 카드를 소지하고 있고, 회비도 완납한 부두노동자요. 그리고 여기에 일하러 왔고, 일할 생각도 가지고 있습니다."

"좋습니다. 여러분이 원한다면."

비서는 이렇게 말하고는 회의장으로 돌아갔다. 나머지도 나를 회의장까지 데려가서 자리에 앉히고 방문 부두노동자 환영 행사가 끝날 때까지 곁을 지켜주었다. 그리고 다음 날 아침, 나는 일을 나갔다.

나의 쿠스 만 방문 사례는 어디에나 퍼져 있었던 부두노동자들의 원칙들을 잘 보여준다. 쿠스 만 항구는 해리 브리지스의 열렬한 지지 세력이었다. 이 작고 외딴 쿠스 만의 부두노동자들은 다른 지부보다 돈을 두 배 가까이 벌었고, 종합 의료 및 치과 진료 혜택을 누리고 있었으며, 휴가와 퇴직연금도 비할 바 없이 좋았다. 그들은 지부 혼자서는 결코 이 같은 성과를 얻을 수 없었다고 믿으며 가장 큰 공을 해리 브리지스에게 돌렸다. 이들은 브리지스가 하느님과 경합을 벌인다 해도, 브리지스에게 돈을 거는 게 현명하다고 생각했을 것이다.

쿠스 만 항구에서는 소수를 제외한 모든 부두노동자들이 브리지스가 지지하는 협약에 찬성표를 던졌다. 그 협약을 지지해서가 아니라 해리 브리지스가 요구했기 때문이다. 그럼에도 나는 쿠스 만에 머무르는 동안 차가운 눈총은 좀 받아도 늘 공평하고 올바른 대우를 받았다.

어째서 브리지스가 나를 쓰러뜨리려 했을까? 나는 결코 그 이유를 알아내지 못했다. 수년이 흐른 뒤, 나는 그가 회장으로 있던 위원회의 비서로 일했다. 그가 곤란할 정도로 시력이 나빠지기 시작해서 때로 회의 후에 그를 집까지 데려다 주었다. 그는 내가 꺼내는 화제에 대해서는 뭐든 자유롭게 얘기했지만, 쿠스 만에 전화를 걸었던 일만큼은 입 밖에 내지 않았고 나 또한 묻지 않았다.

쿠스 만에서 맞이한 첫날 아침, 나는 오랜 파트너인 몽고메리와 뗏목에서 하는 작업을 택했다. 모두들 나더러 미쳤다고 했다. 내게 우선 권이 주어졌고, 업무 배치 창구에는 쉬운 일도 많았기 때문이었다. 오전 나절이 되자 그들의 생각이 옳았다는 걸 깨달았다. 뗏목 위에서 걸을 수 있을 때까지는 그저 똑바로 서 있는 것 자체도 일처럼 느껴졌다. 아무리 꼼짝 않고 꼿꼿하게 서 있어도 망할 통나무는 늘 뱅글뱅글 돌았다. 코크 (스파이크 부츠)를 신었는데도, 회전을 멈추려고 부츠로 찍으면 통나무는 반대 방향으로 돌았다. 누구라도 거기에는 서 있지 않는 게 좋았다. 뗏목 작업 대신, 권양기가 통나무를 선박 화물창까지 옮길 수 있도록 통나무 를 쌓아두는 작업을 하는 게 나았을 법했다.

이렇게 8시간을 보내고 나니 뭍으로 가서 샤워를 하고 앉아 있고 싶은 마음이 간절해졌다. 하지만 샤워도 문제였다. 벽들이 앞뒤로 흔들리 는 것처럼 느껴지는 바람에 샤워 내내 긴장하며 몸에 힘을 주어야 했다.

한 주쯤 지나자 익숙해졌지만 처음 며칠간은 생지옥이었다. 몸의 균형을 잡으면서 일하려니 녹초가 되었다. 사람들이 고래고래 고함치는 것도 피곤했다. 나는 내가 서 있던 통나무가 돌기 시작하면 단념하고 다 른 이들의 통나무 쪽으로 건너뛰곤 했다. 결국 이런 요령 없는 행동 탓에 남의 통나무까지 돌기 시작했다. 이럴 때 반응은 보통 이랬다.

"어이, 샌프란시스코 양반, 망할 자네 통나무에 있으라고!"

집으로 돌아가기 며칠 전, 마침내 이 일에서 어느 정도 수준에 이르렀다. 나는 어느 날 아침 새로 온 방문 노동자와 함께 일하면서 그 사실을 깨달았다. 로스앤젤레스에서 온 그의 이름은 산 페드로 항구에서 딴 페드로였다. 그도 내가 그랬던 것처럼 뗏목 위에서 걷지 못하고 앞뒤로 흔들리며 통나무를 잡거나 끌 때 사용하는 쇠갈고리가 달린 긴 막대로 균형을 잡으려고 애썼다. 그러다가 자기 아래 통나무가 돌면 늘 내 통나무 쪽으로 뛰어오려고 했다. 그럴 때면 나도 어느새 이렇게 외쳤다.

"어이, 페드로, 망할 자네 통나무에 있으라고!"

나도 그랬다는 것은 벌써 잊고 있었다.

야외 활동을 하는 이들에게 쿠스 만은 천국이었다. 직접 채취하고, 손으로 잡고, 아니면 총으로 사냥하는 식으로 1년 내내 야생에서 먹을 것을 구할 수 있었다. 사냥철에는 사슴을 잡을 수 있었고, (종이 다른 두) 메추라기, 오리, 거위, 자고새도 있었다. 원한다면 곰도 잡을 수 있었다. 하지만 다들 곰은 먹을 수 없다고 생각했다. 누군가는 '곰 고기도 먹을 수 있다'고 주장했는데, 그가 말한 요리법은 이랬다. 곰 고기를 한 시간 반 동안 삶은 다음 물을 쏟아버리고, 또 한 시간을 삶아 그 물도 버린다. 그러고는 미트 로프를 요리할 때처럼 삶은 고기를 사과와 3대 1의 비율로 다져서 넣고 45분 동안 굽는다. 그는 케첩만 많이 뿌리면 곰 고기 요리도 먹을 수 있다고 주장했다. 하지만 다른 사람들은 여전히 미심쩍어했다. 나는 그 말이 맞는지 아닌지 모른다. 다른 여러 가지는 먹어봤지만 곰 요리만큼은 맛보지 못했기 때문이다.

낚시도 사시사철 가능했다. 제철에 맞는, 잡을 만한 것들이 항상 있었다. 또한 땅을 파서 지렁이나 게를 잡을 수도 있었다. 게를 잡을 때는 쇠로 만든 커다란 게잡이 통발을 내렸는데, 개 사료 통조림에 구멍을 뚫어 통발 안에 넣고 묶은 다음 만에 넣어 가라앉힌 뒤 어딘가에서 맥주를 마시며 한두 시간 보내다가 돌아와 감아올리기만 하면 됐다. 게잡이는 할 만한 가치가 있었다. 우리는 그렇게 잡은 게를 친구 집으로 가지고 가, 삶아서 오후 내내 먹었다. 자연에서 먹기 좋은 음식을 거저 얻는 것만큼 즐거운 일이 또 있을까.

야생 식료품들 중 가장 은밀한 녀석은 버섯이었다. 버섯이 자라는 땅은 성스러웠다. 버섯은 눈에 잘 띄지 않는 곳에서 자랐고, 그 위치는 아버지로부터 아들에게 전해졌다. 보통 이렇게 수마일 떨어진 숲 속에 있는 선산은 절대로 외부에 노출되는 법이 없었다.

한번은 지부의 한 부두노동자로부터 초대를 받아 버섯 따기 원정에 나선 적이 있었다. 나중에 이 얘기를 들은 사람들은 다들 그런 초대가 흔치 않은 영예라고 말했다. 그때 나는 눈가리개나 그 비슷한 것도 하지 않았는데, 마을을 벗어나 숲 속 길을 가는 와중 우리가 우회하고 있음을 깨달았다. 어떤 낡은 헛간을 세 번이나 지나치고 있었던 것이다. 게다가 하늘이 구름으로 뒤덮이면서 남북 방향까지 놓쳐버렸다. 이 우회 전략은 효과가 있었다. 아무리 생각해도 그 길이 지금도 생각나지 않는다. 돌아오는 길은 훨씬 더 치밀하게 우회하는 코스였다. 이 모든 게 그 전설적인 살구버섯을 따기 위해 일어났다.

항구에는 저마다 고유한 '문화'가 존재한다. 나는 '문화' 외에는 이 모든 것을 묘사할 다른 말을 떠올리기 어렵다. 한 예로 어떤 항구는 자유분방해서 대개 모든 것들이 허용된다. 반면 어떤 항구는 아주 엄격하고 나름의 규범을 준수한다. 대부분의 항구에 있는 문화 중에는 이런 것도 있다. 화물이 술이라는 걸 알면, 그게 수입품이든 수출품이든 조원들은 제일 먼저 창구를 열어 상자 속 술의 일부를 가져간다. 하지만 북서부에 있는 한 항구에서는 어떤 화물에도 손댈 수 없다. 이 때문에 일부 방문 부두노동자들이 맥주를 마셨다는 애꿎은 이유로 고향으로 돌려보내지는 경우가 많았다.

또한 항구들에는 고유한 우스개가 있다. 육체노동자의 관습으로 볼 때 대체로 우리의 농담은 자기들과 관련된 것이다. 임업을 주로 하는 북서부에서 아주 유명한 농담이 하나 있는데, 이 농담은 실직자와 환경보호론자, '급진적 환경 운동가(tree huggers)'에 관한 것이다. 줄거리는 이렇다. 한 수렵 감시관이 연안 인근의 비포장도로를 따라 차를 몰다가 산탄총 소리를 듣고는 잽싸게 픽업트럭을 세웠다. 그리고 가까운 모래 언덕으로 살금살금 다가가 유심히 상황을 살펴보니, 한 남자가 물가의 돌출된 바위에 서서 갈매기를 향해 총을 쏘고 있고 뒤쪽 바위에는 이미 갈매기 몇 마리가 놓여 있었다. 감시관은 일어나서 성큼성큼 대담하게 걸어가 남자 앞에 섰다.

"체포하겠소."

감시관이 말했다. 그는 총을 압수하고는 증거로 갈매기 몇 마리를 집어 들었다.

"갈매기는 잡아서는 안 된다는 걸 모릅니까? 갈매기는 청소 동물이에요. 지저분한 것들을 처리한단 말입니다."

"네, 나도 알아요."

남자가 중얼거리듯 말했다.

"그럼, 왜 갈매기를 잡았소? 대체 왜 그랬소?"

"먹으려고요."

남자가 마지못해 대답했다.

"먹는다고? 맙소사! 갈매기를 먹는다고?"

남자는 자신의 신발을 응시하면서 말했다.

"네. 제재소가 문을 닫아서 일거리를 잃은 후로 나와 아내와 아이들은 아주 힘들게 살아왔지요."

감시관이 못 믿겠다는 표정으로 말했다.

"그렇다고 갈매기를? 세상에나, 갈매기를! 도대체 무슨 맛이오?"

"뭐랄까, 점박이 올빼미와 흰머리 독수리 중간쯤 되는 맛이오."

부두노동자 절반이 멕시코계 미국인인 로스앤젤레스에서도 크게 다르지 않은 농담이 돌고 돌았다.

"멕시코 결혼식에서는 신랑 들러리를 누가 하는지 알아요?"

한번은 산체스라는 사내가 인사를 주고받자마자 이렇게 물었다.
나는 망설이다가 대답했다.

"모르겠는데요. 누가 하는데요?"

"배터리 점퍼 케이블을 갖고 있는 남자지요."

몇 달 후 나는 샌프란시스코 집으로 돌아왔고, 한 모임에서 이 농담을 이야기한 적이 있었다. 사람들은 재미있어했는데, 그중에 한 사람이 인디애나 주 개리의 노동자 선술집에서 같은 농담을 들었다고 했다. 단, 거기서는 멕시코 결혼식이 아닌 폴란드 결혼식이었다.

그렇게 나는 연안 남북을 오가며 대여섯 번 정도 다른 항구에서 일을 했다. 서부 연안에서는 어디든 같은 노동조건으로 일할 수 있었다. 모두가 동일한 시간으로 일하고, 동일한 시급을 받았다. 또한 서로 차이가 무엇이든, 항구마다 많이 다르다고 해도 서부 부두노동자들에게는 노동협약 외에, 적어도 한 가지 동일하게 공유하는 것이 있었다. 바로 핵심적인 사안에 부딪히면 똘똘 뭉쳐서 하나로 행동한다는 점이었다.

3년 전 시애틀에서 한 교섭위원이 임기를 마치고 일터로 돌아갔을 때, 하역 회사들이 (일을 못 하게 만들어) 보복하려 든 적이 있었다. 그가 임기 동안 강경 노선을 취했다는 이유였다. 그러자 샌디에이고부터 캐나다 국경까지의 부두노동자들이 모조리 파업을 벌였다. 하역 회사들은 급히 입장을 재고해 그가 일자리를 얻을 수 있도록 했다. 비로소 그렇게 되고 나서야 모든 부두노동자들이 자신의 일터로 돌아갔다.

도달한 목적지는 목적지가 아니었다.

모든 길은 우회로였고, 휴식은 매번 새로운 동경을 낳았다.

헤르만 헤세

정당은 현존하는 계급의 이해를 대변하는 민주주의의 토대 위에서만
그 존재를 증명할 수 있다. 미국에서 노동계급은 해가 지날수록 누구도 대표하려 들지 않는
계급이 되었다. 어째서 중요한 노동자 정당이 만들어지지 않는 것일까?

18

누구에게 투표하란 말입니까?

나는 노동과 노동자를 주제로 글을 쓰는 육체노동자다. 지난 수년간, 나는 백인 남성 육체노동자들 상당수가 왜 민주당을 저버리고 리처드 닉슨, 로널드 레이건, 부시 부자에게 표를 던졌느냐는 질문을 거듭 받았다. 자유민주주의를 신봉하는 이들은 나를 멈춰 세워 질문을 던질 때마다 항상 힐난조였다. 이들은 자신들이 육체노동자들의 표를 꽉 잡고 있다고 생각한다.

　나는 사람들이 어떤 방식으로 투표를 하는지 곰곰이 생각해왔고, 함께 일하는 동료들과 다른 노동자들에게도 어떻게 투표를 하는지, 그리고 왜 투표하는지를 물어왔다. 하지만 이에 대한 답변을 많이 듣지는 못했다. 이들은 그 주제와 관련해 이야기하기를 꺼려 했다. 우선은 이게 사적인 영역의 일이기 때문이고, 또한 내가 보기에는 그들 역시 나와 마찬가지로 자신들이 표를 던진 후보들과 모든 것에 양가감정을 느끼기 때문이 아닐까 싶다. 특히 전국 수준의 선거에서는 더욱 그렇다.

민주당은 1930년대 뉴딜 정책을 시작으로, 노동자들이 법적으로 평등한 대우를 받으며 미국 주류 사회에 편입할 수 있는 법안 통과에 많은 노력을 기울이기 시작했다. 그리고 제2차 세계대전 후에는 상하원에서 모두 과반을 넘기고 대법원의 도움을 받아, 인종으로 분리된 학교의 통합, 차별 철폐 조치, 성 평등을 성취해냈다.

이런 법률들은 취업 및 승진에서 차별을 없애는 것을 목표로 했다. 민주당이 이 조치들을 성취해내면서 백인 남성 육체노동자를 포함한 미국인 다수가 민주당을 지지하기 시작했다. 적어도 처음에는 그랬다. 하지만 이후, 대부분의 백인 남성 육체노동자들이 현재의 상황에 대해 의구심을 품기 시작했다.

흑인 및 여성 육체노동자가 새롭게 일터에 진입하여 일거리가 점차 줄기 시작하면서부터였다. 사실 1960년대 중반의 자동화 정책, 공장의 해외 이전 등으로 취업 기회가 더욱 줄어들면서 육체노동자의 일거리는 급격히 사라졌다. 그리고 백인 남성 육체노동자들은 모든 이가 칭송하는 정의와 평등이 온전히 자신들만의 희생으로 유지되고 있다는 걸 깨달았다. 그들은 자신들이 관례적으로 해왔던 일을 나누라는 요구를 받았다. 물론 배분할 일이 충분하다면 괜찮았을 것이다. 하지만 이들의 일거리가 없어졌을 때에도, 이들이 얻을 수 있을 만한 새 일거리들이 여성이나 흑인에게 우선적으로 돌아가는 경우가 많았다.

실업은 결코 '장난'이 아니다. 직장이 있는 사람도, 돌아보면 친구나 친척 중에 실업자가 있을 것이다. 만약 직장을 잃어봤거나 그런 위협을 느껴본 사람이라면, 이 백인 남성 육체노동자들이 어떤 심정이었는지 알 수 있을 것이다.

설상가상으로 이들에게는 기댈 데가 없었다. 이들의 주장을 정치적으로 호소해줄 어떤 주류 단체도 정부와 외부에 없는 상황이었다. 그렇다고 공개적으로 불만을 토로할 수도 없었다. 만일 '여러분, 흑인과 여성이 우리 일거리를 가져가고 있어요!'라고 외치면 으레 인종주의적 레드넥(redneck) 이나 남성 우월주의자라는 낙인이 찍혔다. 설사 이런 비판을 진짜라고 해도(이처럼 복잡한 쟁점의 경우, 포괄적인 비판은 오직 부분만 진짜일 수 있다) 그들은 백인 남성의 실업 문제는 제기하지 않았다.

정부는 이 모든 것에 대한 대응으로 실업보험을 늘리고 직업 재훈련을 시작했다. 하지만 무엇을 위한 재훈련인가? 직업 재훈련은 기본적으로 실업보험을 늘리는 또 다른 방법이 되었을 뿐이다. 내가 아는 사람 중에도 미용사 직업교육을 받은 40대 남성 육체노동자들이 있다. 하지만 이들이 직업교육을 받았다고 미용실에 취업할 수 있었던 건 아니다. 사람을 구한다는 미용실에서조차 말이다. 그들은 그저 미용 일에 소

교육 수준이 낮고 정치적으로 보수적인 남부 노동자를 모욕적으로 이르는 말.(역자 주)

누구에게 투표하란 말입니까?

질이 없었을 뿐이다. 내가 아는 딱 한 사람, 아내에게 꽤 괜찮은 맥주 한 잔을 건넬 줄 아는 한 사내를 제외하고는 말이다.

백인 남성 육체노동자의 일자리가 사라지면서 생긴 또 다른 파괴적 결과는, 그들의 아들들 역시 갈 곳이 사라졌다는 점이다. 이 문제는 일하는 부모의 아들이건 실직 중인 부모의 아들이건 마찬가지로 적용된다. 과거 육체노동자의 아들은 일반적으로 아버지가 어떤 산업에 종사하건 아버지의 직업을 따랐다. 하지만 지금은 이것이 어려워졌다. 그리고 이런 상황의 희생자는 또다시 백인들이다. 직장을 구하지 못한 청년들은 대학에 다니는 동안 방황을 거듭하고, 20대 중반 혹은 그 이상이 되도록 집에 머물면서 일자리가 나기를 기다린다.

설사 간신히 직장을 구해도 보통은 서비스 직종이며, 흔히 대대로 이어지던 가업과 전통은 사라졌다. 노동계급의 윤리와 문화는 가정에서 길러져서 일터에서 확인되고 전달된다. 육체노동자가 스스로 정의하는 규약은 함께 일하는 과정, 그리고 공장이나 제재소 또는 광산에서 작업할 때 필요한 것들을 공유하는 과정에서 생겨난다.

그런 면에서 내가 아는 늙은 노동자들은 이전의 고용 방식이 부당했다는 것은 인정하지만, 요즘 들어 노동자들이 새로이 고용되는 방식에 대해서도 좋은 말을 하지 않는다. 물론 이전의 방식을 정실 인사라 칭할 수도 있겠지만, 내가 아는 많은 부두노동자들은 더 이상 아들과 함께 일할 수 없다는 걸, 또한 자신들이 은퇴하고 난 뒤 자식들이 그 일을 이어가지 못하게 된 것에 낙심하며 일하고 있다. 나로서는 그들이 어떤 투표를 하는지 조금도 알 수 없지만, 투표에서 이들의 이해관계가 분명히 표출되지 못하고 아주 흐려지고 있는 것은 사실인 듯하다.

내가 아는 노동자들은 투표를 사적인 것이라고 여기는 반면, 투표하지 않는 이들의 경우 이 질문을 하면 아예 적대적인 태도를 보일 수도 있다. '모두가 투표해야 한다'는 우리 모두에게 끝없이 쏟아지는 메시지가 아닌가.

"투표했어요?"

지난 투표에서 고어가 부시에게 패색이 보일 즈음 한 지인에게 이렇게 물은 적이 있었다. 그러자 그는 따지듯 물었다.

"누구한테요?"

너무 거친 반응이어서 '아니, 맘에 드는 후보가 없으면 당신 이름을 써넣을 수도 있잖아요'라는 식으로 가볍게 대응할 수도 없었다. 나는 마지막으로 물었다.

"고어요? 부시요?"

"둘 다 엿이나 먹으라고 해요!"

대화는 끝났다. 그의 대답에는 분노가 담겨 있었고, 일종의 정치적 표현이었다. 그의 반응은 인종적 측면에서 설명하는 게 가장 설득력 있을 듯하다. 만일 당신이 남부 혹은 그 밖의 지역에서 사는 흑인이고, 공직 선거에 나온 두 후보가 모두 백인 인종주의자라면 구태여 투표할 이유가 있겠는가?

고어 대 부시 선거에서 중서부 노동자 지역들을 조사한 출구조사 요원들에 따르면, 절반 좀 넘는 52퍼센트의 백인 남성들이 공화당인 부시에게 투표했다고 한다. 의미심장한 것은, 투표율이 고작 50퍼센트에 불과한 선거에서 공화당이 50퍼센트 조금 넘는 득표를 했다면 유권자의 4분의 3이 공화당을 뽑지 않았다는 결과가 나온다. 이는 대략 민주당에게도 적용될 수 있다. 다시 말해 이는 미국 국민들이 자신들의 권한을 어느 정당에 위임했다고 말할 수 없다는 것이다.

투표를 포기한 사람들의 이유는 다양하다. 게을러서, 혹은 선거에 관심이 없어서 기권을 했거나, 비 오는 날 투표장까지 나가는 게 싫었던 사람도 있다. 게다가 '둘 다 엿이나 먹으라고 해'라고 말하는 이들까지 있다. 이들이 각각 몇 명씩인지는 정확히 알 수 없지만 이들이 중요한 이유는, 바로 이 사람들이 미국의 선거 결과를 결정짓고 있으며, 그 수가 해마다 늘고 있기 때문이다.

고어는 지난 선거에서 노동자를 거의 업신여기는 모습을 보여주었다. 그는 NAFTA와 WTO, 노동자의 일거리를 외국 공장으로 이전하고, 이주노동자의 인원 할당 수를 늘리는 정책을 지지하는 민주당의 공약을 승인하는 발언을 거듭했다. 모든 게 미국 노동자들에게는 해로운 조치였다. '엿이나 먹으라고 해'라며 투표를 하지 않는 이들이 분노하는 이유 중에 하나가 만일 그들이 민주당, 즉 고어에게 표를 던졌다면 스스로 무덤을 판 꼴이 되었을 거란 점이다.

정당은 현존하는 계급의 이해를 대변하는 민주주의의 토대 위에서만 그 존재를 증명할 수 있다. 미국에서 노동계급은 해가 지날수록 누구도 대표하려 들지 않는 계급이 되었다. 어째서 중요한 노동자 정당이 만들어지지 않는 것일까? 물론 부분적으로는 노동조합 지도부 탓이리라. AFL-CIO(미국노동총연맹 산업별 조합 회의)의 지도부는 더 필수적인 요소라고 생각하는 것을 이행하기 위해, 항상 자체 구성 요소인 노동자를 경시해왔다. 즉 민주당을 지키고 민주당을 집권 정당으로 만드는 일을 우선시했다.

또 다른 파열은 급격히 성장한 진보당이 1948년 대선에서 자신들이 성장했던 것보다 빠른 속도로 노동자들에게 버림받았던 것에 있다. 이후 50년간, 노동자를 대변하는 일이 점차 간절해지고 있는데도 공백을 메울 정당이나 정치 단체는 등장하지 않고 있다.

그렇다면, 과연 지금이 아닌 미래에라도 미국에서 주류 노동자 정당이 용인되어 노동자의 지지를 얻어낼 수 있었을까? 대답을 하자면, '그렇다'. 이에 대한 증거도 있다. 1920년 대선, 유진 데브스가 옥중에서 사회주의자 후보로 출마해 거의 100만 표를 얻은 것을 기억하는가. 그로부터 4년 후인 1924년에는 위스콘신 주 상원의원 라폴레트가 데브스와 거의 유사한 공약을 들고 대선에 출마해 500만 가까운 표를 얻었다. 1992년, 로스 페로는 어떤 신념을 위해서라기보다는 당시의 주요한 두 후보에 반대하기 위해 출마한 셈이었지만, 2,000만의 유권자를 설득해 표를 얻어냈다. 분명한 것은 그 2,000만 중에는 자유주의자부터 반동 극우까지 포함되어 있었는데, 이들은 두 개의 주요 정당을 떠나고 싶어하는, 불만 가득한 사람들의 수를 보여주고 있다는 점이다.

정당 수가 세 개가 되면 미국 민주주의의 효율적 기능과 미국 고유 입법 과정의 온전한 작동에 방해가 된다는 주장이 거듭 제기되어왔다. 그리고 주요 두 정당들도 현 상태를 그대로 유지하는 것은 자신들의 이익과 아무 관련이 없다는 듯, 그 주장을 숭고한 진실로 제시해왔다. 그러면서 제3 정당들은 선거판을 혼탁하게 할 뿐이라고 주장한다. 물론 그말은 옳다. 1992년 대선에서 로스 페로가 아버지 부시의 표를 깎아먹어서 대통령 자리가 빌 클린턴에게 넘어갔을 테니까. 2000년 대선에서의 랠프 네이더도 그렇다. 그는 고작 약 200만 표를 얻었지만 아들 부시가 당선되는 데 기여한 셈이 되었다.

제3 정당이 미국의 정치에 강력한 영향을 미친다는 것은 자명하다. 만일 국회의원 및 대통령 선거에 후보를 내고 포괄적인 친노동 공약을 내걸며 사무직 노동자까지 대변하는 노동자 정당이 있다면, 노동자들이 자신의 지역구에서 요구하는 것보다 훨씬 더 많은 긍정적 결과들을 계속해서 얻을 수 있을 것이다.

다만 남은 문제는 여전히 있다. 미국에서도 노동자 정당이 정권을 잡을 수 있었을까 하는 것이다. 영국은 두 번 그랬고, 유럽의 다른 민주주의 국가들에서도 그랬으니, 미국에서 불가능했다고 단언할 수 없다. 나아가 비록 정권 획득에 실패했다 하더라도 소수 정당, 노동자를 대변하는 진정한 제3 정당이 있었다면, 지난 50년간 양당 사이에서 캐스팅보트를 거머쥐고 노동자의 이익을 보다 원활하게 요구할 수 있었다. 만일 그랬다면 분명히 노동자들도 지난 50년간 살아온 것보다 더 나쁜 삶을 살지는 않았을 것이며, 이 정당이 지금은 갈라져버린 노동자들을 단결시키는 데 큰 도움이 되었을 것이다. 또한 생계를 위해 노동하는 사람이라면 누구나, 지금은 서로 경쟁하는 상황이 되어버린 흑인 노동자와 여성 노동자, 여타 기준에서 본 노동자 대신, 모두의 공통적이고 참된 속성, 다름 아닌 '노동자'로서의 관점에서 스스로를 생각해볼 수 있었을 것이다.

사실 대기업은 필요하다고 판단할 때면 언제든지 판사를 구해서
금지 명령을 얻어낼 수 있다. 이를 위반하는 노동자에게는 엄청난 처벌과 벌금을 매기는
명령 말이다. … 노동자들은 지난 50년간 목격하고 경험한 바를 가지고,
입법자와 이들이 제정한 법, 법을 해석하는 판사, 판결을 집행하는
경찰 모두를 신뢰하지 말아야 한다는 결론을 내렸다.

19

노동법이 뒤집어쓴 가면

나는 정부로부터 두 번, 갈취 혐의로 기소되었다. 내가 가진 돈은 노조 일로 대략 1년에 한두 번 받는 활동비 외에는 부두에서 일해서 번 것이 전부였다. (물론 간간이 글을 써서 부수적인 수입을 얻기도 했다.) 여기서 결백을 밝히기 위해 털어놓겠다. 아마 누군가는 정직한 내가 어떻게 그런 심각한 범죄 혐의로 피소되었는지 물을 것이다.

분명히 그 고소 사건은 끔찍하고 드문 실수였다. 아니, 두 번이나 당했으니 드물다고 할 수는 없을 것이다. 이 두 번의 고소로 나와 다른 조합원들은 모두 무차별적으로 고발당했다. 앞서 말했듯 혐의는 갈취였다. 우리 일을 지키려고 피켓 라인을 세워 파업을 벌이고, 일한 대가로 기존의 임금을 요구한 것을 갈취라 했다. 그렇다면 어떻게 이런 식의 고소가 가능했을까? 그 답은 수년간 노동법들이 만들어지고, 제정되고, 시행되어온 과정에 있다.

내가 처음 갈취 혐의로 기소된 이유는, 회사가 연안 밖에서 인력을 데려와 우리 일을 맡기려 하자 우리 노조가 이에 맞서 부두에서 파업을 벌였을 때 내가 법원 기록에 노조 간부(부대표)로 등재되어 있기 때문이었다. 두 번째 기소도 피켓 라인과 관련이 있었는데, 상황이 좀 더 복잡했다.

당시 미국의 가장 큰 철강 회사가 대한민국에서 철강을 만들어 샌프란시스코 만 항구를 통해 들여오자는 계약을 대한민국의 철강 기업과 맺었다. 이 미국 회사는 제련을 미국에서 하는 대신 외국 철강을 구입해서 외국 선박으로 들여오면 경비 절약이 가능하며, 또한 철강 하역에서 미숙련 비노조원을 우리 임금의 절반만 주고 부리면 훨씬 비용을 줄일 수 있다고 판단해 그런 결정을 내렸다. 우리는 가만히 있을 수 없었고, 피켓 라인을 세우고 파업에 돌입했다.

하지만 수입된 철강을 내리는 장소의 특성상 피켓 시위가 쉽지 않았다. 샌프란시스코 만 북쪽 부두는 강과 이어져 있었고, 초대형 시설에다 외진 곳에 있어서 피켓 라인을 제대로 세울 수가 없었다. 결국 어떤 방법으로든 뭍에서는 불가능하다고 판단하여, 우리는 바다에서 피켓 시위를 하기로 결정했다.

내 친구 댄에게 낡은 끌배 한 척이 있었다. 댄은 그 끌배를 아주 좋아하여 뿌듯하게 여기며 부두 일을 하지 않을 때면 항상 배에서 이것 저것을 어설프게 손보곤 했다. 어느 날 이른 아침, 댄과 콜린과 나는 부두에 맨 처음 철강 화물을 싣고 들어오는 선박을 맞이하기 위해 끌배를 타고 나섰다.

우리는 이 배가 시위를 위한 배라는 것을 알리기 위해 큰 표지를 끌배 함교에 펼쳐놓았다. 드디어 선박이 들어왔다. 배가 강으로 진입하려면 도선사들을 교체해야 했으므로, 우리는 서둘러 새로운 철강 하역 부두로 가서 선박을 기다렸다. 또 우리에게는 이 끌배 외에도 소형 고무 보트, 유람용 소형 순항 보트, 어선, 이렇게 세 척의 시위 배가 있었다. 하지만 고무보트는 얼마 안 가 날카로운 것에 찢겨 바람이 빠졌고, 순항 보트는 모래톱에 좌초하는 바람에 끌배와 어선만 시위에 나섰다.

그런데 바다에는 우리만 있는 게 아니었다. 부두에서 연안 경비정 다섯 척이 기다리고 있었다. 그중에 한 척이 우리 배 옆으로 다가오더니 확성기에 대고 우리가 선박 운항에 장애를 줄 경우 온갖 치명적인 결과가 발생할 수 있다고 위협했다.

그렇게 거의 두 시간가량 쫓고 쫓기는 추격전이 벌어졌다. 결국 철강 선박의 정박을 막지는 못했지만 곤란하도록 방해하는 것에는 성공했다. 댄과 어선 키잡이가 계속해서 영리하게 요리조리 곡예를 부리며 운전하는 통에 경비정 한 척이 큰 선박과 부두 사이에 끼어버린 것이다.

　　　　　　　　　　　　　　　　　　노동법이 뒤집어쓴 가면

이 때문에 전체 작업이 중단되고 철강 선박은 바다로 되돌아가 닻을 내리고 2주 동안이나 기다려야 했다.

우리는 승리를 자축하며(나중에 알고 보니 일시적인 승리였다) 맥주 한 상자를 비웠고, 느긋하게 집으로 돌아갔다. 다음 날 영웅적인 끌배 사진들이 모든 신문을 장식했지만, 그다음 날이 되자 우리는 철강 하역 부두에서 가장 가까운 마을의 지방 법원에 출석해 불법 집회 혐의에 답변해야 했다. 그리고 한 달 후에 댄, 콜린, 나 그리고 그곳에 있지도 않았던 적지 않은 수의 사람들이 연방 정부에 기소되었다. 근거는 집단폭력조직부패방지법 위반이었다.

물론 이 기소들은 모두 기각되었지만, 우리 노조는 이 과정에서 변호사 비용으로 상당한 금액을 지출해야 했다. 그러나 다행히도 노조원들은 그 비용을 감당하면서도 이런 갈등 상황에서 늘 그래왔듯이 우리를 전폭적으로 지지해주었다. 하지만 이 시위의 대가와 여파는 금전적 피해에만 머물지 않았다. 고소를 당한 많은 부두노동자들은 소송 과정에 대한 걱정이 이만저만 아니었다. 노동자들에게는 소송을 이어갈 만한 재산이 있었다. 만일 철강 회사가 기소를 채찍 삼아 휘두를 경우, 노동자는 불리한 판결을 받고 체포되어 합의 비용을 위해 집을 팔아야 할 수도 있었다.

반면 나는 그런 위협을 당할 염려가 없었다. 살고 있는 집이 내 소유가 아닌 임차였기 때문이다. 반면 댄은 끌배를 잃을 수도 있었지만, 그랬더라도 그는 단념하지 않았을 것이다. 그의 성격상 만일 조금이라도 도움이 된다고 생각했다면, 아예 철강 선박을 들이받았을 수도 있었을 테니까.

한편 콜린은 이 소송 사건으로 파혼당했다. 약혼녀는 사태가 어떻게 돌아가는지, 왜 그런 일이 생겼는지, 이 모든 것이 왜 부당한지 등은 잘 이해했지만, 정부에게 고소되었다는 사실만큼은 납득하지 못했다. 기소되었다는 것도 아주 수치스러운 일이었고, 그녀로서는 기소될 만한 상황에 뛰어든 남자와 아무 일 없었다는 듯 결혼할 수 없었다.

이처럼 정부의 기소는 많은 사람을 혼란에 빠뜨렸고, 바로 그럴 목적으로 고안된 것이기도 했다. 만일 그 기소가 공정했다면, 노동자들은 정부가 왜 자신들을 이런 상황에 빠뜨렸는지 자문해보았을 것이다. 집단폭력조직부패방지법은 자신의 일을 지키려는 노동자를 괴롭힐 요량으로 만들어진 것이 아니다.

집단폭력조직부패방지법, 태프트하틀리법, 랜드럼-그리핀법, 그리고 이 법들의 모든 세부 조항은 미국 시민, 특히 노동자를 보호하기 위해 만들어진 획기적인 법안들로 알려졌다. 그렇다면 왜 육체노동자들은 예외 없이 이 법들을 반노동적이라고 믿게 되었을까? 두어 사례를 살펴보면 그 이유를 알 수 있다.

1947년에 제정된 태프트하틀리법은 90일간의 '냉각기간'을 세부 조항으로 두고 있다. 이는 파업을 연기하고, 노사 양측 모두가 합의를 이룰 수 있도록 협상하고 재고하도록 하는 항목으로서, 노동부의 신청, 또는 연방 정부나 사측이 절차를 개시할 수 있다. 또한 이론상으로는 노조 측도 이 조치를 개시할 수 있지만, 결코 그렇게 하는 경우가 있을 리 없다. 사측이 파업을 벌였다는 이야기를 들어본 적 있는가.

결론적으로 수년간 태프트하틀리법의 '냉각기간' 조항은 합의는 미루고 생산은 계속하도록 하기 위한 경영진의 도구가 돼버렸다. 사측은 항상 90일간의 유예 기간을 선고하는 판사를 구할 수 있었고, 이 절차를 통해 노동자에게는 없는 여유와 기회를 얻었다. 90일을 활용하여 파업에 대비해 재고품을 늘렸고, 만일 노조를 회복 불가능한 상태까지 약화하는 데 성공했다면 이 냉각기간을 아예 이용하지 않을 수도 있었다. 외려 파업을 조장한 후 대체 인력을 투입하여 노조가 끝장나길 기다리는 방안도 있었으니까.

이 모든 것에서 노동자들이 깨달은 사실이란, 파업을 벌일지 아닐지의 여부가 결국은 노동자에게 적대적인 세력에 의해 결정된다는 점이다. 노동자에게 호의적이고 양식 있는 사람들은 태프트하틀리법 아래 노동자에게 자행되는 무도한 행위를 이유로 들며 판사들을 비판한다. 사실 대기업은 필요하다고 판단할 때면 언제든지 판사를 구해서 금지 명령을 얻어낼 수 있다. 이를 위반하는 노동자에게는 엄청난 처벌과 벌금을 매기는 명령 말이다.

게다가 미국의 두 주요 정당 역시 판사들만큼이나 책임이 크다.

이 법을 제정한 사람들이 바로 이들이기 때문이다. 민주당 의원들이 자신들은 이 법안들을 지지하지 않았다고 주장한다고 해도, 그 항변은 의심스럽기만 하다. 1959년에 태프트하틀리법을 기본적으로만 손보고 늘려서 만든 랜드럼-그리핀법의 본래 이름이 무엇인지 아는가? 바로 케네디-랜드럼-그리핀법이다. 제정 후에 케네디가 법률 이름을 이렇게 지은 것은 정치적으로 현명하지 못했다고 판단해 자신의 이름을 뺐다.

노동자들은 지난 50년간 목격하고 경험한 바를 가지고, 입법자와 이들이 제정한 법, 법을 해석하는 판사, 판결을 집행하는 경찰 모두를 신뢰하지 말아야 한다는 결론을 내렸다. 1935년에 제정된 와그너법(육체노동자에게 진정으로 권리를 부여하여 미국 사회에서 제구실을 하는 동등한 구성원이 될 수 있게 했다) 이래, 노동 입법에는 무관심한 정당들이 아무리 객관적인 법안 검토를 하더라도 이 결론을 더 강하게 만들 뿐이다.

이제 노동자들은 입법에 대해 그저 어렴풋이 듣기만 해도 그 법의 실체가 무엇인지를 알고, 이것이 자신들과 맞서기 위해 사용될 또 하나의 법이라는 걸 안다. 어딘가에서 자신과 같은 노동자들이 파업을 벌일 때, 이들의 문제를 다루는 신문 기사를 읽어볼 때마다 매번 그 사실을 확인할 수 있다.

이와 관련한 사례로 딱 들어맞는 판결이 있다. 최근 샌프란시스코 연방순회법원이 더 적은 임금으로 일하려는 사람을 구할 수 있다면 상규인 선임권을 무시하고 근속 연한이 오래된 선임 노동자를 해고할 수 있다는 판결을 내리지 않았는가? 어떤 노동자가 이런 식의 판결이 자신의 일과 안녕에 위협적이지 않다고 판단하겠는가?

새로운 질서가 지배하는, 보다 나은 세상을 꿈꾸면서 기존 제도를
유지하려 한다면 아무것도 실현시킬 수 없을 것이다.

조지 버나드 쇼

노동자들은 인력이 이전의 절반인데 전과 동일한 작업량을 감당하도록
고용주로부터 압박을 받고 있었다. … 고용주들은 인력 배치에서 더 많은 인원을 감축하고,
이 조항을 관철하지 못할 경우에는 그 문제를 중재인에게 가져가겠다고 위협했다.
… 중재인은 어쨌든 고용주들이 원하는 것을 일부라도 얻게 해줄 것이 분명했다.

20

고용주의 꼼수

미국에서 육체노동이 사라지진 않을 것이다. 하지만 그 대부분이 현재 온갖 수단과 방법에 의해 사라지고 있다. 물론 송두리째 사라지거나 이전되지 않았다면, 그 공장과 일터에는 아직 남은 일을 담당하는 노동자가 있을 것이다. 또한 자동화가 도입된 후에도 여전히 일자리를 유지하고 있다면, 살아남은 득을 볼 수도 있다. 고용주들에게는 인력을 줄여온 덕분에 남은 이들의 임금 인상을 상당한 수준까지 감당할 여유가 생겼다. 이것도 사실상 거래의 일부인 셈이다.

하지만 대다수에게는 이런 행운조차 상쇄될 수밖에 없다. 임금은 인상되었다고 해도 결국 작업량이 늘기 때문이다. 부분적인 이유로는 정리해고로 동료들이 일터를 떠난 탓이다. 인력 감축 후 남은 노동자들은 반드시 계약에 따라 새로운 인력 배치(누가 어떤 일을 맡고, 작업에 몇 명을 배치해야 하는지를 결정하는 것)를 받아들여야 한다. 그래서 경영진은 얼마 안 가 다시금 인력 감축을 시도할 작업장을 찾기 시작한다.

실제로 나는 노사협의회 회의에서 경영진들이 이 같은 사실을 솔직히 인정하는 것을 직접 들은 적이 있다. 이들은 새로운 노동계약 덕에 특정한 작업 환경에서 인력을 감축할 권한을 얻었다. 그로 인해 계약서에는 잉크가 마를 날이 없었다. 고용주들이 모든 부두 작업에서 인원을 전보다 적게 배치한 것이었다. 그날 나는 이 회의에 지부 부대표로 참가했다.

때는 1970년대 말 9월이었고, 새로운 노동계약이 7월에 체결되면서 몇 달 만에 부두의 모든 조화가 깨져버렸다. 인력 대신 기계로 일하기 시작한 대부분의 작업장에서 작업 과정은 그대로 진행되었다. 노동자들은 인력이 이전의 절반인데 전과 동일한 작업량을 감당하도록 고용주로부터 압박을 받고 있었다. 노동자들이 늑장을 부리며 작업을 늦추자 고용주들은 태업이라고 강력히 항의했고, 조치를 확실히 하고자 회의를 요구했다. 그리고 우리 맞은편에 앉아 노동계약을 수정하는, 새로운 요구 사항들을 제시했다. 계약서의 재검토 조항을 이용한 주장이었다. 고용주들은 인력 배치에서 더 많은 인원을 감축하고, 이 조항을 관철하지 못할 경우에는 그 문제를 중재인에게 가져가겠다고 위협했다. 만일 문제가 중재인에게 넘어갈 시, 그들이 지불하는 대가란 끽해야 상황이 불확실해지거나 위험해지는 정도였다. 중재인은 어쨌든 고용주들이 원하는 것을 일부라도 얻게 해줄 것이 분명했다. 더는 참을 수 없었다. 우리를 대표하는 발언권은 지부 대표에게 있었지만 나는 기어이 한마디 하고 말았다.

"당신들, 좀 지나치군요."

내가 불쑥 끼어들었다.

"한 배에 인력을 두 명으로 줄였는데, 이내 한 명으로 줄이려고 애쓰는 꼴이잖소."

"아, 네, 물론입니다."

사용자 집단 대표가 천진난만하게 대답했다.

"그게 우리 일이니까요."

우리는 '뒈져버려라!' 하고 당당히 퇴장하고 싶은 충동이 치밀어 올랐지만 참아야 했고, '안 됩니다!'라고 외칠 수 있을 때까지도 긴 시간을 기다렸다.

부두노동은 해외 이전이 불가능했다. 하지만 그럴 수 있었다면 우리 고용주들은 해외에서 우리 일을 처리하도록 외국 이곳저곳을 돌아다녔을 게 분명했다.

결국 이 까다로운 분쟁은 부두에서 일어나는 다른 많은 분쟁들이 해결되는 방식과 마찬가지로 비공식적 합의를 보는 것으로 마무리되었다. 고용주들로서는 짐 싣기를 끝낸 선박을 출항시켜야 하는 입장이었고, 이에 노조원들은 배를 접수해서 이 분쟁을 끝내버리겠다고 위협했다. 그러면 선박 몇 척은 출항하지 못할 게 뻔했다.

결국 고용주들이 뒤로 물러섰다. 부두노동자들은 자신들이 선박 화물을 하역하는 사람이며, 어떻게 하든 작업은 완수될 것이고, 고용주들이 이런 전통적인 작업 관행에 개입하지 않을 것이라고 이해하며, 새로운 절차들을 일부 묵인하기로 했다. 잠시간 일터 분위기가 싸늘하긴 했지만 어쨌든 사태는 결국 진정되었다.

그래도 다른 산업 분야의 일이 여전히 우리에게 남아 있었다. 동양에서는 집을 지을 때 지붕을 먼저 얹는다. 또 배관 시설을 먼저 설치해버리면 전기 배선을 깔 수 없다. 기술은 물론이거니와 이 같은 작업 순서는, 동양의 조직화된 건축노동자들이 튼튼하게 버티며 상당한 임금을 받을 수 있었던 주요 이유 중 하나였다. 더불어 목수에게 가장 큰 위협이 되는 것은 장인을 밀쳐내고 더 적은 임금으로라도 일하고자 하는 서투른 목수들이 여기저기에 널려 있다는 점이다.

트럭 운전사에게도 비슷한 골칫거리가 있었다. 트랙터, 트레일러 트럭, 화물용 밴, 컨테이너 등은 전국 어디에서나 비교적 쉽게 구입할 수 있다. 조직화되지 않은 운전사들이 서로 경쟁하게 되면 임금 수준은 그 일부만 생계를 제대로 꾸려나갈 수 있는 수준으로 급격히 떨어진다.

그나마 서부 연안 부두노동자들은 처지가 좀 나은 편이었다. 강한 노조 자체는 과거에 거듭 그랬던 것처럼 파괴될 수도 있지만, 서부 연안 부두노동자들은 강력한 조직화에 성공한 것과 더불어 전략적으로도 중요한 위치를 차지하고 있었다. 또한 우리는 대량 학살과 같은 해고를 몰고 온 자동화 및 화물 취급 방법의 변화가 우리 자신에게도 이롭게 쓰일 수 있다는 점을 깨달았다.

컨테이너 선박이 도입되기 전 화물 취급 및 운송 방법은 기본적으로 수세기 동안 그대로 유지되었다. 증기선이든 범선이든 갤리선이든 화물을 출항지에서 수작업으로 하나씩 실었다. 도착지에서 화물을 내릴 때도 마찬가지였다. 하역한 화물은 사람이 화차나 달구지로 창고까지 운반해서 분류할 때까지 보관했다. 모든 항구 도시들은 연안으로 들어오는 막대한 양의 화물을 보관하는 역할을 맡았고, 때로는 장기 보관도 이루어졌다. 예컨대 우리 항구의 경우, 10월 초가 되면 크리스마스 대목을 노린 화물들이 증가했다.

그런데 컨테이너가 도입된 뒤로는 모든 것이 달라졌다. 우리 항구 도시의 대형 창고들이 무용지물이 되었다. 더 정확히 말하자면 창고 대부분이 소매점과 의류 매장의 창고가 되었고, 해안가의 낭만을 파는 레스토랑으로 바뀌기도 했다. 사실상 오늘날 부둣가에는 수출입용 화물을 보관하는 창고가 더 이상 없다. 이동식 컨테이너가 창고 역할을 맡으면서 모든 화물들은 컨테이너에 실려 항상 운송 중인 셈이다.

일본에서 생산한 텔레비전이 덴버와 스키넥터디, 피츠버그, 그

밖의 어느 지역에든 도착해서 상점에서 판매되기까지 6주 내지 8주가 걸린다. 세분해서 살펴보면, 일단 배는 보통 3주면 태평양을 건넌다. 선박이 연안에 도착하고 텔레비전을 하역해 분류한 뒤, 미국 전역으로 운송하는 데에는 기차로든 트럭으로든 대략 2~3주면 된다. 더 길어지는 경우는 거의 없으므로 분명 그 텔레비전은 예정된 시간 안에 매장에 도착할 것이다. 한편 가게에는 창고가 없다. 게다가 당장 아니면 주말까지 팔리지 않을 것 같은 물품은 아예 갖고 있으려 하지도 않는다. 마찬가지로 이들은 자금이 재고에 묶여 있는 것도 바라지 않는다. 반면 상품이 부족할 리는 없겠지만 만약 진열대 상품이 다 팔렸다면 어떨까? 세밀하게 고려해 가져다 놓은 약간의 재고는 바닥나기 쉽고, 이 경우에는 더 이상 팔 게 없어진다.

그런데 만일 서부 연안 부두노동자들이 사흘 또는 며칠만이라도 상품 운송을 방해한다고 하자. 아마 모든 게 엉망이 되기 시작할 것이다. 결국 자동화는 부두노동자들을 망연자실하게 만든 동시에(샌프란시스코에서만 5,000명의 일꾼이 20년이 채 안 되는 기간 동안 1,000명으로 줄어들었다) 선박 및 부두 인력 회사에게도 불시에 공격받을 수 있는 위험을 안겨 준 셈이다. 이런 점에서 부둣가에 남은 노동자들은 보다 잠재적인 힘을 갖게 되었다. 이제 부두노동자들은 미국 전체를 멈출 수 있었다.

서부 연안에서 마지막으로 있었던 중대한 파업은 약 30년 전의 일이다. 당시는 수출입용 컨테이너가 갓 도입된 터라 여전히 대부분의 화물은 사람이 손수 싣고 내렸다. 컨테이너의 도입으로 인한 충격이 아직 널리 느껴지지 않을 때였다. 미국에서의 파업은 노동자들의 투표와 참여로 일어난다. 때문에 선박 소유주들로서는 부두 인력을 사용하지 않아도 되는 새로운 컨테이너 운반 체계를 잘 이용해보려는 기대로 가득 차 있었다.

당시 부두노동자들은 컨테이너의 도입이 자신들의 삶에 미치는 충격을 온전히 이해하지 못한 상황이었다. 다만 이것이 작업에 영향을 미치는 결정으로 이어지자 뒤처져서 안 된다는 것을 깨닫고 97.5퍼센트가 파업 찬성에 표를 던졌다. 곧바로 파업이 시작되고 서부 연안의 모든 항구가 멈춰버렸다. 하지만 그로부터 101일 후 연방 정부가 태프트하틀리법을 발동해 90일의 냉각기간을 명령했다. 그로 인해 다들 작업에 복귀했지만, 그 90일이 지나자 모두가 다시금 파업에 들어갔다. 2차 파업 투표에서 파업 찬성표는 이전보다 그다지 하락하지 않은 93.5퍼센트였다. 그리고 30일 후 협상이 타결되면서 파업이 끝났다.

겉으로 보기에 이 파업에서는 중요한 것을 아무것도 얻지 못한 듯했다. 모든 신문사들이 거들먹거리는 어조로 우리를 생떼 부리는 어린아이로 묘사했고, 급기야 어리석기까지 하다고 단정 짓기도 했다. 선박 소유주들이 파업 첫날 합의했으면 좋았을 것을, 우리는 임금 인상을 위해 넉 달간 싸워야 했다. 하지만 고용주 집단이라고 마냥 웃을 수 있는 것도 아니었다. 눈치 빠른 수뇌부는 자신들이 처한 현실을 잘 이해했다.

일종의 항만 폐쇄와 다를 바 없는 파업은 자신들이 택할 만한 선택이 아니며, 따라서 부두를 다시 제대로 돌아가게 할 다른 방법을 고안해야 했다. 이들은 결국 노동자와 평화로운 관계를 맺기로 결정했다. 당연히 고용주들로서는 이 결정을 싫어했겠지만 따지고 보면 이는 효과적일 뿐만 아니라 비용도 더 적게 드는 선택이었을 것이다. 고용주들은 임금 인상을 실시하는 대신 그 비용을 거래처에 전가했고, 그럴 힘이 있을 때면 언제든 부두 인력을 최대한으로 감축하여 부족분을 충당했다.

고용주 집단인 태평양해운협회가 발표한 자료에 따르면, 미국 서부 연안의 일반 부두노동자가 1998년에 번 돈은 약 7만 7,000달러이다. 이는 같은 산업 분야 이사들의 급여와 맞먹는다. 또한 이 급여 수준은 지금까지 평화로운 노사 관계의 바탕이 되어왔다. 분명 일부 부두노동자들은 또 파업하기에는 자신들이 너무 많은 돈을 받고 있다고 생각할 것이다. 특히 7만 7,000달러 이상을 버는 노동자들은 더 그럴 것이다. 하지만 7만 7,000달러는 어디까지나 평균일 뿐이고, 모든 평균 수치와 마찬가지로 이 평균 급여 수치도 기만이 있을 수 있다. 절반의 부두노동자는 그 금액의 절반 이하를, 또한 상당수는 그 금액보다 훨씬 더 많이 번다. 돈을 더 많이 버는 상위 집단을 보면(만일 주 5일로 근무하면 1년 근무시간이 총 2,000시간임을 유념하라), 1998년에 주 7일 근무로 1년에 총 2,800시간을 일한 부두노동자들이 12만 4,185달러를 벌었다. 다시 말해 이는 모든 부두가 문을 닫는 크리스마스 및 신정 연휴를 제외한 거의 매일, 토요일과 일요일, 모든 휴일까지 1년 내내 일했다는 뜻이다.

대체 어떤 사람이 이렇게 일할 수 있었을까? 대부분은 이런 사람이 드물 거라고 추측할 것이다. 그럼에도 서부 연안 부두노동자의 14.8퍼센트가 1998년에 2,800시간 또는 그보다 더 많이 일했다. 그렇다면 이들은 과연 어떤 사람들일까?

나는 이들이 대체로 어떤 사람들인지 알고 있다. 대다수는 젊은 남녀들로 한창 자라는 자녀들이 있고, 주택 대출금을 힘들게 갚고 있는 이들이다. 또 일부는 그렇게 젊지는 않으나 자녀를 대학에 보내려고 힘쓰고 있다는 점에서 상황이 비슷하다.

한편 하위 집단은 주 5일 미만인 나흘이나 사흘, 혹은 그보다 더 적게 일한 이들이다. 이들은 놀랍게도 전체 부두노동자 중 44퍼센트를 차지한다. 이는 절반에 가까운 부두노동자들이 더 많은 돈을 버는 것과 집에서 더 많은 시간을 보내며 개인적 즐거움을 추구하는 것 사이에서 후자를 택한다는 것을 보여준다. 그렇다면 이들은 또 누구일까?

이 집단에 속하는 사람들은 무엇보다 유동적이라는 특징이 있다. 처음 집을 사서 일을 많이 해야 했던 젊은이는 대출금을 다 갚거나 어느 정도 해결하고 나면 일을 줄일 것이다. 기본적으로 일을 적게 하는 사람들은 적은 돈으로도 그럭저럭 살 수 있게 된 이들이고, 또한 그런 생활을 선택해서 살아간다. 하지만 44퍼센트가 전부 그런 것은 아니다. 그런 이들의 두 배가 되는 인원은 신참 때부터 적게 일하고 말년이 되어서도 그렇게 일

고용주의 꼼수

한다.

이처럼 부두노동자들이 일종의 복을 누리는 게 단지 운 때문일까? 단적으로 말해 운수는 아무 관련이 없다. 물론 부두노동자들의 전략적 위치가 도움이 되는 건 사실이지만, 이 모든 노동환경은 그들이 자신들의 조직적 힘을 자각하고 활용하고 이용한 덕에 만들어올 수 있었다. 게다가 이런 사실들은 노동계급과 중산층 사이의 놀라운 차이를 드러낼 뿐만 아니라, 미국에서 계급 차이가 생생하게 존속되고 있음을 다시 한번 입증하고 있다.

중년에 들어선 육체노동자들은 대체로 연공서열에 따라 고된 작업, 스트레스, 중요한 업무에 대한 책임에서 벗어날 수 있는 위치를 요구하는 게 가능해진다. 이는 당연한 것으로 간주되고 승인되는 일이며, 젊은 노동자들도 나중에는 자신들이 그렇게 되리라 기대한다.

반면 사무직 노동자들은 성공을 향한 길 위에 서 있고, 이들의 성공이란 곧 승진이다. 특히 중년에 이르면 효율과 생산성을 최대로 발휘할 것을 요구받는데, 만일 그가 이 요구를 제대로 이행하지 못해 적절한 간부직을 얻지 못할 경우에는 실패자로 간주된다. 그때부터는 서서히 내려가는 직위와 올라가지 않는 임금만 바라보게 된다. 이제 그는 이 시기에 이르면 존경받는 육체노동자와는 달리 나머지 직원들에게 잉여 인간일 뿐이다. 그러나 이 시기의 육체노동자는 사무직 노동자가 강요받는 고유의 투지와 포부 면에서도 더 이상 얽매여 있지 않다. 그의 위신은 퇴직의 시기가 가까워질수록 높아진다.

앞서 언급한 고용주 집단인 태평양해운협회는 대체로 부두노동 자들이 일하는 작업 방식을 수용한다. 그럼에도 작업은 문제없이 완수된다. 언뜻 보면 고용주들에게는 선택권 자체가 없는 것으로 보일 수 있지만, 이는 사실이 아니다. 단지 이들은 폭군으로 군림하여 자신들의 뜻을 부두노동자에게 강요할 수 없을 뿐이다. 하지만 불행하게도 미국에서 부두노동자를 제외한 다른 노동자들은 이런 방식으로 자기주장을 할 수 없다. 그들의 사장이 매일 아침부터 저녁까지 작업량을 할당하고 어떻게, 언제 일할지를 결정한다.

그렇다면 태평양해운협회는 노동자들의 작업 관행에 대해 어떤 태도를 취하고 있을까? 실제로 그들은 작업 과정을 현실 상황에 맞춰왔고, 신기하게도 일주일 내내 일하는 노동자가 몇 명이 되건 전혀 불만이 없다. 오히려 지나치게 많은 부두노동자들이 충분히 일하지 않는다는 점이 이들의 주요 불만 중 하나이다. 따라서 이들은 노동자들이 원할 때 휴가와 휴일을 반납하고 일하는 것을 흔쾌히 허용한다. 부두 노동자들은 이렇게 일하면 한 해에 6~7주 정도는 두 배 정도의 임금을 받을 수 있다.

고용주들은 모든 직원들이 매일 엉덩이 붙일 새 없이 바삐 일하는 걸 보고 싶어한다. 높은 임금과 수당도 이를 위해 약속하는 '보상들' 가운데 하나일 뿐이다. 칭찬할 만한 것은 부두 고용주들이 주요 수단으로 채찍이 아닌 당근을 사용한다는 점이다. 이들은 부두노동이 이 나라에서 급여가 가장 높은 산업 분야인 걸 알면서도 노동자들에게 더 많은 임금을 제공한다. 지난 계약에서는 서부 연안 노동계약 역사상 처음으로 봉급에서 공제하는 퇴직금 적립 제도인 '401(k) 저축 계획'이 포함되었다. 보조금은 개별 부두노동자들에게 한 해 최대 2,000달러까지 제공된다. 하지만 나는 한 주에 사나흘 일하는 노동자들이 이것 때문에 근무 시간을 늘릴 것이라고 생각지 않는다. 부둣가에는 돈을 더 벌 수 있는 기회들이 언제나 있었다. 그런데 개인적인 활동이 돈보다 중요하다고 생각하는 절반에 가까운 노동자들에게 이 조치가 뭐가 특별할까 싶다.

부두노동자들도 다른 육체노동자들과 다르지 않다. 그렇지만 불행하게도 부두노동자들이 거머쥔 이점을 얻을 수 있는 다른 분야의 노동자들은 많지 않다. 그런데 만약 저들도 우리처럼 일할 수 있었다면? 사무직과 육체노동을 포함한 미국의 모든 노동자들에게 적절한 임금으로 안락한 삶을 유지할 수 있을 정도로만 일할 수 있는 선택권이 있었다면? 시민 대다수가 필요 이상의 부와 재산을 쌓으라는 꾐에 콧방귀를 뀌었다면, 지금 미국은 어떤 모습일까?

만일 여러분에게 부두노동에 대해 상세히 설명해주면, 부두노동이 수월한 돈벌이만은 아니라고 생각할 것이다. 서부 연안에서 부두노동자로서 생계를 꾸려나가는 것은, 특히 일과 관련해서는 여유를 가질 수 없다. 작업은 기계 장비의 속도에 맞춰서 위험할 정도로 빠르게 진행된다. 또한 부두노동자들은 자신들에게 작업 속도를 늦출 힘과 권한이 있어도 보통 그렇게 하지 않는다. 예로부터 전해 내려오는 금언에 따라 가능한 빨리 선박에 짐을 실어 출항시키려고 한다. 물론 그럴 만한 동기도 있다. 부두노동자들은 오전 8시에 일을 시작해 8시간 일하고 일당을 보장받는데, 만일 7시간 내에 짐을 다 실어 집에 일찍 가게 되어도 8시간의 일당을 받는다. 이는 부두노동자들과 주임들 사이의 암묵적인 합의 중 하나이며, 주임 쪽에서도 이를 지키는 것이 현명하다. 만일 이를 위반할 경우 온갖 불미스러운 사건들이 발생하기 때문이다. 예컨대 다음 선박에 화물이 제시간에 적재되지 않아 출항 전에 임시 교대조를 투입해야 하는 사고가 생긴다.

이 합의가 엄정하게 지켜지면 주임 측에서도 유리한 것들이 있다. 부두노동자들은 보통 짝을 짓거나 조를 짜서 일하는데, 행여 작업 중에 지시를 따르지 않는 일꾼이 있어도 주임이 나설 필요가 없다. 제 몫을 다하지 않는 게으름뱅이는 노동자들이 알아서 처리한다. 물론 일부 주임은 이를 자신의 권한과 역할을 침범하는 행위로 간주할 수도 있다. 자신이 담당하는 일꾼에게 영향을 미치지 못한다면 스스로의 역할을 달리 어떻게 규정하겠는가? 하지만 그가 이 상황에 반대한다고 해도, 그건 본인만의 문제다.

부두에서 주임의 권한 중 일부는 기초적인 평등 원리에 따라 신중하게 제한된다. 예컨대 주임은 일꾼을 직접 뽑을 수 없고, 소개소에서 보낸 사람들과 일해야 한다. 민주주의의 원리에 따라 부두노동자들은

고용주의 꼼수

업무 배치 창구에서 자기 차례가 왔을 때 남아 있는 작업 가운데 원하는 것을 선택할 수 있다.

　이런 방식은 언제나 잘 굴러갔다. 물론 경영진의 주장은 다를 것이다. 하지만 서부 부두노동자들이 시간당 적재하는 화물의 양을 보면, 서부 연안의 작업 생산성이 세계 평균 이상임을 알 수 있다. 또한 임금과 부가 혜택이 수년간 아무리 많이 증가했다고 해도, 이는 자동화로 인한 생산성 증가를 고려해보면 충분히 정당하다. 한 예로 선박 하역 인건비는 기본적으로 지난 30년간 그대로였다. 즉 화물 1톤을 하역하는 비용이 지금도 30년 전과 같다. 하역 과정을 보면, 부두노동자들은 대기하고 있다가 크레인 기사가 화물을 갈고리에 걸어 내려주면 이를 신속히 처리하고, 컨테이너 작업일 경우에는 수완을 발휘해 민첩하게 컨테이너를 고정한다. 좀처럼 말로 표현하지 않을 뿐, 부두노동자들은 자동화로 얻는 이점과 이익, 즉 생산성 증가에 따른 이익이 온전히 부두 인력 회사와 선박 소유주, 그리고 주주들만의 것은 아니라고 확신한다.

　지난 200년간 전 세계적으로 노동자와 관련된 격렬한 투쟁과 충돌이 유난히 많았다. 현재는 서부 연안에서도 특정한 이념을 천명하는 부두노동자들이 거의 사라졌지만, 65년 전에는 작업 관행을 개혁하기 위해 집단행동을 벌였고, 공정성에 근거해 일거리를 균등하게 나눌 권리를 주장했다. 동일한 가치인 평등에 근거해 작업 선택권, 곧 자신이 감당할 수 있다고 생각하는 작업을 선택할 수 있는 권리를 요구한 것이다.

노동자는 정체성을 잃지 않고, 작업 과정에서 한낱 톱니로 전락하는 일을 피하면서 여러 작업을 번갈아 해야 한다. 따라서 부두노동자들은 연공서열에 따라 기술직을 맡을 시기가 오면 기술 훈련을 받을 자격이 있었다. 최근에는 이 같은 노동윤리의 일부가 사라졌지만, 아직도 작업 선택권은 남아 있다. 그리고 형편이 된다면, 작업 선택뿐만 아니라 휴식도 선택할 수 있다. 그렇게 되면 이것은 '일하느냐, 일하지 않느냐'의 문제가 되는데, 충분한 임금을 받는 부두노동자들, 특히 근무일을 줄일 수 있는 특권을 누리면서도 그럭저럭 생계를 꾸려나갈 수 있는 나이든 노동자들에게 이 선택권은 대부분의 생애를 열심히 일한 대가로 얻은 자신의 권리이자 삶의 방식의 일부이다. 따라서 이들은 이 선택권을 소중히 생각하고, 이를 보호하고 지키기 위해서는 어떤 행동도 불사할 것이다. 또 이들은 이런 가치들을 잘 지켜서 다음 세대 부두노동자들에게 넘겨주는 것이 극악무도한 행동이라고 생각하지도 않는다.

그로 인해 내가 일할 수 있는 날은 끝난 셈이었다.
고관절 수술 후 다시 계선 작업을 하려고 작업 배치반을 찾았지만 조원들에게 짐만 됐다.
민첩하게 움직일 수가 없었고, 발을 디뎌 줄을 당길 때
오른쪽 다리에 힘이 충분히 실리지 않았다.

21

사고, 34년 부두에 마침표를 찍다

부두노동자, 선원, 의장 담당자들에게 '만곡부'는 늘 조심해야 하는 곳이다. 만곡부를 그려보려면, 일단 머릿속에 다이아몬드 모양의 내야를 떠올려보자. 그런 뒤, 거대한 고무 밴드 내지는 강철선의 한끝을 1루에 고정하고 그 줄을 당겨 3루에 단단히 고정한다. 다음에는 줄 가운데 부분을 잡아 2루까지 팽팽하게 당긴다. 그러면 투수의 마운드가 생겨나는데, 그게 바로 만곡부이다. 만약 2루에서 잡고 있던 줄을 확 풀면 어떻게 될까? 마운드에 있는 것들은 싹 쓸려 나간다. 만일 사람이 서 있었다면 본루까지 내동댕이쳐질 것이다. 그가 두 동강 나지 않는다면 말이다.

이처럼 만곡부가 위험한 장소라는 것에는 의문의 여지가 없다.

이 때문에 밧줄이나 쇠줄로 만곡부가 생기는 기계 장치 주위에서 일할 때면, 항상 신참에게 만곡부에 서 있지 말라고 주의를 준다. 만약 도르래가 떨어지면, 목숨을 담보로 하는 술래잡기가 되기 십상이다.

"만곡부에 있지 말게!"

내가 부두에 처음 일하러 왔을 때도 고참들은 늘 이렇게 일러주었다. 결국 나도 고참이 되었고, 이렇게 말하게 되었다.

"제기랄, 만곡부에 있지 말라고!"

때로 신참이 충고를 재차 무시할 때는, 과거에 고참이 그랬듯이 이 말을 보탰다.

"멍청하기는!"

그런데 문제는 이따금씩 작업을 끝내려면 부득이하게 만곡부에 들어가야 한다는 것이다. 예컨대 줄이 꼬이거나 도르래가 제멋대로 움직여 밧줄이 잘 움직이지 않을 때, 자주 발생하지만 원인은 당최 알기 힘든 걸림 현상 같은 게 있으면 누군가는 만곡부에 들어가 문제를 해결해야 했다. 물론 들어가기 전에 기계 장치를 멈추면 위험을 최소화할 수 있지만 대부분의 작업은 다른 동료들과 보조를 맞춰야 하므로 작업을 멈추는 건 어렵거나 아예 불가능했다. 또 팽팽한 줄을 여러 쪽에서 당기고 있어서 힘과 긴장을 늦추기가 어려웠다.

위험이 잠재된 일터에서 일하는 사람은, 자칫하면 자신도 다칠 수 있다는 걸 안다. 하지만 심하게 다칠 거라고는 생각하지 않는다. 물론 죽지는 않겠지만, 빨리 오든 늦게 오든 부상을 입는 순간은 다가오게 마련이고, 내 차례도 오게 마련이다. 접질리고, 근육이 늘어나고, 자상이라고 할 만큼 깊게 베이는 정도는 그래도 보통이다. 하지만 뼈가 부러지는 등 심각한 부상은 삶을 뒤바꿔놓을 수도 있다. (대개는 가볍게 다치는 걸 원한다. 그럴 경우에는 유급휴가를 받을 수 있고, 많지는 않아도 보상금도 받을 수 있기 때문이다.)

우리 항구에 매일 들어오던 배 중에 차량을 선적한 대형 선박이 있었다. 이 배는 매어두기가 가장 곤란한 배 중 하나였다. 차대에 켜켜이 쌓인 컨테이너를 크레인으로 하역하는 표준 선박과 달리, 이 선박의 컨테이너는 갑판에 고정된 트레일러 위에 놓여 있었다. 선박이 항구에 도착하면 트랙터가 승선하여 트레일러를 연결하고, 갑판과 부두 사이에 놓인 램프를 따라 컨테이너를 끌어 날라야 했다. 이 선박은 갑판이 네 개였고, 상갑판은 강철 재질에 상당히 넓었으며 비, 햇볕 등에 그대로 노출되어 있었다. 트레일러의 모든 컨테이너가 운반되어 상갑판이 텅 빈 모습을 부두에서 보면 정말 항공모함이 불쑥 나타난 것 같았다.

이 선박에서는 이물을 묶어 고정하는 작업이 특히 까다로웠다. 이 작업에는 지름 1인치의 쇠줄을 사용했는데, 이 쇠줄을 푸는 선원은 앞바다 쪽 상갑판에서 약 18미터 맞은편에 있는 권양기로 그 작업을 하기에 우리는 그를 볼 수 없었고 그도 우릴 볼 수 없었다. 게다가 권양기 기사는 늘 함교의 지시를 받았다. 쇠줄을 풀고, 멈추고, 감으라는 지시가

180미터쯤 떨어진 고물 쪽 함교에서 떨어졌다. 게다가 신호를 보내는 우리를 내려다보는 갑판장이나 선원도 없었다.

내가 그 선박의 작업을 마지막으로 했을 때가 오전 2시 30분이었다. 배는 대형이었고 줄을 담당하는 인원이 여덟 명 필요했다. 넷은 고물 쪽을 맡고, 나를 포함한 나머지 넷은 이물이 들어오는 쪽에서 기다리고 있었다. 선박이 부두에 가까이 오자 선원이 가볍고 가느다란 밧줄 하나를 던졌고, 우린 굵은 계선줄을 빨리 받기 위해 서둘러 그 밧줄을 잡아당겼다.

선박을 매는 데 쓸 첫 번째 줄은 쇠줄이었다. 계선줄 한끝은 쇠줄에 잇댄 큰 고리에 묶여 있었고, 그 쇠줄 고리는 선박 상갑판 바로 밑 닻줄 구멍에서 나오고 있었다. 우리 넷은 쇠줄을 당길 자리를 미처 잡기도 전에 쇠줄과 고리가 닻줄 구멍에서 빠르게 나오더니, 바다 속에 수직으로 떨어지는 걸 보았다. 쇠줄은 무게가 1피트당 4~5킬로그램 정도였다. 우리는 60여 미터 되는 바다 맨 밑까지 내려간 쇠줄을 끌어올려야 했고, 우리 중에 오웬스가 지게차를 가지러 달려 나갔다.

오웬스가 돌아오자 나는 계선줄에 매듭을 지어 지게차 뒤쪽에 단단히 묶었다. 우리가 계선줄을 철제 계선주의 양 뿔 중 한쪽에 걸자 오웬스가 기중기를 몰기 시작했고, 그러자 바다 밑 진흙에 덮여 있던 쇠줄이 서서히 모습을 드러냈다. 우리 계획은 쇠줄이 나오면, 기중기로 쇠줄의 한쪽 고리를 3미터 가량 끌어당겨, 뿔을 이용해 다른 쪽 계선주에 걸린 쇠줄을 약간 느슨하게 만드는 것이었다. 오웬스가 기중기를 멈추고 천천히 후진하는 동안 바비와 찰리, 그리고 나는 계선주의 양 뿔에 쇠줄 고리를 걸고는 물러서서 움직이는 쇠줄을 지켜보았다. 쇠줄이 일정한 위치에 와야 쇠줄 작업을 시작할 수 있었다.

나는 더 뒤쪽에 서 있었는데(바비와 찰리는 내 맞은편에 있었다), 쇠줄이 계선주를 통과하는 중에 비스듬히 틀어지면서 나를 만곡부 쪽으로 몰았기 때문이다. 쇠줄로 만들어진 각이 야구장 내야만큼이나 심하지는 않았지만 그래도 만곡부는 만곡부였다. 오웬스는 자체 무게로 팽팽하게 당겨진 쇠줄을 계속 계선주로 끌었고, 우리는 느슨해진 쇠줄 3미터를 확보하고 나서 오웬스에게 멈추라는 몸짓을 보낸 뒤 앞으로 나가 쇠줄 고리를 잡았다. 그다음 기억나는 건, 내가 서 있던 데에서 뒤쪽으로 3미터쯤 되는 곳에서 대자로 누워 있었다는 것이다. 너무 순식간에 벌어진 일이었다.

이유는 무슨 까닭에서인지 권양기로 쇠줄을 풀던 선원이 반대로 쇠줄을 감았기 때문이었다. 우리는 그것이 신호 교환을 하지 않아서 생긴 일이라고 짐작했다. 선원이 쇠줄을 너무 빠르게 감자 쇠줄이 내 쪽 계선주 뿔에서 튕겨 올라 벗겨지면서 내 오른쪽 다리 위쪽을 낚아채 자빠뜨린 것이다. 그래도 운이 좋은 셈이었다. 줄이 1미터만 더 높이 날아왔다면 목을 동강 냈을 것이다.

사람은 다쳤을 때도 의식만 있다면 '얼마나 심하게 다친 거지?'

라고 생각한다. 나 역시 바닥에 누워 있는 동안 한 방 먹었다는 걸 깨달
았다. 잠시 후 나는 일어나서 걸음을 내딛고 작게 원을 그리며 걸어보았
다. 걸을 수 있다는 게 놀라웠다. 안도감이 들었다. 아마도 큰 것 한 방은
피한 모양이었다. 찰리와 바비가 뛰어왔다.

"괜찮아요?"

찰리가 물었다. 쇠줄이 내 쪽으로 날아와서 두 사람은 줄이 지나
는 경로에서 비켜났다.

"괜찮아요? 앉아 있는 게 좋을 거예요."

이번에는 바비가 말했다. 나는 다시 일을 할 수 있을지 확인하기
위해 재차 걸어보았다.

"괜찮아요. 걸을 수 있어요."

"좀 쉬어요. 나머지 줄은 우리가 할게요."

정박 작업을 마치려면 계선줄 넷과 배 중간을 고정하는 스프링
라인 작업 하나를 더 해야 했다. 나는 등주에 기대어 작업을 마무리하는
동료들을 지켜보았다. 그러고는 절뚝거리며 사고 경위서를 작성하러 갔
다. 그로부터 9개월 후, 나는 오른쪽 고관절을 인공 관절로 교체하는 수
술을 받았다.

사고가 일어났을 때는 몰랐지만, 그로 인해 내가 일할 수 있는 날
은 끝난 셈이었다. 고관절 수술 후 다시 계선 작업을 하려고 작업 배치반
을 찾았지만 조원들에게 짐만 됐다. 민첩하게 움직일 수가 없었고, 발을

디뎌 줄을 당길 때 오른쪽 다리에 힘이 충분히 실리지 않았다. 내 삶의 노동, 열네 살부터 시작했던 내 노동의 나날이 종막을 맞이한 것이다.

현재 노조에 가입한 노동자 수는 1,450만 명 정도로 그 수가 하락하고 있지만,
노동자로 분류되는 사람은 1억 1,200만 명을 넘고 있다.
블루칼라, 화이트칼라, 핑크칼라, 고용주에게 고용되어 일하고 급여를 받는
모든 사람이 여기에 속한다. 이는 거의 1억 명에 달하는 노동자들이 일터에서 개개인으로
존재하며, 고용주와 대면할 때 본인 외에는 자신을 대변해줄 사람이 없다는 걸 뜻한다.
...
이 땅에서 노동이 사라지고 있다. 앞으로는 또 무엇이 사라질까?
아마도 셀 수 없이 많은 것들이 사라질 것이다.
그리고 우리는 사라진 뒤에야 그것들을 알게 되고, 그리워하고, 이해하게 될 것이다.

22

날개 꺾인 노동

에드워드 파머 톰슨은 『영국 노동계급의 형성』에서, 역직기를 사용하는 공장들로 인해 몰락한 가내 공업자들, 인클로저로 집과 땅을 잃고 삶의 방식마저 파괴되어 혼란과 절망에 빠진 이들에 대해 기록하고 있다. 이들 중 다수는 오스트레일리아나 미국, 캐나다, 그 밖의 나라로 이주했고, 남은 사람들은 두 세대에 걸쳐 비틀거리며 힘겨운 삶을 살다가 마침내 산업화한 영국의 광산과 공장에서 다시 한 번 하나의 계급으로 뭉쳤다.

　이들은 공장과 광산에서의 경험을 통해 하나의 정체성, 충성심, 공통의 목적을 견지하는 노동자로 통합되었고, 이것이 결국 정치 정당으로 이어졌다. 때로는 이 정당이 노동자들을 실망시키기도 했지만, 어쨌든 이들은 자신의 이름으로 영국을 통치하게 되었다.

그러나 미국의 역사는 다르다. 거대 자본에 의해 기업형 농장들이 세워지고 크고 비싼 기계가 돌아가기 시작하면서 영국보다 훨씬 더 많은 사람들이 도시와 공장으로 이주했다. 현재 농업에 종사하는 미국인은 3퍼센트 미만이다. 하지만 불행하게도 정권을 획득할 만큼 힘 있는 노동자 정당은 등장하지 않았다. 사실 새뮤얼 곰퍼스가 대표로 있던 시절 미국노동총연맹(AFL)은 노동자의 입장에서 정치적인 조직화의 모든 시도를 거부했을 뿐만 아니라 유진 데브스의 그런 노력조차 공개적으로 반대했다. 사실 노동조합에 속해 있든 속해 있지 않든 미국 노동자들이 19세기 말과 20세기에 더 큰 정치권력을 획득하지 못한 것은 이상할 정도이다. 이들이 전쟁 등 다른 영역에서 거둔 두드러진 성과를 보라.

20세기 전 세계의 가장 큰 위협은 나치 독일과 제국주의 일본이었다. 그리고 이 나치를 물리치는 데 공헌한 사람들은 주로 육체노동자로 구성된 미국 군대와 동맹군이었다. 게다가 이들에게 방대한 전쟁 물자를 공급한 사람들 또한 미국의 육체노동자들이었다. 태평양에서 얻은 승리 역시 전적으로 미국의 공이었다는 데는 이견이 없으리라. 즉 1940년대 말에 중국을 휩쓴 이들이 홍군이었다면, 일본 제국을 패배시키고 중국 혁명을 가능하게 한 이들이 바로 미국의 육체노동자들이 가담했던 미 육군과 해군이었다. 만일 우리가 이처럼 큰 역할을 담당하지 않았다면 오늘날 세계 상황은 분명히 달랐을 것이다.

노동통계국에 따르면 현재 노조에 가입한 노동자 수는 1,450만 명 정도로 그 수가 하락하고 있지만, 노동자로 분류되는 사람은 1억 1,200만 명을 넘고 있다. 블루칼라, 화이트칼라, 핑크칼라 , 고용주에게 고용되어 일하고 급여를 받는 모든 사람이 여기에 속한다.

이는 거의 1억 명에 달하는 노동자들이 일터에서 개개인으로 존재하며, 고용주와 대면할 때 본인 외에는 자신을 대변해줄 사람이 없다는 걸 뜻한다. 즉 아직까지도 이 많은 사람들에게는 성취하지 못한 과제들이 남아 있다. 공통의 토대 위에서 연합하고, 노동자로서 서로를 동일시하며, 결국 집단적 노력을 기울여 스스로의 경제적, 정치적 조건을 개선하는 일이다.

얼핏 보기에 이 거대한 무리는 AFL-CIO의 노조 조직화에 비옥한 토양이 될 듯도 하다. 그간 AFL-CIO는 기존 노조 지부이든 이들의 이익을 고려해 새롭게 만든 노조이든, 아무튼 많은 노동자들을 노조에 가입시키기 위해 많은 시간과 금전적 노력을 기울였다. 그 결과 교사와 간호사 직종에서는 조직화를 성공했지만, 그 후의 노력은 충분하지 못했다.

한편 1960년대 중반부터 2000년까지의 양상을 보면, 육체노동자 수는 극적으로 줄어든 반면, 서비스 노동자 수는 두 배 넘게 늘어났다. 그런데 이 서비스 노동자들은 거의 조직화되지 않은 상태이며, 미국에서 가장 낮은 임금을 받으면서도, 노조에 가입하려는 열의를 그다지 보이지 않는다. AFL-CIO는 그 이유가, 이직률이 높고, 이주노동자와 시간

생계를 꾸리고자 일터로 뛰어든 저임금 미숙련 여성 노동자.(역자 주)

날개 꺾인 노동

제 근무를 하는 젊은이가 많기 때문이라고 하지만, 사실 뾰족한 해답을 가진 사람은 없는 것 같다.

제2차산업 육체노동자의 점진적 감소는 이미 예견된 일이었다. 자동화가 진행되고 기계 장비가 도입될수록 상품을 생산하는 데 필요한 노동자 수는 적어진다. 이것이 우리 삶의 실상이다. 한편 서비스 노동자의 수는 늘어났지만, 그것이 노조 조직화의 추진력이 되지는 못했다. 또한 지금 이들의 상황은 산업혁명 시기 육체노동자들과는 다르다. 이에 대한 한 가지 설명을 하자면, 이들은 일을 하지만 생산물을 만들어내지는 못하며, 그런 만큼 아마 스스로를 육체노동자와는 다르게 인식할 것이다.

그렇다면 이들은 자신의 노동을 그저 손님을 접대하는 일이라는 생각으로 개인적 가치, 자부심을 잃은 것은 아닐까? 서비스 노동자들의 일은 문명 세계에서 꼭 필요하다. 그럼에도 이들은 대체로 인정받지 못하고 임금도 적게 받는다. 그렇다면 이들의 노동은 제너럴 모터스 조립 라인에서 쉐보레를 생산하는 노동과 정말로 다른가? 자신들이 생산한 자동차가 세계를 누빈다는 이유로 쉐보레 생산 노동자들은 더 나은 임금과 노동조건을 요구할 권한이 있는 걸까? 이 모든 질문들은 오늘날 상황과 깊은 관련이 있는 것들이고, 반드시 답을 찾아야 한다.

반면 간호사와 교사들은 강력하게 조직화되어 있다. 이들의 경우는 환자를 치료하고 아이들을 교육하는 전문직으로서 분명한 직무가 있다. 또한 노조에 가입하거나 만들기 전에도 자신들의 협회를 갖고 있었고, 이렇게 스스로 조직화해 단체를 결성해본 경험이, 필연적으로 하나의 교섭 단위 형성으로 이어졌다. 하지만 현재 수백만 명의 서비스 노동자들은 이와 같은 집단행동을 할 수 없을 것으로 보인다.

한편, 노조에 소속되어 있는 1,400만 명의 노동자들은 어떤가? 이들이 과연 노조 운동을 성공적으로 부활시키고 미조직 노동자들을 조직화하는 데 핵심적 역할을 할 수 있을까? 물론 그럴 수도 있겠지만, 다른 요인들도 개입할 것이다.

운수업, 건축업, 제조업 분야에서 일하는 미조직 숙련 노동자들의 임금은 대부분의 서비스 노동자들의 두세 배다. 또한 양질의 의료 및 치과 진료 혜택, 휴가, 노령연금 등의 혜택을 누린다. 그럼에도 이들은 여전히 사회 주변부에 고용되어 거의 최저임금을 받으며 근근이 살아가는 육체노동자 형제들에게 동질감을 느낀다. 문제는 이들 중에 많은 사람들이 이런 육체노동자를 돕기에는 자신이 너무 무력하다고 생각한다는 점이다.

게다가 가난한 노동자들이 일정한 직업이 있는 부유한 노동자들에게 위협이 될 수 있다는 점도 방해 요인이다. 요컨대 파업이 일어날 경우 경영자들이 가난한 노동자들을 대체 인력으로 고용해서 파업을 무력화시킬 수 있기 때문이다.

실로 공개적으로 널리 알려지지 않았을 뿐, 와일드캣 스트라이크는 자주 발생하는 상황이다. 하지만 전체 파업 발생 빈도는 예전보다 덜하다. 요즘 경영진들은 사측이 패배할 수도 있는 대립 상황을 영리하게 피하기 때문이다.

그럼에도 파업 현장에는 여전히 대체 인력이 투입될 위협이 도사리고 있다. 서부 연안 부두노동자들도 최근에는 대체 인력 문제로 씨름한 적이 없지만, 다른 측면에서 대체 인력은 잉여 노동자의 전형이라고 볼 수 있다. 부두 인력 회사 및 선박 회사 고용주들은 높은 임금을 주고 노동자와 평화로운 관계를 맺는 게 결과적으로 더 싸다는 걸 깨달은 후로는 일거리를 외주로 돌리거나 작업을 자동화하는 방법으로 인건비를 줄이고 있다. 직원 수가 끊임없이 줄어드는 상황에서, 한해에 5만에서 7만 달러를 버는 부두노동자나 그 외에 조직화된 노동자들이 하는 주된 걱정은 '어떻게 하면 내 일을 자식에게 물려줄 수 있을까'이다.

이런 추세가 계속된다면 앞으로 미국은 어떻게 될까? 여기저기서 범죄율이 감소되었다고 공표하고 있는데도 수감자 수는 오히려 증가세에 있다. 명백하게 밝혀졌듯이 실제로 범죄는 증가하고 있고, 앞으로도 그럴 공산이 아주 크다. 시급 7~8천 원 일자리와 비록 감옥에 들어갈 위협이 있다고 해도 마약을 팔아 얻는 호화로운 생활 중에 하나를 택하라면 후자를 택하기가 훨씬 더 쉽다. 그리고 이들은 얄궂게도, 미국에서 그 수가 늘고 있는 몇 안 되는 직종 하나를 양성하고 있다. 바로 교도관이다.

우파가 외쳤던 자유방임주의가 결국 우리를 이 지경까지 끌고 왔다. 하지만 나는 우리 앞에 닥친 문제를 해결하면서도 사회적으로 용인될 만한 전통적인 사회주의적 해법이 금방 나오리라고 생각하지는 않는다. 불행하게도, 경제가 감춘 비밀을 들춰낼 정도로 날카로운 통찰력을 보인 마르크스와 엥겔스, 아니 그 외의 어느 누구도 자본주의하에서 산업화 과정이 이처럼 전개될 거라고는 전혀 예측 못 하지 않았는가.

만약 앞으로, 특별한 의미로서의 육체노동자 계급이 사라진다면 무슨 일이 벌어질까? 또한 미국에서 이것은 어떤 의미일까? 첫째로, 노동계급은 평등주의를 지지하고 엘리트주의에 반대하는 집단이다. 따라서 이들이 사라진다면 계급화가 더 가속화될 것이다. 둘째, 노동계급이 없다면, 미국의 소중한 부분인 노동계급의 거주지, 문화, 윤리 또한 사라질 것이다.

노동자는 공장에서 그저 일만 하는 게 아니라 공통의 생활양식과 관심사를 공유하며, 이것은 일터 밖에서도 여전히 이어진다. 예컨대 노동자 선술집은 술꾼의 집합소 역할만 해온 것이 아니다. 근무가 끝나고 동료와 맥주 한잔을 하면서 주임에게 공동으로 어떤 태도를 보이는 것이 좋을지 논의하는 자리이며, 토요일 아침에 할 소프트볼 경기의 팀을 정하는 일까지 모든 것을 이야기할 수 있는 공간이었다.

실로 이런 노동자들의 모임에 나가 사회적 교류를 경험해보지 못한 사람은 이들이 나누는 대화의 뉘앙스, 암묵적 합의, 그들이 도달한 결론을 이해할 수 없다. 또한 이들이 공동의 이해가 걸린 사안을 두고 함께 행동하는 과정 역시 알 수 없다. 그 주제가 태업 계획이든 누가 유격수를 맡을지를 정하는 것이든 말이다.

이 모든 것들은 미국에서 중요하고 의미 있는 부분으로 존재해왔다. 하지만 노동자들을 연결해주는 장소로 기능해온 노동자 선술집은 거의 사라졌다. 실리콘밸리 같은 전국 각양각색의 신산업 단지에 이런 선술집이나 이 비슷한 장소가 생길 것 같지도 않다. 우리는 육체노동이 사라지면 일뿐만 아니라 미국 자체가 달라진다는 점을 기억해야 한다.

이제 그저 '탐욕스럽다'는 말로는 생산수단(광산, 농장, 공장)을 이용해 오직 사적인 목적과 이익만을 추구하는 이들에 대해 충분히 설명하지 못한다. 손해를 감수하더라도 남아 있는 일거리를 해외로 이전하려고 기를 쓰는 이들의 행동을 과연 탐욕만으로 설명할 수 있겠는가? 또 러스트 벨트의 일부 지역에서 있었던, 거의 재난에 견줄 만한 해외 이전으로 인한 손실, 그로 인해 일자리를 잃고 엄청난 피해와 충격을 받아온 노동자들을 어떻게 할 것인가.

그럼에도 자신들을 둘러싸고 과거에도 일어났고 현재에도 진행되고 있으며 앞으로도 일어날 이런 일들에 무관심한, 나머지 미국인들을 보면 분통이 터지지 않을 수 없다. 나아가 미국 육체노동자 계급의 상당 부분이 의도적인 계획으로 파괴되어온 상황을 어떻게 묘사해야 할지, 또 지금 벌어지는 상황이 미국에 유익하다고 주장하는 이들에 대해 어떻게 말해야 할지는 더더욱 떠오르지 않는다. 사람은 마침내 자신의 역사가 써질 때, 진부하지 않은 용어가 사용되기를 바란다.

그렇다면 우리는 무엇을 할 수 있을까? 사람들은 미국이 이념을 추구하는 사람들의 집합이라고 말해왔다. 일터에서 쫓겨난 미국인들을 사회·경제적으로 회복시키기 위해 필요한 것은 이념이 아니다. 필요한 것은 오로지, 대개의 미국 국민에게 있는 정의와 품위를 돌려주는 것이다.

하지만 미국이 보다 공정한 사회가 된다면, 가장 먼저 검토해야 할 의제는 '무엇을 할 것인가'가 아니라 '해서는 안 되는 것, 서로에게 하면 안 되는 것은 무엇인가'가 되어야 한다. 이는 어떤 면에서 의사의 신조와 비슷하다. 즉 '경제적인 피해를 주지 말라'이다.

앞으로 미국에서는 육체노동자, 육체노동자 문화, 육체노동자 윤리가 더 이상 중요하지 않을 수도 있다. 우리는 그렇게 되지 않기를 바란다. 노동의 대가들, 즉 노동자 입장에서는 임금, 소비자 입장에서는 노동자가 생산한 생산물을 빼앗아 간다면, 미국은 더 가난해질 것이다. 우리 삶에 필수적인 이 노동을 지키려면, 노동이 하나의 권리로 간주되어야 하며, 노동권도 반드시 보호되어야 한다. 자기 역할을 찾아 사회의 일부가 되고자 하는 사람은 누구나 일자리를 얻어 사회에 필요한 일을 하고 싶어하는 일차적인 욕구가 있다. 숙련 노동이든 비숙련 노동이든 모든 노동은 보호되어야 하고 정당한 보상을 받아야 하며, 가능한 평등하게 나뉘어야 한다. 하지만 미국 인구가 증가하고 있는 상황에서 정직한 노동의 세계에 들어가는 일은 점점 힘들어지고 있다. 불행하게도 현재 미국인에게 노동은 희망 사항일 뿐이다.

　이 땅에서 노동이 사라지고 있다. 앞으로는 또 무엇이 사라질까? 아마도 셀 수 없이 많은 것들이 사라질 것이다. 그리고 우리는 사라진 뒤에야 그것들을 알게 되고, 그리워하고, 이해하게 될 것이다.